D0432684

LA NOUVELLE ENCYCLOPÉDIE DES SCIENCES

LA CHIMIE

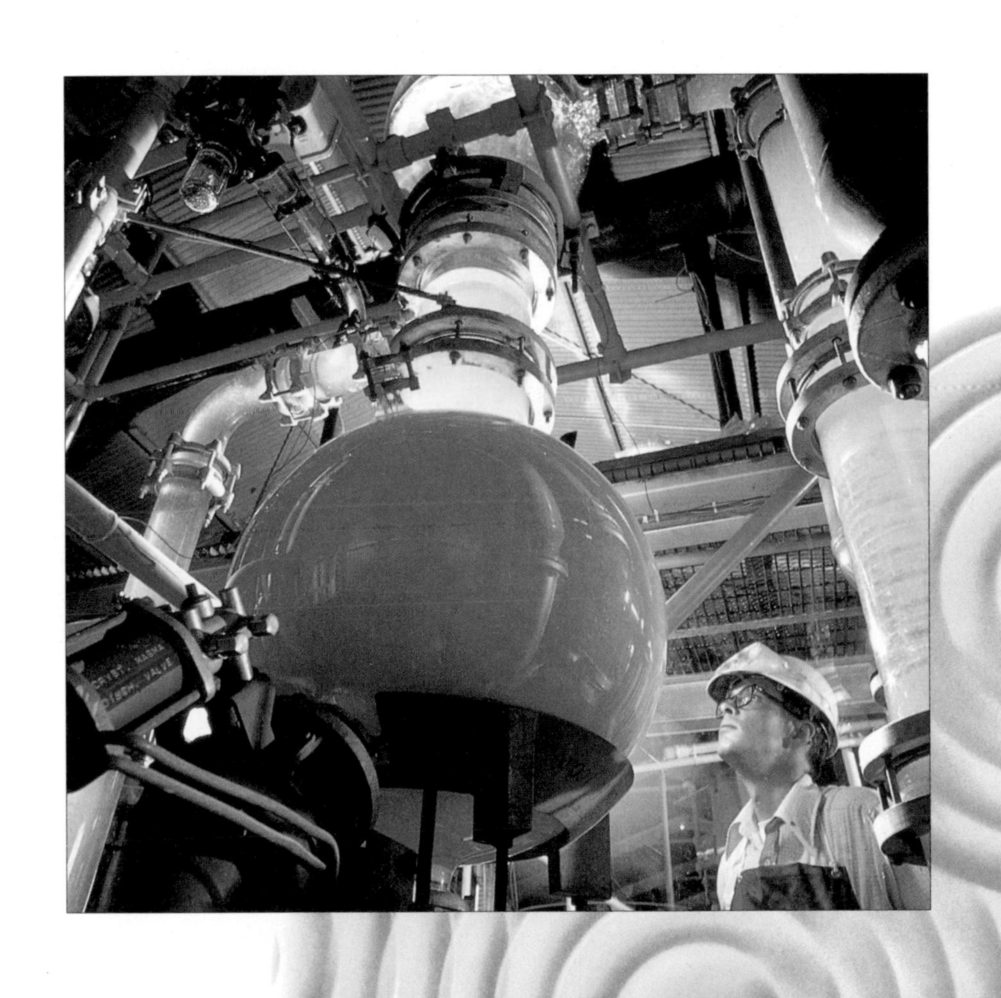

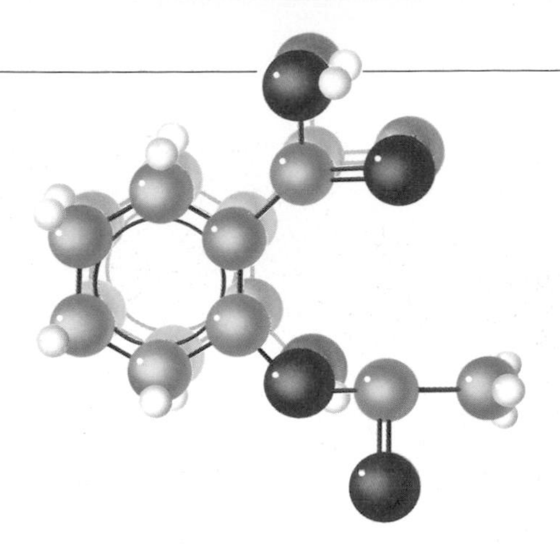

LA CHIMIE

NINA MORGAN

FRANCE LOISIRS
123, bd de Grenelle, Paris

Sommaire

Responsable d'édition Peter Furtado
Directeur d'édition John Clark
Secrétaire d'édition Lauren Bourque
Assistante Marian Dreier
Directeur artistique Ayala Kingsley
Illustrations Ted McCausland, Siena Artworks
Maquette Martin Anderson, Roger Hutchins
Direction de l'iconographie Jo Rapley
Recherche iconographique Jan Croot

Livre conçu et réalisé par
Andromeda Oxford Ltd
9-15 The Vineyard
Abingdon OX 14 3PX

Texte pp. 16-47 (c) Helicon Ltd
adapté par Andromeda Oxford Ltd
Titre original : *Chemistry in Action*
The Molecules of Everyday Life

Édition française
Traduction et relecture scientifique Rémi Losno, Laurent Gomes, Docteurs en sciences
Secrétaire d'édition Catherine Pelché

Édition du Club France Loisirs avec
l'autorisation des Éditions Andromeda

ISBN 2.7242.5882.7
N° Éditeur 24084
Dépôt légal mars 1996
Composition : PFC - Dole
Imprimé en Allemagne

Introduction

Dans notre société industrielle, le terme « chimique » a souvent une connotation péjorative. Nous sommes profondément choqués par l'impact sur notre environnement des produits chimiques de synthèse. Néanmoins, c'est dans le milieu naturel lui-même qu'il se fait le plus de chimie. Nous respirons O_2, buvons H_2O et répandons NaCl sur notre nourriture. Chacun de ces trois corps est une entité chimique faite d'éléments naturels. Il y a dans la nature environ 90 sortes de telles briques de construction chimiques, et on sait en fabriquer une douzaine d'autres artificielles. Cependant, seulement une trentaine de ces éléments sont présents en quantité notable. C'est à partir de ce petit nombre d'éléments que la nature fabrique des millions de substances différentes. Les chimistes ont étudié comment ces substances ont été construites et comment leurs structures expliquent leurs interactions. Ils ont aussi appris à fabriquer de nouvelles substances de complexité croissante : pour notre bien-être, pour nous protéger, nous maintenir en bonne santé, nous permettre de voyager en toute sécurité et pour beaucoup d'autres activités de notre société moderne. Malgré la réelle menace que font peser les procédés dangereux et potentiellement polluants de l'industrie chimique, la chimie a un impact globalement positif sur le monde actuel.

Les éléments forment des composés lorsque leurs atomes se combinent au moyen de liaisons chimiques, et les composés réagissent entre eux en brisant et en reformant ces liaisons dans de nouvelles configurations. Ces liaisons chimiques sont dues au partage d'électrons entre les atomes. La chimie est une science qui étudie le comportement et les interactions des éléments et de leurs atomes.

Les chimistes connaissent aujourd'hui plus de huit millions de composés différents contre seulement un million il y a 60 ans. La plupart de ces composés sont organiques, c'est-à-dire qu'ils contiennent des atomes de carbone liés entre eux. Les chimistes ont longtemps cru que ces substances carbonées ne pouvaient être synthétisées que par des processus propres aux organismes vivants, par exemple les cellules d'un animal. Aujourd'hui, on synthétise un grand nombre de ces substances en laboratoire. Les hydrocarbures (constitués d'atomes de carbone et d'hydrogène comme les combustibles fossiles), les hydrates de carbone (comme le sucre, l'amidon ou la cellulose), les polymères et les plastiques sont des matériaux organiques.

En général, les composés minéraux (ou inorganiques) ne contiennent pas d'atomes de carbone. Cependant, les oxydes de carbone (monoxyde et dioxyde), les carbonates et bicarbonates sont aussi inorganiques. Les minerais, les acides, les bases et les sels représentent les composés inorganiques les plus importants.

Les chimistes sont capables d'analyser diverses substances pour en déterminer la composition. Ils inventent aussi des procédés pour produire à partir de matières premières, à bas prix et en toute sécurité, les composés dont on a besoin. Ils peuvent enfin prédire les propriétés d'une nouvelle substance avant même de l'avoir synthétisée. La chimie marie la théorie à la pratique, le laboratoire de recherche à l'usine. Un chimiste faisait remarquer : « Les chimistes sont les seuls scientifiques créateurs d'objets ; les autres ne font qu'analyser, théoriser ou disséquer. »

La chimie s'appuie souvent sur les autres sciences pour agrandir son champ d'application. La biochimie prend de plus en plus d'importance en médecine et contribue à la compréhension des phénomènes vitaux. L'électrochimie, la thermochimie et la cinétique (étude de la vitesse des réactions chimiques) forment la chimie physique. La chimie industrielle, incluant le génie chimique, est la branche de la chimie commercialement la plus importante. Elle donne naissance à de nombreux produits comme les céramiques, les cosmétiques, les colorants, les explosifs, les engrais, les médicaments, les peintures, les puces de silicium pour l'électronique et les matières plastiques.

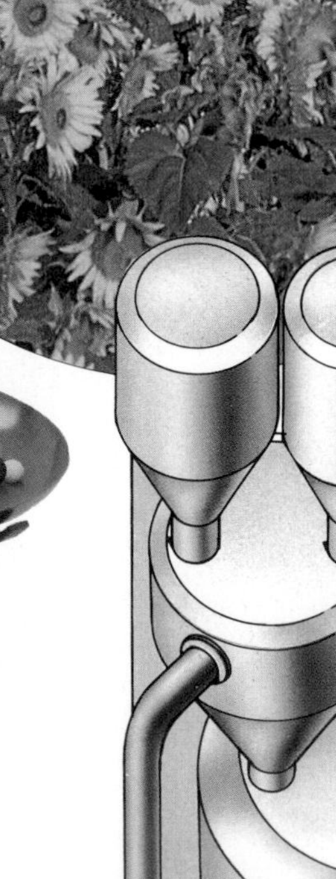

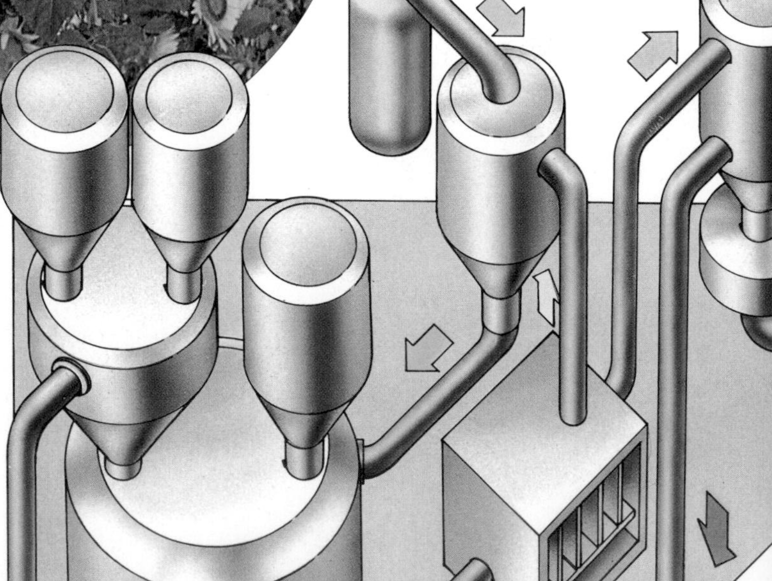

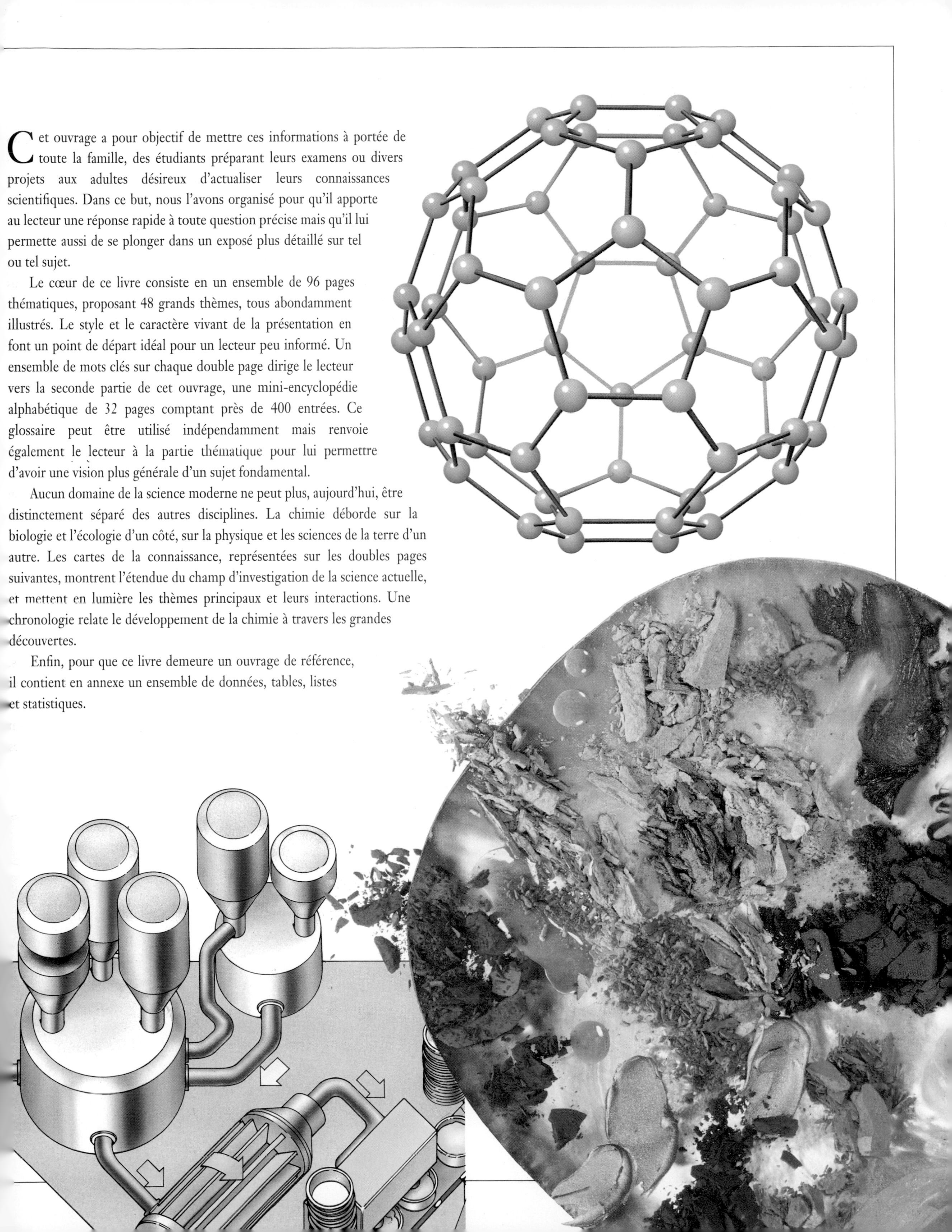

Cet ouvrage a pour objectif de mettre ces informations à portée de toute la famille, des étudiants préparant leurs examens ou divers projets aux adultes désireux d'actualiser leurs connaissances scientifiques. Dans ce but, nous l'avons organisé pour qu'il apporte au lecteur une réponse rapide à toute question précise mais qu'il lui permette aussi de se plonger dans un exposé plus détaillé sur tel ou tel sujet.

Le cœur de ce livre consiste en un ensemble de 96 pages thématiques, proposant 48 grands thèmes, tous abondamment illustrés. Le style et le caractère vivant de la présentation en font un point de départ idéal pour un lecteur peu informé. Un ensemble de mots clés sur chaque double page dirige le lecteur vers la seconde partie de cet ouvrage, une mini-encyclopédie alphabétique de 32 pages comptant près de 400 entrées. Ce glossaire peut être utilisé indépendamment mais renvoie également le lecteur à la partie thématique pour lui permettre d'avoir une vision plus générale d'un sujet fondamental.

Aucun domaine de la science moderne ne peut plus, aujourd'hui, être distinctement séparé des autres disciplines. La chimie déborde sur la biologie et l'écologie d'un côté, sur la physique et les sciences de la terre d'un autre. Les cartes de la connaissance, représentées sur les doubles pages suivantes, montrent l'étendue du champ d'investigation de la science actuelle, et mettent en lumière les thèmes principaux et leurs interactions. Une chronologie relate le développement de la chimie à travers les grandes découvertes.

Enfin, pour que ce livre demeure un ouvrage de référence, il contient en annexe un ensemble de données, tables, listes et statistiques.

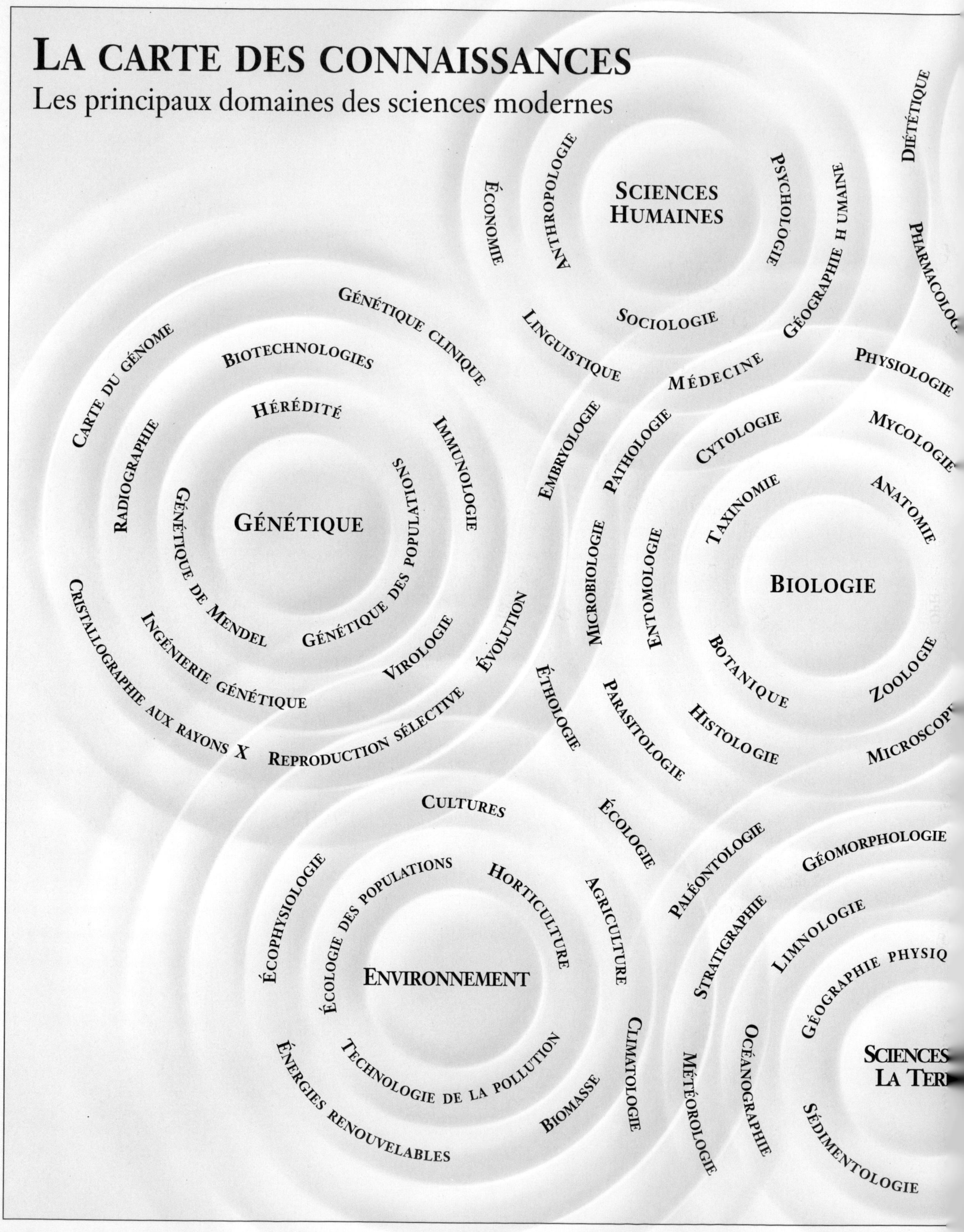
LA CARTE DES CONNAISSANCES
Les principaux domaines des sciences modernes
SCIENCES HUMAINES
Économie
Anthropologie
Psychologie
Géographie humaine
Diététique
Sociologie
Linguistique
GÉNÉTIQUE
Génétique clinique
Carte du génome
Biotechnologies
Hérédité
Radiographie
Immunologie
Génétique des populations
Génétique de Mendel
Ingénierie génétique
Cristallographie aux rayons X
Virologie
Évolution
Reproduction sélective
Embryologie
Pathologie
Médecine
Physiologie
Mycologie
Cytologie
Taxinomie
Anatomie
BIOLOGIE
Microbiologie
Entomologie
Botanique
Zoologie
Histologie
Parasitologie
Éthologie
ENVIRONNEMENT
Cultures
Écologie
Écophysiologie
Écologie des populations
Horticulture
Agriculture
Technologie de la pollution
Énergies renouvelables
Biomasse
Climatologie
Paléontologie
Géomorphologie
Stratigraphie
Limnologie
Météorologie
Océanographie
Sédimentologie

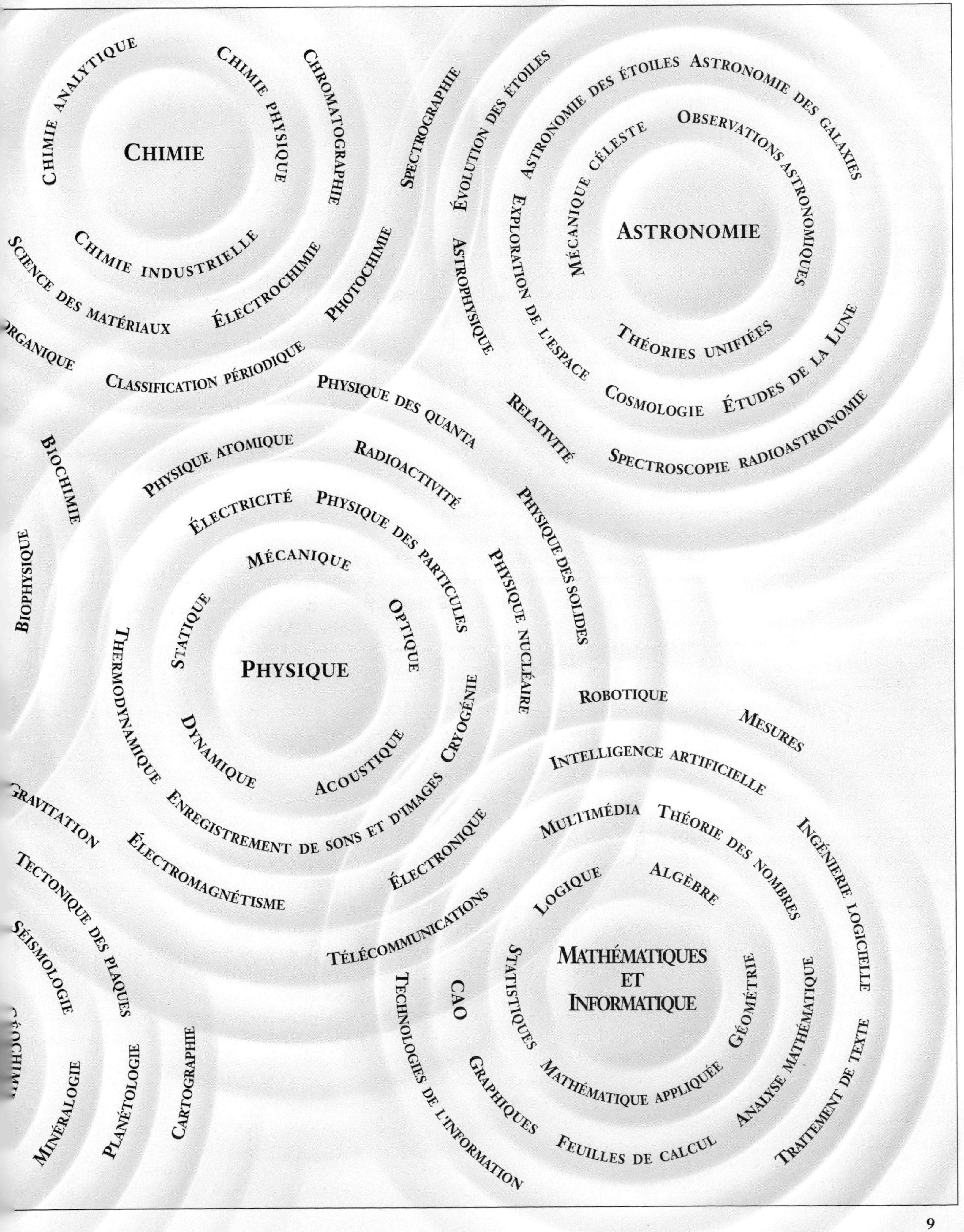

Chimie analytique
Chimie physique
Chromatographie
Spectrographie
Évolution des étoiles
Astronomie des étoiles
Astronomie des galaxies

Chimie

Observations astronomiques
Mécanique céleste
Exploration de l'espace
Astrophysique

Astronomie

Chimie industrielle
Science des matériaux
Électrochimie
Photochimie
Théories unifiées
Études de la Lune
(O)rganique
Classification périodique
Physique des quanta
Relativité
Cosmologie
Spectroscopie
Radioastronomie
Biochimie
Physique atomique
Radioactivité
Électricité
Physique des particules
Physique des solides
Biophysique
Mécanique
Statique
Optique
Physique nucléaire
Thermodynamique

Physique

Dynamique
Acoustique
Cryogénie
Robotique
Mesures
Intelligence artificielle
(G)ravitation
Enregistrement de sons et d'images
Électromagnétisme
Électronique
Multimédia
Théorie des nombres
Ingénierie logicielle
Tectonique des plaques
Logique
Algèbre
Télécommunications
Séismologie
Statistiques

Mathématiques et Informatique

Géométrie
CAO
Technologies de l'information
(G)éochimi(e)
Minéralogie
Planétologie
Cartographie
Graphiques
Mathématique appliquée
Analyse mathématique
Traitement de texte
Feuilles de calcul

La carte des connaissances
La chimie moderne

CHIMIE ALIMENTAIRE

C'est l'étude chimique des aliments qui va des apports diététiques et de la valeur nutritionnelle des aliments jusqu'à leur préparation et leur conservation. Elle participe aussi à l'élaboration de colorants, d'arômes et de conservateurs.

SCIENCE DES MATÉRIAUX

Les chercheurs s'intéressent aux propriétés physiques et chimiques des matériaux connus, et à la manière d'en créer de nouveaux, pour lesquels ils s'efforcent d'obtenir des propriétés spécifiques adaptées à leur utilisation future.

CHIMIE ORGANIQUE

Étude d'un très grand nombre de composés naturels ou de synthèse qui contiennent l'élément carbone, souvent associé à l'hydrogène, à l'oxygène, à l'azote et aussi parfois au phosphore ou aux halogènes. Dans les composés organiques, la plupart des éléments sont liés au carbone par des liaisons covalentes.

GÉNIE CHIMIQUE

Conception, construction et mise en œuvre des usines et des machines utilisées dans l'industrie chimique. Les réservoirs, les tuyaux, les pompes et les vannes employés doivent résister à toutes sortes de liquides plus ou moins corrosifs ou à des poisons violents et des solvants volatils. De plus, les industriels utilisent souvent des pressions et des températures élevées.

CHIMIE INORGANIQUE

Étude des propriétés physiques de composés naturels ou synthétiques qui ne contiennent généralement pas l'élément carbone, excepté sous la forme de combinaisons très simples comme les carbonates. En général, les composés inorganiques sont liés par des liaisons ioniques.

PHARMACOLOGIE

Étude des médicaments et de leurs effets. Les pharmacologues s'intéressent aux sources, à la composition et à la préparation des médicaments. La pharmacologie étudie aussi les propriétés thérapeutiques des médicaments contre les maladies. Le développement de nouveaux médicaments est basé sur l'étude des réactions biochimiques du corps humain et sur la conception assistée par ordinateur de molécules actives. Les pharmaciens sont chargés de préparer et de stocker les médicaments.

CHIMIE INDUSTRIELLE

Application aux procédés industriels de toutes les branches de la chimie. Elle est souvent impliquée dans la fabrication ou l'extraction des matières premières et dans l'exploitation à grande échelle des travaux des laboratoires. Elle utilise des procédés de fabrication en continu ou par lots et tend à développer des méthodes de production à partir des matières premières en produisant le moins de déchets possible pour une consommation d'énergie minimum.

ÉLECTROCHIMIE

Étude des propriétés chimiques des ions et de leurs réactions, le plus souvent en solution. Elle comprend l'étude de l'électrolyse qui consiste à faire passer un courant électrique à travers un électrolyte, sel fondu ou dissous.

CHIMIE DES COLLOÏDES

Étude et préparation des colloïdes, substances finement dispersées dans un milieu continu, une solution par exemple. Ces particules sont bien plus grosses que des molécules mais pas assez pour être vues avec un microscope optique courant.

CHIMIE PHYSIQUE

Étude de l'effet de la structure chimique sur les propriétés physiques des substances. La chimie physique applique les principes de la physique au comportement des espèces chimiques. Ses études portent principalement sur la thermodynamique (effet des changements de température et de pression) et l'électrochimie.

ALCHIMIE

Ancêtre de la chimie avant qu'elle ne devienne une science exacte. Les alchimistes recherchaient des substances mystiques ou des élixirs de vie, et pratiquaient de nombreuses réactions chimiques. Elle a permis en son temps l'essor de la chimie.

CHIMIE NUCLÉAIRE

Étude de la chimie de l'uranium et des transuraniens, ces derniers étant tous des éléments artificiels synthétisés dans des réacteurs nucléaires, au cours d'explosions ou dans des accélérateurs de particules. Souvent, ces éléments sont radioactifs.

CHIMIE ANALYTIQUE

C'est une branche de la chimie destinée à identifier les substances et à en mesurer les quantités. Les chimistes analytiques utilisent toutes sortes de méthodes physiques et chimiques pour identifier certains composants d'un mélange.

SPECTROSCOPIE

Obtention et analyse du spectre
es radiations électromagnétiques
i sont émises ou absorbées par
férentes substances. On obtient
rtout des informations sur les liai-
ons chimiques, et donc sur la
structure et le comportement
des substances analysées.

CHROMATOGRAPHIE

Technique employée pour analyser ou séparer des mélanges de gaz, de liquides ou de substances dissoutes. La chromatographie sur papier, la chromatographie en couche mince et la chromatographie gazeuse consistent à injecter un échantillon dans une phase mobile circulant sur une phase stationnaire. La séparation a lieu parce que les constituants du mélange sont plus ou moins retenus par la phase stationnaire.

CHIMIE THÉORIQUE

Étude, au niveau atomique, des propriétés et du comportement des substances chimiques et, en particulier, des interactions qui permettent les liaisons chimiques.

TABLEAU PÉRIODIQUE

Tableau recensant tous les éléments chimiques ordonnés suivant leur numéro atomique et donc leur configuration électronique. Les colonnes de ce tableau sont appelées groupes et les lignes périodes. Les éléments qui appartiennent à un même groupe ont des propriétés chimiques qui se ressemblent.

BIOCHIMIE

Étude de la chimie des organismes vivants, portant spécialement sur les réactions des différents composants chimiques qui les forment. La biochimie constitue une part importante de la physiologie, de la nutrition et de la génétique, et les travaux des biochimistes ont un impact important en médecine, dans l'agriculture et dans l'industrie.

PHOTOCHIMIE

C'est une branche de la chimie qui traite des réactions nécessitant un flux de lumière, visible ou ultraviolette. Les réactions y sont initiées lorsque des atomes, des ions ou des molécules absorbent un photon qui va exciter cette particule. La photosynthèse et la photographie sont des réactions photochimiques.

Chronologie

On considère souvent l'alchimie comme la base de la chimie moderne. Les alchimistes n'essayaient pas de théoriser leurs pratiques, mais tentaient de parvenir à des buts précis, comme la transmutation de la matière (du plomb en or par exemple) ou l'élaboration d'un élixir de vie. C'est par ces méthodes que les Chinois ont découvert la poudre à canon.

Les Arabes du Moyen Âge ont su maintenir leurs traditions pharmacologiques par l'assimilation des travaux alchimiques des Grecs, des Indiens et des Chinois. Ils ont aussi amélioré des techniques comme la distillation, la cristallisation ou la sublimation. Dans l'Europe médiévale, l'alchimie était considérée comme hérétique et les avancées sont arrivées plus tard avec des médecins comme Paracelse (1493-1541). En élaborant des médicaments minéraux, ils ont contribué à créer la science chimique en Europe.

Robert Boyle (1627-1691) a réuni précocement chimie et physique en étudiant les gaz. Des mesures plus précises ont permis de grandes avancées. Par exemple, l'interprétation d'une combustion et de ses flammes par une éjection de « phlogistique » a dû céder lorsqu'on s'est aperçu que les produits de combustion des métaux avaient une masse supérieure au métal de départ, plutôt que l'in-

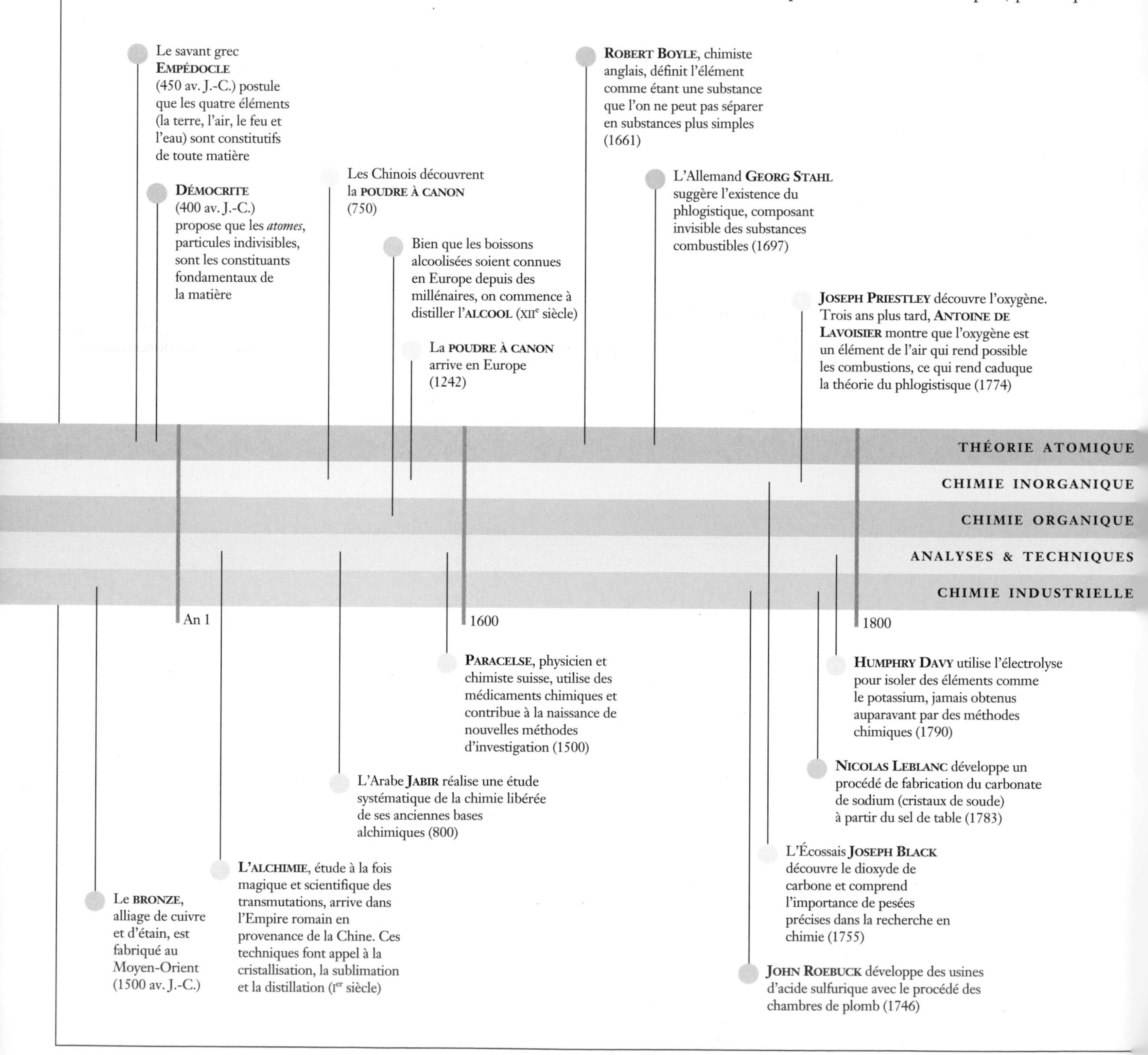

verse. C'est donc qu'ils avaient absorbé quelque chose. Antoine de Lavoisier (1743-1794), père de la chimie moderne, a expliqué la combustion comme une combinaison de l'oxygène de l'air (isolé par Joseph Priestley) avec le métal. Lavoisier a aussi étudié l'air comme substance chimique active et a donné naissance au concept d'élément chimique.

L'étape suivante a été franchie par John Dalton (1766-1844) qui a clarifié la notion d'atome et l'a quantifiée par des mesures expérimentales en définissant la masse atomique relative. Il a aussi attribué un symbole différent à chaque élément suivant une idée de Jons Jacob Berzelius (1779-1848) ; cette notation est encore en usage aujourd'hui. L'électrochimie a permis l'essor de la chimie analytique au début du XIXe siècle. Humphry Davy (1778-1829) a pu, grâce à elle, décomposer de nombreuses substances en leurs éléments et isoler le sodium, le potassium, le calcium, le baryum et l'iode. L'adoption de méthodes rigoureuses et reproductibles par des scientifiques comme Michael Faraday (1791-1867) a été le second facteur clé de cette réussite. La montée en puissance de la chimie analytique a eu deux conséquences différentes : la croissance de l'industrie chimique et l'idée de périodicité.

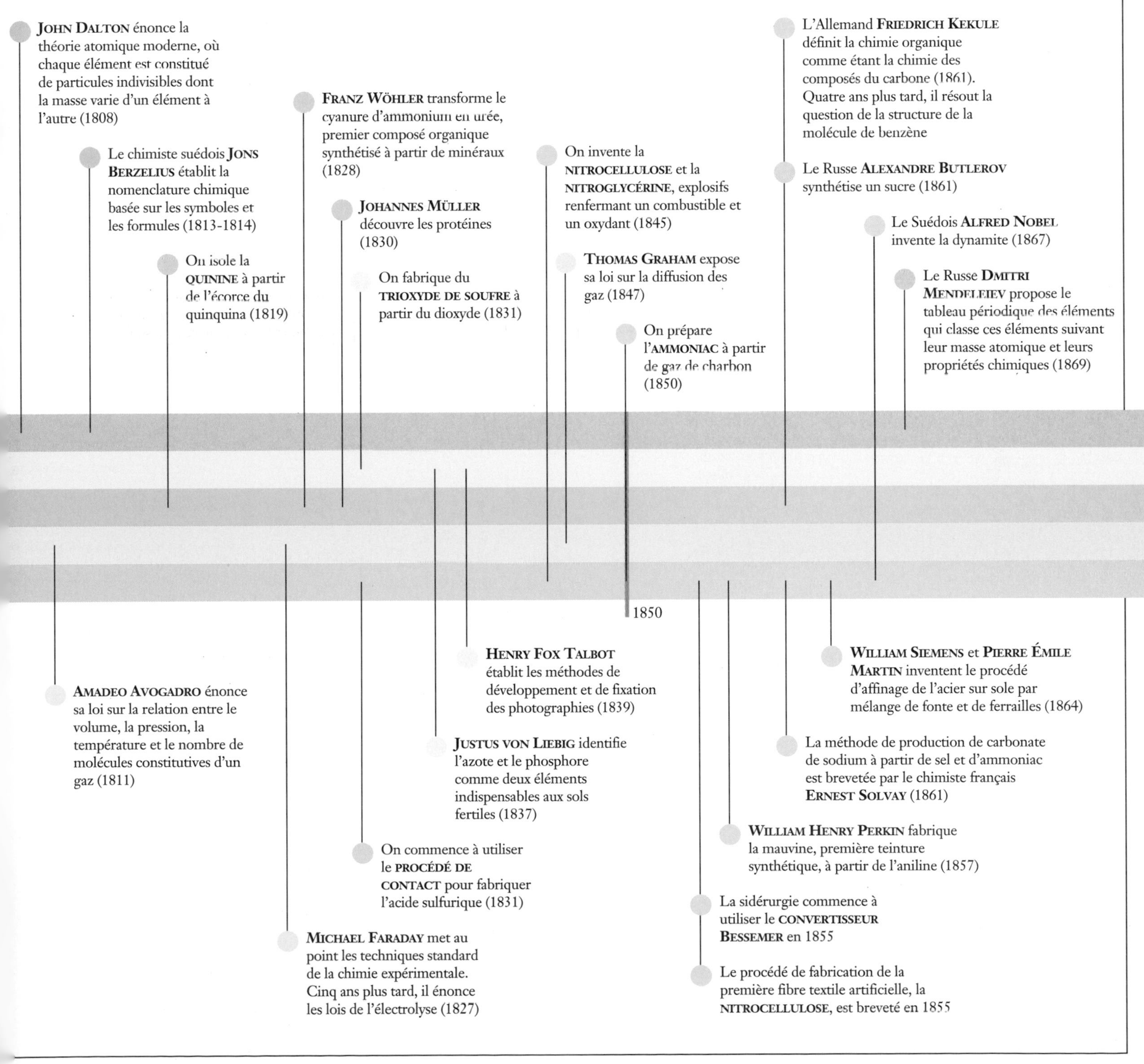

En 1790, Nicolas Leblanc (1742-1806) a développé un procédé de préparation du carbonate de sodium, une matière première pour le verre, le papier, le savon et le textile. Cela a permis la mise au point de procédés industriels comme l'obtention d'acide sulfurique. William Henry Perkin (1838-1907), qui a découvert le premier colorant artificiel, a aussi contribué à la reconnaissance de la chimie comme une science profitable à l'industrie. Les techniques expérimentales de Justus von Liebig (1803-1873) qui recherchait la méthode chimique parfaite furent aussi un des facteurs de ces progrès importants ; ces notions ont été appliquées à l'industrie.

La croissance rapide de l'industrie chimique a nécessité un changement d'échelle des réactions menées en laboratoire et leur maîtrise en fonction des variations de température et de pression. La fin du XIXe siècle a connu l'émergence en chimie physique de la thermodynamique chimique et aussi de la cinétique, grâce aux travaux de Jacobus Henricus van't Hoff (1852-1911). C'est à partir de ce moment que les mathématiques ont été introduites dans la chimie.

La seconde avancée due à l'amélioration des techniques analytiques fut établie par Dmitri Mendeleiev (1834-1907) qui intro-

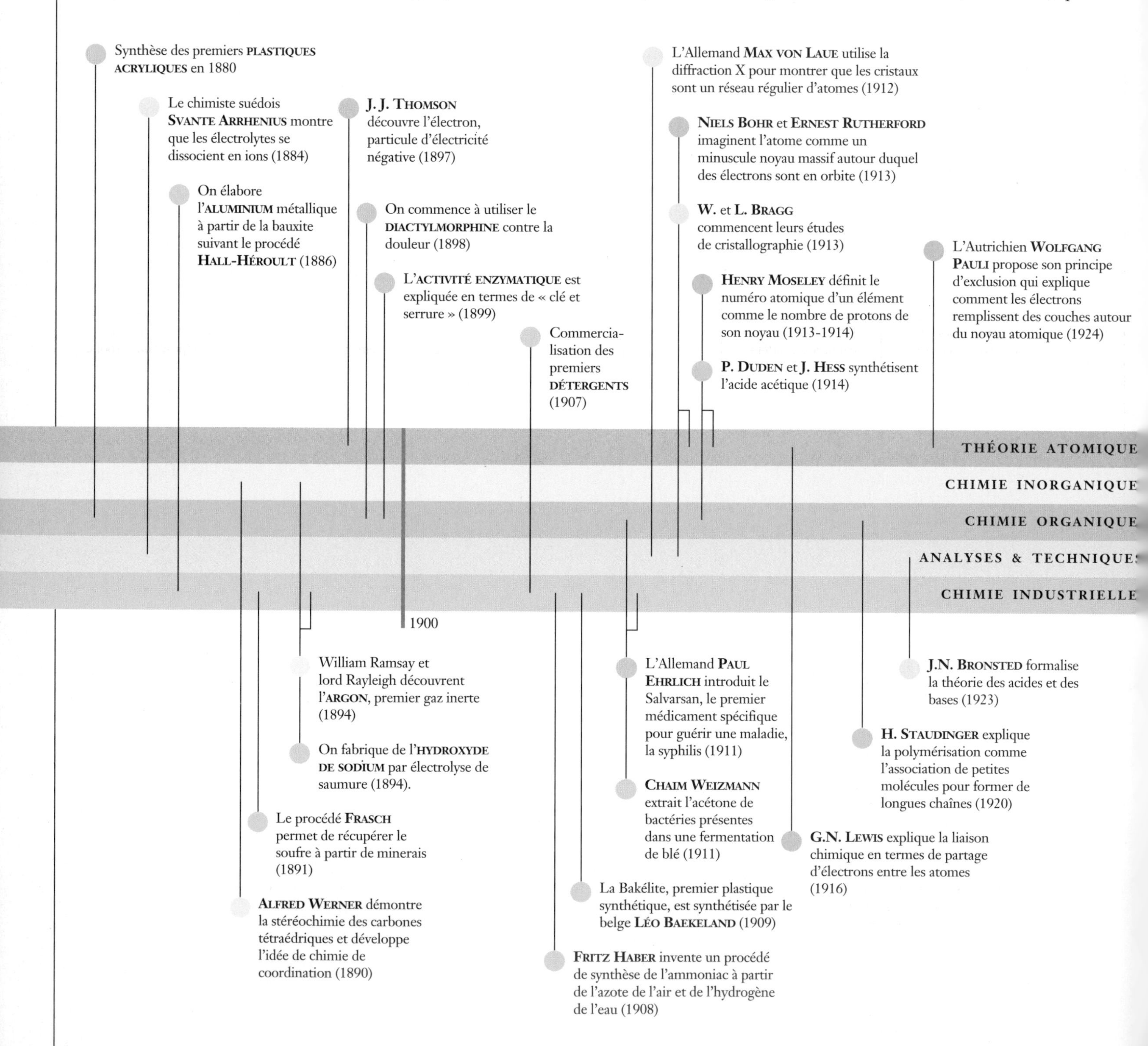

duisit la périodicité. Grâce à cette notion qui consistait à ordonner les éléments suivant leur masse atomique, il put déduire des propriétés chimiques inconnues et découvrir de nouveaux éléments. Son tableau périodique a aussi beaucoup aidé les physiciens à montrer que les atomes sont constitués d'un minuscule noyau massif entouré d'électrons. C'est ainsi que Gilbert T. Lewis (1875-1946) a pu proposer une explication de la liaison chimique en termes de partage des électrons de valence. Linus Pauling (1901-1994) a utilisé la mécanique quantique pour la compréhension de la liaison chimique. La théorie des orbitales moléculaires a ensuite unifié ces approches. La connaissance de la liaison chimique et des mécanismes réactionnels a permis de grands progrès dans la production de médicaments de synthèse ou de plastiques, alors que les rayons X révélaient la structure de molécules organiques toujours plus complexes et en permettaient la synthèse.

Dans ces années 1990, il ne reste plus beaucoup d'inconnues à explorer, bien que la chimie soit utilisée dans des domaines de plus en plus variés comme la supraconductivité ou les polymères conducteurs.

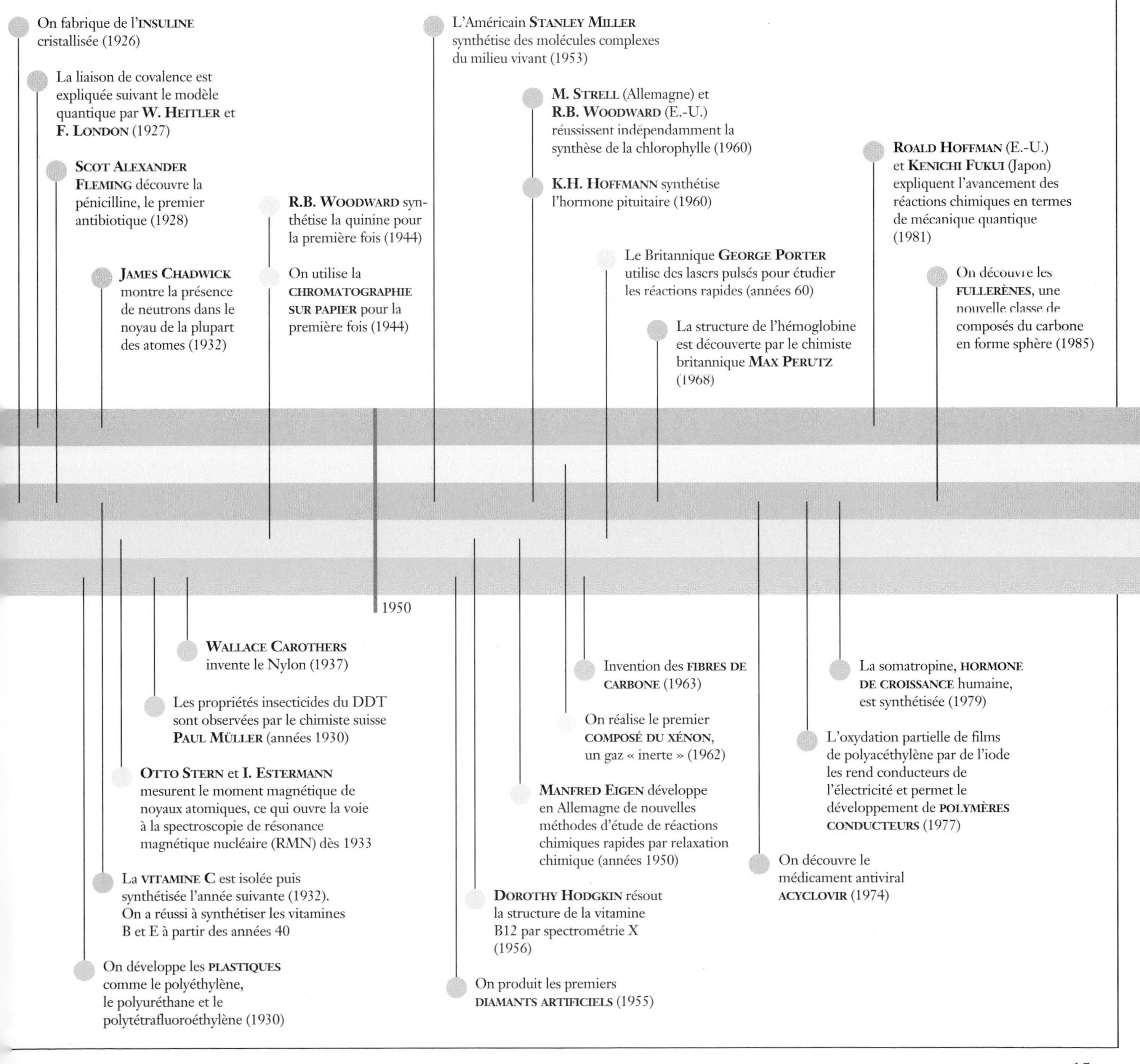

Chimie GLOSSAIRE

Acétaldéhyde
Voir **éthanal**.

Acétate
Voir **éthanoate**.

Acétone
Voir **propanone**.

Acétylène
Voir **éthyne**.

Acide
Substance susceptible de libérer des ions hydrogène (H^+ ou protons) lorsqu'on la dissout dans un solvant ionisant (habituellement de l'eau). Les acides sont définis comme des substances qui forment des liaisons ioniques en donnant des protons et acceptant des électrons. Ils réagissent avec les bases pour donner des sels et sont aussi des solvants. Les acides forts sont corrosifs ; les acides dilués ont un goût aigre accentué. On peut mettre en évidence un acide en utilisant un indicateur coloré car sa solution aqueuse a toujours un pH inférieur à 7. Ils peuvent être classés suivant le nombre d'atomes d'hydrogène acides et suivant leur force ou degré d'ionisation (le pourcentage d'ions H^+ réellement formé dans l'eau). L'acide sulfurique dilué est un diacide fort (totalement ionisé). Les acides sulfurique, nitrique et chlorhydrique sont parfois appelés « acides minéraux ». Ce sont les acides organiques comme les acides gras (RCOOH) ou l'acide sulfonique (RSO_3H) qui sont les acides d'origine naturelle les plus fréquemment rencontrés.

VOIR

ACIDES, BASES ET SELS 62
UN ENVIRONNEMENT PLUS PROPRE 70
LA SYNTHÈSE DES ACIDES ET DES BASES 76
LA CHIMIE DU VIVANT 112
LA PHOTOGRAPHIE 128

Acide acétique
Voir **acide éthanoïque**.

Acide carboxylique
Acide organique contenant la fonction carboxyle (-COOH) liée soit simplement à un hydrogène (ce qui donne l'acide méthanoïque), soit à une molécule plus grosse, pouvant comporter plus de 24 atomes de carbone. Les acides carboxyliques les plus légers forment une série homogène dont les noms se terminent par le suffixe -oïque (acide méthanoïque, HCOOH ; acide éthanoïque, CH_3COOH ; acide propanoïque CH_3CH_2COOH). Les acides les plus gros se trouvent plutôt sous forme d'esters du glycérol dans les graisses, et sont nommés **acides gras**.

Acide chlorhydrique
Solution de chlorure d'hydrogène dans de l'eau. L'acide concentré, qui en contient environ 35 pour cent, est très corrosif. C'est un monoacide fort typique donnant une seule série de sels : les chlorures. L'acide chlorhydrique a de nombreux usages industriels, comme la récupération du zinc sur les rebuts de fer galvanisé ou la production de chlore par action du bioxyde de manganèse. L'estomac en produit au cours de la digestion.

Acide éthanoïque
Appelé également acide acétique (CH_3COOH), c'est l'un des plus simples des acides gras. À l'état pur, c'est un liquide incolore à l'odeur piquante caractéristique qui se solidifie à 16,7 °C en une masse ressemblant à de la glace ; pour cette raison, on l'appelle acide acétique glacial. Le vinaigre contient plus de 5 % d'acide éthanoïque produit par fermentation. *Voir aussi* **éthanoate**.

Acide formique
Voir **acide méthanoïque**.

Acide gras
Molécule organique comprenant une chaîne d'hydrocarbure (jusqu'à 24 maillons) terminée par un groupement carboxyle (-COOH). Si toutes les liaisons sont des liaisons simples, alors les atomes de carbone portent le maximum d'atomes d'hydrogène possible ; on parle alors d'acide gras **saturé**. Dans le cas contraire, il existe une ou plusieurs doubles liaisons qui font perdre un atome d'hydrogène au carbone ainsi lié ; il s'agit alors d'acides gras **insaturés** (ou poly-insaturés). Les acides palmitiques et stéariques sont saturés, les acides oléïques (une double liaison), linoléïques (deux doubles liaisons) et linolé-

ACIDE GRAS

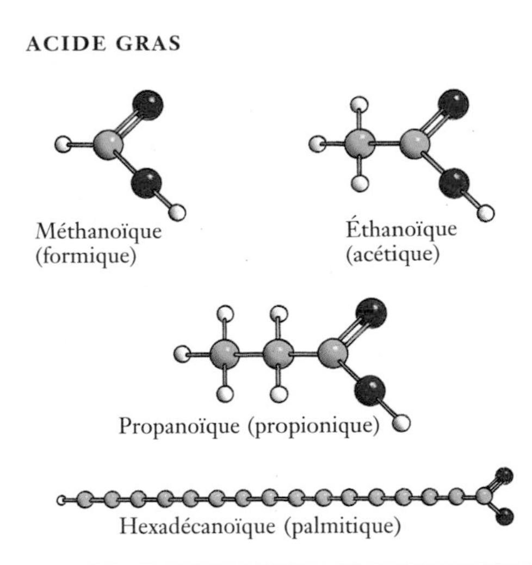

niques (trois doubles liaisons) sont insaturés. Les acides gras insaturés sont liquides à température ambiante à l'inverse des saturés qui sont solides, avec un point de fusion plus élevé. Les acides gras existent généralement en combinaison avec le glycérol dans les lipides tels que les **triglycérides**.

Acide méthanoïque

Liquide incolore, légèrement fumant, également appelé acide formique (HCOOH) qui gèle à 8 °C et bout à 101 °C. C'est le plus simple des acides carboxyliques. On le trouve dans le corps des fourmis, dans les orties et les aiguilles de pin ; on l'utilise en teinture, tannage et galvanoplastie.

Acide nitrique

Acide fumant (HNO_3), autrefois connu sous le nom d'eau forte, obtenu par oxydation de l'ammoniac ou par l'action de l'acide sulfurique sur le nitrate de potassium. C'est un fort agent oxydant et un acide hautement corrosif qui dissout la plupart des métaux. HNO_3 est utilisé dans la nitration et l'estérification des substances organiques et dans la fabrication de l'acide sulfurique, des nitrates, des explosifs, des plastiques et des colorants.

Acide phosphorique

Solide cristallin blanc, dérivé du phosphore et de l'oxygène. Sa forme la plus commune (H_3PO_4), également appelée acide orthophosphorique, est produite par l'action du pentoxyde de phosphore (P_2O_5) sur l'eau. L'acide phosphorique absorbe facilement l'eau ; il est utilisé en solution aqueuse concentrée. C'est le dérivé du phosphore le plus utilisé de façon commerciale ; il sert dans les décapants de la rouille, ainsi que pour rendre inoxydable le fer et l'acier.

Acide sulfurique

Liquide dense, visqueux et incolore (H_2SO_4), extrêmement corrosif, communément appelé vitriol. Il dégage de la chaleur quand il est mêlé à l'eau et peut causer de sévères brûlures. L'acide sulfurique est très utilisé dans l'industrie chimique, dans le raffinage des carburants et dans la fabrication d'engrais, de détergents, d'explosifs et de teintures. C'est l'acide utilisé dans les batteries d'automobiles.

VOIR

ACIDES, BASES ET SELS 62
LA SYNTHÈSE DES ACIDES ET DES BASES 76

Acrylique

Résine synthétique produite par la polymérisation d'esters ou d'autres dérivés de l'acide acrylique (acide propénoïque). Les acryliques sont normalement transparents et thermoplastiques, résistants à la lumière et à de nombreux agents chimiques. On les utilise largement pour la protection de lentilles et d'équipements divers. On citera par exemple le polypropanonitrile et le polyméthacrylate de méthyle.

Actinide

Élément de la série des 15 éléments métalliques radioactifs du **tableau périodique** dont le numéro atomique est compris entre 89 (actinium) et 103 (lawrencium). Les éléments de numéro 89 à 95 sont présents dans la nature alors que les autres sont artificiels (*voir* **éléments transuraniens**). Les actinides sont caractérisés par des propriétés ne variant que très peu avec le numéro atomique. *Voir aussi* **lanthanide**.

Activité optique

Aptitude qu'ont certains cristaux, liquides ou solutions à provoquer une rotation du plan de polarisation d'une lumière polarisée plane les traversant. Le phénomène est lié à la distribution tridimensionnelle des atomes composant la molécule concernée. Cela se passe lorsque les molécules de la substance sont asymétriques, si bien qu'elles peuvent exister sous deux formes structurelles, chacune étant l'image de l'autre dans un miroir. Les deux formes sont appelées isomères optiques ou énantiomères.

Addition

Processus réactionnel dans lequel des substances réagissent avec une double ou une triple liaison d'un composé organique en ouvrant une des liaisons pour s'y attacher. Un composé s'est ainsi additionné à l'autre, par exemple : $CH_2{=}CH_2 + HCl \rightarrow CH_3CH_2Cl$. L'une des applications importantes est l'addition d'hydrogène sur les molécules insaturées des huiles végétales pour produire la margarine (**hydrogénation**). Les réactions d'addition-élimination sont des réactions où l'addition d'une molécule suit l'élimination d'une autre molécule (*voir* **condensation** *et* **sublimation**).

Adhésif

Substance utilisée pour relier deux surfaces. Il y a des adhésifs naturels comme la gélatine ou les gommes végétales et des adhésifs artificiels comme les plastiques ou les résines thermodurcissables, qui sont souvent plus solides que les matériaux qu'ils collent. On utilise aussi des mélanges de résines époxy plus ou moins dures et enfin des élastomères pour former des joints flexibles.

Agent tensioactif

Toute substance ajoutée à un liquide pour augmenter sa mouillabilité ou ses propriétés de dispersion (c'est-à-dire pour augmenter sa tension de surface). Les détergents ou les savons dissous dans l'eau en sont de bons exemples.

Alcalino-terreux

Métaux formant la colonne IIA du **tableau périodique :** béryllium, magnésium, calcium, strontium, baryum et radium. Les métaux alcalino terreux sont des bases fortes, ont une valence de deux et ne sont présents à l'état naturel que dans des combinaisons. Ils sont utilisés dans des alliages, pour faire des oxydants et des desséchants.

Alcalins

Métaux de la colonne IA du **tableau périodique :** lithium, sodium, potassium, rubidium, césium et francium. Les métaux alcalins ont une valence de un et une très faible densité : le lithium, le sodium et le potassium flottent sur l'eau. Ce sont en général des métaux mous très réactifs et à bas point de fusion. À cause de leur réactivité, on ne les trouve dans la nature que sous forme combinée, en général sous forme de sels. On les utilise plutôt comme réactifs chimiques que comme matériau métallique.

Alcalis

Substances basiques qui se dissolvent dans l'eau en produisant des ions hydroxyde (OH^-). Les solutions aqueuses d'alcalis ont un pH supérieur à 7. Ils réagissent avec les acides en donnant des sels et de l'eau (**neutralisation**). Les quatre principaux alcalis sont la soude (hydroxyde de sodium, $NaOH$), la potasse (hydroxyde de potassium, KOH), la chaux éteinte (hydroxyde de calcium, $Ca(OH)_2$) et l'ammoniac (NH_3).

Alcaloïdes

Composés organiques azotés physiologiquement actifs et extraits de plantes. Ils forment des sels avec les acides et, lorsqu'ils sont solubles, donnent des solutions basiques (alcalines). Ce sont les règles douanières et non scientifiques qui définissent le classement de ces substances. Les alcaloïdes ont diverses propriétés pharmacologiques. On citera par exemple la morphine, la cocaïne, la quinine, la caféine, la strychnine, la nicotine et l'atropine.

Alcanes
Hydrocarbures de formule générale C_nH_{2n+2}, appelés traditionnellement paraffines. Les plus légers des alcanes comme le méthane, l'éthane, le propane et le butane, sont des gaz incolores ; les plus lourds sont liquides ou solides. On les trouve dans le gaz naturel et le pétrole. Tous les alcanes sont des composés saturés, c'est-à-dire qu'ils ne contiennent que des liaisons de covalence simple.

Alcènes
Hydrocarbures de formule générale C_nH_{2n}, appelés aussi oléfine. Les alcènes les plus légers comme l'éthène (éthylène) ou le propène (propylène) sont des gaz obtenus par le **craquage** de coupes pétrolières. Les alcènes sont des molécules insaturées qui contiennent une ou plusieurs doubles liaisons.

VOIR

COMBUSTION ET COMBUSTIBLES 66
LES HYDROCARBURES 84
LES COMPOSÉS CARBONE-HYDROGÈNE 86

Alcool
Molécule organique contenant au moins un groupement hydroxyle (-OH) et qui peut ainsi former des esters avec les acides. Les alcools peuvent être soit des liquides soit des solides, selon la taille et la complexité de la molécule. Les cinq alcools les plus simples forment une **série homogène** dans laquelle le nombre d'atomes de carbone et d'hydrogène croît régulièrement, par addition d'une unité CH_2 (méthylène) de masse relative 14 : le méthanol (CH_3OH), l'éthanol (CH_3CH_2OH), le propanol ($CH_3(CH_2)_2OH$), le butanol ($CH_3(CH_2)_3OH$) et le pentanol ($CH_3 (CH_2)_4 OH$). Les alcools primaires sont ceux qui présentent le groupe $-CH_2OH$, les secondaires >CHOH et les tertiaires COH. On les utilise comme solvant, dans la teinturerie, en parfumerie et en pharmacie. L'éthanol est un produit naturel de la fermentation et peut provoquer des intoxications.

VOIR

L'ÉLABORATION DES HYDROCARBURES 92
LES TESTS BIO-MÉDICAUX 118
TEINTURES ET COLORANTS 124

Alcotest
Test analytique qui permet de déterminer la quantité d'alcool présente dans le sang. Dans l'un des tests les plus répandus, on souffle dans un « ballon » en plastique à travers un tube contenant un indicateur (une solution diluée de bichromate de potassium dans de l'acide sulfurique à 50 %) qui change de couleur en présence d'alcool. On peut aussi utiliser la **chromatographie** en phase gazeuse.

Alcyne
Hydrocarbure possédant au moins une triple liaison entre deux atomes de carbone adjacents. L'exemple le plus simple est l'éthyne ou acétylène (HC≡CH). Les alcynes peuvent polymériser et former des composés aromatiques.

Aldéhyde
Composé organique qui peut être préparé par oxydation d'un alcool primaire, de telle sorte que le groupement hydroxyle (-OH) perde son atome d'hydrogène pour laisser l'atome d'oxygène former une double liaison avec l'atome de carbone (fonction aldéhyde, -CHO). Le nom est d'ailleurs dérivé de « alcool déshydrogénation ». Les aldéhydes se présentent habituellement sous forme liquide comme le méthanal (formaldéhyde), l'éthanal (acétaldéhyde) et le benzaldéhyde. *Voir aussi* **cétone**.

Alicycliques
Voir **composé cyclique.**

Aliphatiques
Molécules organiques où les atomes de carbone forment une chaîne linéaire (hexane C_6H_{14}) ou ramifiée (méthyl-2 pentane, $CH_3CH(CH_3)CH_2CH_2CH_3$). Les composés aliphatiques ont leurs électrons de liaison localisés autour de la liaison. Les composés cycliques qui n'ont pas d'électrons délocalisés sont aussi des aliphatiques, comme le cyclohexane C_6H_{12} (**alicyclique**) ou les pipéridines hétérocycliques ($C_5H_{11}N$). *Voir* **aromatique**.

Alkyle
Alcane sur lequel une liaison carbone-hydrogène a été remplacée par une autre liaison, par exemple le groupe méthyle $-CH_3$. On symbolise habituellement un alkyle par R.

Alliage
Mélange de métaux ou d'un métal avec une autre substance pour obtenir des qualités spéciales comme une résistance à la corrosion, une plus grande dureté ou une meilleure résistance à la traction. Les alliages les plus connus sont le bronze, le laiton, le cupronickel, le Duralumin, le maillechort, l'acier et l'acier inoxydable.

ALLOTROPIE

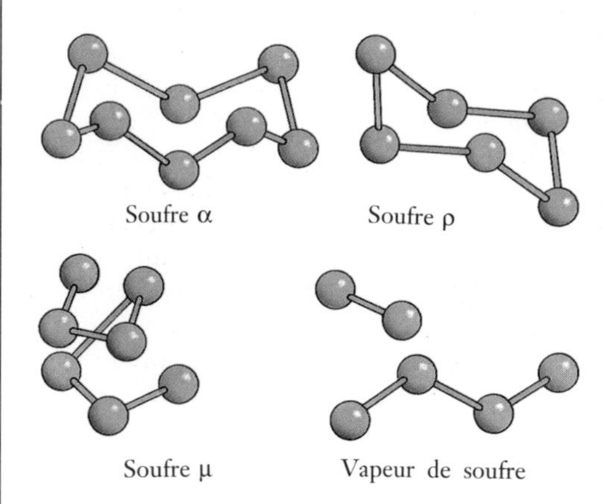

Allotropie
Propriété de certains corps de se présenter sous diverses formes dans le même état physique (solide, liquide ou gaz). Par exemple, l'oxygène existe à l'état gazeux sous deux formes allotropiques : le dioxygène O_2 et l'ozone O_3, qui diffèrent par leur configuration moléculaire. Les formes allotropiques du carbone sont le graphite, le diamant et la molécule de buckminsterfullérène C_{60}. Le phosphore, l'étain et le soufre existent aussi sous différentes formes allotropiques.

Aluminium
Métal léger ductile et malléable, de symbole Al, de numéro atomique 13 et de masse atomique relative égale à 26,9815. L'aluminium est le métal le plus abondant et le troisième élément le plus abondant de la croûte terrestre. C'est un excellent conducteur électrique. Il s'oxyde facilement, la couche d'oxyde à sa surface l'empêchant de se ternir et de se corroder. On le prépare industriellement par électrolyse de la bauxite (*voir* **procédé Hall-Héroult**). À l'état pur, l'aluminium est un métal peu solide, mais qui forme des alliages très résistants avec le cuivre, le silicium ou le magnésium. Grâce à son faible poids, on l'utilise pour la construction de bateaux, d'avions et d'engins spatiaux.

Amalgame
Alliage du mercure avec d'autres métaux. La plupart des métaux forment des amalgames sauf le platine et le fer. Pour obturer les caries, les dentistes utilisent des amalgames qui contiennent du cuivre, du zinc et de l'argent comme constituants principaux. On utilise parfois l'amalgamation (formation d'un amalgame) pour extraire l'or et l'argent de leur gangue minérale. Les grandes quantités de mercure perdues par ce procédé sont extrêmement polluantes pour l'environnement.

Amiante
Minéral fibreux très résistant à la chaleur à cause de son caractère ininflammable et isolant thermique. Il est aussi chimiquement inerte et très bon isolant électrique. L'amiante commerciale est généralement constituée d'olivine, de trémolite et de crocidolite. Malgré ses qualités industrielles, l'utilisation d'amiante est maintenant strictement réglementée car la poussière d'amiante peut provoquer l'asbestose, une maladie respiratoire. L'essentiel de la production d'amiante provient du Canada et de Russie.

Amide
Molécule organique dérivée d'un acide carboxylique en remplaçant le groupement hydroxyle (OH) par un groupement amino (NH_2) pour donner un groupement amide ($CONH_2$). L'une des amides les plus simples est l'éthanamide ou acétamide (CH_3CONH_2). On peut préparer des amides en chauffant le sel d'ammonium de l'acide carboxylique correspondant.

Amidon
Macromolécule carbohydratée constituée de différentes proportions de deux polymères de glucose (polysaccharides) : une molécule à chaîne linéaire (amylose) et une molécule à chaînes ramifiées (amylopectine). Elle est largement produite par les plantes comme réservoir de nourriture et constitue donc une source majeure d'énergie pour les animaux. Dans sa forme purifiée, l'amidon est une poudre blanche. Elle est utilisée commercialement pour empeser les textiles et le papier, comme matière première pour fabriquer différents produits chimiques et, dans l'industrie alimentaire, comme agent épaississant.

VOIR

LA CHIMIE ORGANIQUE 82
CARBONE, HYDROGÈNE ET OXYGÈNE 88

Amine
Molécule organique formée en substituant un groupe alkyle à un ou plusieurs atomes d'hydrogène de la molécule d'ammoniac NH_3. Suivant le nombre de groupes alkyles liés à l'azote on peut les classer en amines primaires, secondaires ou tertiaires. Les amines sont des gaz ou des liquides incolores répandant une très forte odeur de poisson. L'aniline est une amine aromatique très utilisée pour la fabrication de colorants.

Aminoacide (ou acide aminé)
Composé organique soluble dans l'eau contenant principalement du carbone, de l'hydrogène et de l'azote et incluant à la fois une fonction amine ($-NH_2$) basique et une fonction acide carboxylique (-COOH). On appelle peptide un ensemble de plusieurs aminoacides liés. Les protéines sont constituées d'une structure de polypeptides (enchaînement de plus de trois peptides) et sont pliées ou tordues dans des configurations bien définies.

VOIR

LA CHIMIE ET LA VIE 108
LES MATIÈRES PREMIÈRES DE LA VIE 110
LA CHIMIE DU VIVANT 112

Ammoniac
Gaz incolore à l'odeur irritante (NH_3), plus léger que l'air et qui se dissout dans l'eau en une solution basique. On le fabrique à l'échelle industrielle suivant le **procédé Haber** et il sert ensuite à la production d'acide nitrique, d'engrais azotés et d'explosifs. L'ammoniac joue un grand rôle dans le cycle de l'azote : les insectes et de nombreux organismes aquatiques excrètent leur azote sous forme d'ammoniac plutôt que d'urée comme les mammifères.

Analyse gravimétrique
Technique analytique dans laquelle on détermine par pesée la quantité d'éléments présents dans une substance donnée. On procède habituellement en transformant l'élément recherché en un composé de masse moléculaire connue qui peut être facilement isolé et purifié.

Analyse qualitative
Procédure permettant de déterminer l'identité chimique des composants d'une substance simple ou d'un mélange. L'analyse qualitative implique généralement une série de réactions simples et de tests sur le composé pour déterminer les éléments présents. La **chromatographie** ou la spectroscopie peuvent également être utilisées.

Analyse quantitative
Procédure chimique servant à déterminer la quantité précise d'un composant connu présent dans une substance simple ou un mélange. Une quantité connue de la substance est soumise à certaines procédures particulières. Une analyse gravimétrique détermine la masse de chaque constituant présent ; une analyse volumétrique détermine la concentration d'une solution par **titration** comparée à une solution de concentration connue.

Analyse volumétrique
Procédure d'analyse quantitative pour mesurer des volumes. Pour les gaz, la principale technique utilise des gaz réactifs ou absorbants, contenus dans des récipients gradués renversés sur une cuve à mercure, permettant de mesurer tout changement de volume. Pour les liquides, la principale technique est la **titration**.

VOIR

LA CHIMIE ANALYTIQUE 134
L'ANALYSE VOLUMÉTRIQUE 138

Anhydride
Composé obtenu par l'élimination d'une molécule d'eau d'un corps chimique, la plupart du temps un acide. Par exemple, le trioxyde de soufre (SO_3) est l'anhydride de l'acide sulfurique (H_2SO_4).

Anion
Ion négatif. Lorsqu'on dissout un sel (par exemple du chlorure de sodium NaCl) dans l'eau, il se dissocie en ions positifs (ici Na^+) et négatifs (ici Cl^-). Au cours d'une électrolyse, celui-ci est attiré par l'électrode positive (*voir* **anode**).

Anode
Électrode positive d'un électrolyseur qui attire donc les anions (charges négatives) de la solution. L'anode d'une cellule d'électrolyse doit sa charge à l'application d'un potentiel positif par un générateur extérieur. *Voir aussi* **électrolyse**.

Anodisation
Procédé qui augmente la résistance à la corrosion d'un métal, par exemple l'aluminium, en formant une couche d'oxyde protectrice à sa surface. On l'obtient en électrolysant une solution d'un sel oxydant où l'anode est la pièce de métal à protéger. La couche d'oxyde peut aussi piéger des colorants et ainsi fournir une finition décorative.

Aramide
Fibre synthétique formée de copolymères linéaires composée de groupements amides directement liés à deux noyaux aromatiques. Ces fibres sont très solides et entrent dans la fabrication de matériaux composites. Le mot « aramide » vient de l'anglais *aromatic amide*.

Aromatique
Molécule organique qui contient un noyau benzénique (*voir aussi* **composé cyclique**) ou qui montre des propriétés similaires au benzène, comme les phénols, le toluène, l'acide benzoïque ou l'acide salicylique. Bien qu'ils soient insaturés, les aromatiques ne donnent pratiquement pas de réactions d'addition mais au contraire des réactions de substitution électrophile. Dans ces composés aroma-

AROMATIQUE

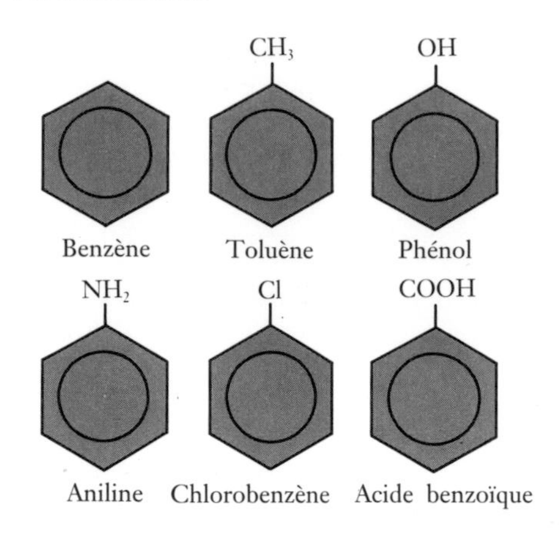

tiques, les électrons de liaison sont délocalisés (partagés par plus de deux atomes et non restreints au voisinage de deux atomes). On retrouve le comportement des aromatiques dans des molécules hétérocycliques où l'un des carbones du noyau benzénique a été remplacé par un autre élément (par exemple l'azote dans la pyridine). Les aromatiques réagissent avec l'acide nitrique concentré en donnant des dérivés nitrés et avec l'acide sulfurique concentré en donnant des sulfonates.

VOIR

LES AROMATIQUES 90
LES MÉDICAMENTS D'ORIGINE NATURELLE 116
PIGMENTS ET PEINTURES 122

Atome
C'est la plus petite partie de matière qui puisse participer à une réaction chimique et qui ne peut être divisée par aucun processus chimique. Un atome est constitué de protons et de neutrons (le noyau central) entourés d'électrons. Les électrons s'arrangent autour du noyau en couches d'énergie discrètes. Celles-ci peuvent être décrites comme des sphères concentriques qui contiennent chacune un nombre d'électrons maximum. On numérote les niveaux d'énergie en commençant par la couche la plus proche du noyau. Celle-ci, qui est aussi celle d'énergie la plus basse, ne peut pas contenir plus de deux électrons. La couche la plus éloignée est aussi appelée couche de valence et contient les électrons de valence. On considère en général que la couche externe n'est stable que si elle contient huit électrons, bien que des configurations supérieures soient envisageables. Lorsque la couche de valence n'est pas pleine, ses électrons sont disponibles pour former des liaisons chimiques. Dans un ion, il y a plus ou moins d'électrons que nécessaire pour assurer la neutralisation exacte de la charge du noyau (portée par les protons). Les atomes des différents éléments se distinguent par leur **numéro atomique**, leur masse atomique et leur comportement chimique. Il y a 109 éléments connus correspondant aux 109 cases du **tableau périodique**. *Voir aussi* **particules subatomiques**.

VOIR

LES ATOMES ET LES MOLÉCULES 48
LES ÉLÉMENTS 50
MÉLANGES ET COMPOSÉS 52
LES DIFFÉRENTS TYPES DE LIAISONS 54

Azote
Élément non-métallique gazeux, de symbole N, de numéro atomique 7, et de masse atomique relative égale à 14,0067. Incolore, inodore et sans saveur, il représente presque 80 pour cent en volume de l'atmosphère terrestre et entre dans la composition de tous les tissus végétaux et animaux (dans les protéines et les acides nucléiques). Pour des usages industriels, l'azote est obtenu par liquéfaction et par **distillation fractionnée** de l'air. Ses composés sont utilisés pour fabriquer des denrées, des engrais, des colorants et des explosifs. Il joue un rôle important dans la nutrition des plantes à travers le **cycle de l'azote**. Il est également utilisé dans le **procédé Haber** pour produire de l'ammoniac (NH_3) et pour fournir une atmosphère inerte à certaines réactions chimiques.

Azurant
Tout composé qui, lorsqu'il est ajouté à un matériau textile blanc, augmente son éclat apparent en transformant le rayonnement ultraviolet en lumière visible bleue.

Barbiturate
Produit dérivé de l'acide barbiturique ($CO(NHCO)_2CH_2$), molécule organique hétérocyclique. Les barbiturates forment un groupe important en pharmacologie et sont souvent utilisés comme sédatifs et anesthésiques.

Base
Substance complémentaire d'un acide. On définit une base comme une substance pouvant accepter un ion hydrogène H^+. Les bases peuvent contenir des ions négatifs, comme l'ion hydroxyde OH^-, qui est la plus forte base, ou elles peuvent être des molécules comme l'ammoniac NH_3. L'ammoniac est une base faible, c'est-à-dire qu'une partie seulement des molécules réagit avec un proton H^+. Beaucoup de bases sont insolubles, et les bases facilement solubles dans l'eau sont appelées **alcalis**. Les bases non organiques sont souvent des oxydes ou des hydroxydes métalliques qui réagissent avec les acides dilués pour former des sels. La plupart des carbonates réagissent aussi avec les acides en dégageant du dioxyde de carbone (CO_2).

Bicarbonate
Voir **hydrogénocarbonate**.

Biochimie
Branche de la chimie s'intéressant aux organismes vivants, et plus particulièrement à la structure et aux réactions des protéines (en particulier des enzymes), des acides nucléiques, des hydrates de carbone et des lipides. Les recherches en biochimie ont amélioré notre connaissance des réactions des animaux et des plantes face à leur environnement, en particulier par la création et le stockage de l'énergie par photosynthèse, l'assimilation de la nourriture et le rejet des déchets, ou la transmission de leurs caractéristiques par les gènes. La biochimie prend une grande part dans la recherche actuelle, en particulier en médecine et en agronomie.

VOIR

LA CHIMIE ET LA VIE 108
LES MATIÈRES PREMIÈRES DE LA VIE 110

Biotechnologie
Utilisation d'organismes vivants à des fins industrielles et commerciales pour fabriquer de la nourriture ou des produits chimiques. Il y a longtemps que les fabricants de boissons et de gâteaux se servent de levures de fermentation ou que les industries laitières utilisent toute une gamme de bactéries et de champignons dans la fabrication du fromage et des yaourts. Ce sont les enzymes extraites des cellules vivantes ou produites artificiellement qui sont au centre des transformations chimiques efficaces demandées aux applications biotechnologiques. Celles-ci restent bien moins coûteuses qu'un procédé chimique classique. On utilise de plus en plus la biotechnologie en chimie fine, dans la production d'arômes, de parfums et de médicaments.

Caoutchouc
Le caoutchouc naturel est un polymère obtenu à partir de la sève d'un grand nombre de plantes différentes, en particulier de l'arbre *Hevea brasiliensis*. La sève coagulée et séchée (latex) est transformée par vulcanisation (combustion au soufre ou avec des composés soufrés) et ajout de charges. *Voir aussi* **caoutchouc synthétique**.

VOIR

LES POLYMÈRES NATURELS 96
LES POLYMÈRES SYNTHÉTIQUES 98

Caoutchouc synthétique
Composé artificiel d'aspect caoutchouteux qui a les mêmes propriétés que le caoutchouc naturel, par exemple en termes de résistance à l'huile et à l'oxydation. Les caoutchoucs synthétiques sont généralement des polymères de l'isoprène ou de ses dérivés, tels que le néoprène, ou des copolymères du chlorure de vinyle et de l'acétate de vinyle.

Carbonate
Sel de l'acide carbonique (H_2CO_3) contenant l'anion carbonate CO_3^{2-}. Dans la nature, le dioxyde de carbone CO_2 se dissout un petit peu dans l'eau (par exemple dans l'eau de pluie) et se transforme en acide carbonique H_2CO_3 qui réagit avec de nombreuses substances pour donner des carbonates. Le carbonates de calcium ($CaCO_3$) présent dans la craie, le calcaire et le marbre, est l'un des carbonates les plus répandus. Les coquillages contiennent aussi du carbonate de calcium. Les carbonates dégagent du dioxyde de carbone lorsqu'ils sont chauffés ou mis en présence d'acides dilués. Cette réaction à l'acide est utilisée comme test de présence de l'ion : elle donne une effervescence immédiate et produit un gaz (le dioxyde de carbone CO_2) qui trouble l'eau de chaux (solution d'hydroxyde de calcium).

Carbonate d'ammonium
Solide cristallin volatil ($(NH_4)_2CO_3$) très soluble dans l'eau froide mais qui se sublime rapidement à température ambiante et se décompose en ammoniac, dioxyde de carbone et eau. On l'utilise pour les teintures, la préparation de la laine et dans la levure chimique pour pâtisserie. Autrefois, il formait les « sels » que l'on faisait respirer aux personnes défaillantes.

Carbonate de magnésium
Composé solide blanc (MgCO3) qu'on trouve naturellement dans la magnésite. C'est un antiacide du commerce et sa forme anhydre est utilisée comme agent séchant du sel de table. Lorsque les eaux de pluie qui contiennent du dioxyde de carbone dissous coulent sur une roche renfermant de la magnésite, le carbonate se dissout pour former un hydrogénocarbonate de magnésium, responsable entre autres de la dureté de l'eau.

Carbonate de sodium
Solide anhydre blanc (Na_2CO_3) connu sous l'appellation de cristaux de soude. La forme cristalline hydratée ($Na_2CO_3.10H_2O$) est également appelée soude du commerce. Il est généralement produit par le **procédé Solvay** et utilisé comme alcali faible car il est hydrolisé dans l'eau. Le carbonate de sodium est largement utilisé dans l'industrie du verre, dans l'adoucissement de l'eau, dans le traitement des textiles, en photographie et pour neutraliser les acides.

Carbone
Élément non métallique de symbole C, de numéro atomique Z=6, de masse atomique relative 12,011. Le carbone existe à l'état pur sous forme de diamant et de graphite, dans les fullérennes, sous forme combinée dans les roches calcaires (craie), sous forme de dioxyde de carbone dans l'atmosphère, sous forme d'hydrocarbures dans le pétrole, le charbon et le gaz naturel, et comme constituant principal de tous les produits organiques. Mélangé au fer, il donne une large gamme d'acier et d'alliages aux propriétés recherchées. *Voir aussi* **liaison carbone-carbone**.

Carbonyle
Groupement >C=O présent dans beaucoup de molécules organiques telles les cétones, les aldéhydes, les acides carboxyliques et les amides. On connaît aussi bon nombre de carbonyles minéraux dans lesquels le monoxyde de carbone est coordonné à un atome ou un ion métallique, par exemple $Ni(CO)_4$.

Carbure
Combinaison du carbone avec un autre élément chimique, ordinairement un métal, le silicium ou le bore. Le carbure de calcium CaC_2 sert comme composé de départ pour la synthèse de nombreux produits chimiques organiques de base, en y ajoutant de l'eau pour former l'acétylène (**éthyne**). Certains carbures métalliques, comme le carbure de tungstène, sont utilisés pour leur dureté et leur résistance extrême.

Catalyseur
Toute substance agissant sur la vitesse d'une réaction ou la rendant possible, tout en restant intacte à la fin de celle-ci. On parle de catalyse homogène lorsque le catalyseur et les réactifs sont dans la même phase (en d'autres termes, catalyseur et réactifs sont soit liquides, soit solides, soit gazeux). Les enzymes produisent une catalyse homogène pour de nombreuses réactions biologiques. Il y a catalyse hétérogène lorsque réactifs et catalyseur sont dans des phases séparées (par exemple dans les catalyses métalliques utilisées industriellement pour des réactions entre gaz). La catalyse agit en abaissant l'énergie d'activation d'une réaction donnée en lui proposant un mécanisme différent, ce qui a pour effet d'augmenter la vitesse à laquelle la réaction atteint son équilibre. La plupart des catalyseurs sont utilisés pour accélérer la vitesse des réactions et sont très spécifiques de celles-ci. *Voir aussi* **pot catalytique**.

VOIR

LES RÉACTIONS CHIMIQUES 58
ACIDES, BASES ET SELS 62
UN ENVIRONNEMENT PLUS PROPRE 70
L'ÉLABORATION DES HYDROCARBURES 92

Cathode
Électrode négative d'un électrolyseur qui attire les cations (charges positives) de la solution. La cathode d'une cellule d'électrolyse doit sa charge à l'application d'un potentiel négatif par un générateur extérieur alors que dans une pile (cellule voltaïque) la charge de la cathode résulte d'une réaction chimique spontanée : c'est, dans ce cas, le pôle positif de la pile. *Voir aussi* **électrolyse**.

Cation
Ion chargé positivement. Dans une cellule d'électrolyse, les cations sont attirés par la cathode (électrode négative).

Cellulose
Hydrate de carbone complexe (polysaccharide) constitué de longues chaînes linéaires d'unité glucose. La cellulose est le constituant majeur des membranes cellulaires des végétaux supérieurs, et de quelques algues et champignons, dont elle assure la rigidité. C'est la substance la plus abondante dans les végétaux. La cellulose qui en est extraite a de nombreux usages industriels comme matière première pour les textiles (rayonne, viscose, coton, etc.) ou les matières plastiques (Cellophane et Celluloïd).

Cétone
Tout membre de la famille des composés organiques contenant le groupe carbonyl (>C=O) lié à deux atomes de carbone (comparer avec **aldéhydes**). Les cétones sont liquides ou solides avec un point de fusion bas, et faiblement solubles dans l'eau. La propanone (acétone, CH_3COCH_3), utilisée comme solvant, en est un bon exemple.

Chimie inorganique
Branche de la chimie traitant des éléments et de leurs composés en excluant les composés les plus complexes du carbone (*voir* **chimie organique**). Les groupes de composés inorganiques les plus anciennement connus sont les acides, les bases et les sels. Un autre groupe majeur est constitué des oxydes dans lesquels l'oxygène est combiné avec d'autres éléments. D'autres groupes sont formés par la composition de métaux avec les halogènes (fluor, chlore, brome, iode, astate) appelés halogénures (fluorures, chlorures etc.), ou avec le soufre (sulfures). Tous les acides contiennent de l'hydrogène. Les acides contenant un, deux ou trois atomes

d'hydrogène remplaçables sont respectivement dits mono-, di- ou tri- acides. Les sels sont formés par le remplacement de l'hydrogène d'un polyacide par un métal ou un radical. Un sel acide est formé si seulement une partie de l'hydrogène est remplacée. Les oxydes sont classés en : oxydes acides formant des acides avec de l'eau ; oxydes basiques formant des bases (contenant le groupe hydroxyde OH^-) avec de l'eau ; oxydes neutres ; et peroxydes (contenant plus d'oxygène qu'un oxyde ordinaire). Le **tableau périodique** des éléments constitue la base de description des éléments.

VOIR

LIAISONS ET STRUCTURES 54
ACIDES, BASES ET SELS 62

Chimie organique

Branche de la chimie qui traite des composés du carbone. Dans un composé organique typique, chaque atome de carbone forme des liaisons covalentes avec chacun des atomes de carbone voisins dans une chaîne ou un cycle, et des liaisons d'addition avec les autres atomes, généralement l'hydrogène, l'oxygène, l'azote ou le soufre. La chimie organique est basée sur l'aptitude qu'a le carbone à former de longues chaînes d'atomes, des chaînes ramifiées, des cycles et d'autres structures complexes. Les composés contenant uniquement du carbone et de l'hydrogène sont appelés hydrocarbures. La chimie organique est surtout la chimie d'un grand nombre de **séries homologues**. Les atomes de carbone s'unissent pour former l'épine dorsale d'une molécule organique qui peut être, du début à la fin, sans ramification, ou peut créer des branchements à plusieurs endroits. Quelquefois, cependant, les chaînes d'atomes de carbone peuvent également former des anneaux (composés cycliques), généralement composés de cinq, six ou sept atomes. Les chaînes ouvertes et les composés cycliques peuvent être classés en aliphatiques ou aromatiques selon la nature des liaisons entre les atomes. Les composés contenant de l'oxygène, du soufre ou de l'azote dans un cycle carboné constituent des composés hétérocycliques. Beaucoup de composés organiques présentent un **isomérisme**.

VOIR

LA CHIMIE ORGANIQUE 82
LES HYDROCARBURES 84
LES COMPOSÉS CARBONE-HYDROGÈNE 86
CARBONE, HYDROGÈNE ET OXYGÈNE 88
LES COMPOSÉS AROMATIQUES 90
L'ÉLABORATION DES HYDROCARBURES 92

Chimiothérapie

Traitement médical utilisant des produits chimiques. Par exemple, on traite le cancer à l'aide de cytotoxiques et de nombreuses infections à la pénicilline. Le terme a été inventé par le bactériologiste allemand Paul Ehrlich pour l'utilisation de produits chimiques artificiels contre les infections, la première étant la syphilis combattue efficacement par l'arsphénamine dans les années 1909-1910.

VOIR

LES MÉDICAMENTS 114
LES MÉDICAMENTS D'ORIGINE NATURELLE 116
LES TESTS BIO-MÉDICAUX 118

Chiralité

Propriété que possède une molécule dont l'image dans un miroir ne lui est pas superposable (à l'exemple de la main droite et de la main gauche). La plupart des molécules organiques chirales peuvent être décrites en termes de centre chiral dans lequel un atome (habituellement de carbone) possède quatre substituants différents. *Voir* **activité optique**.

Chlore

Élément non métallique dont le corps pur est un gaz jaune vert à l'odeur piquante. Son symbole est Cl, son numéro atomique 17 et sa masse atomique relative 35,453. Le chlore fait partie des halogènes, il est très réactif et largement présent dans la nature dans des combinaisons avec les métaux alcalins sous forme de chlorures et de chlorates. Dans sa forme élémentaire pure, le gaz est une molécule diatomique Cl_2. On prépare industriellement le chlore par électrolyse d'une saumure concentrée. On l'utilise comme agent décolorant et blanchissant, pour stériliser l'eau potable et l'eau des piscines et pour fabriquer des molécules organochlorées telles que le polychlorure de vinyle, les chlorofluorocarbones (Fréon) et les solvants chlorés.

Chlorophylle

Pigment vert, présent dans la plupart des plantes, qui leur permet d'utiliser l'énergie lumineuse grâce à la **photosynthèse**. Ces pigments absorbent les longueurs d'onde rouge et bleu violet de la lumière solaire et reflètent le vert, donnant aux plantes leur couleur caractéristique. La chlorophylle a une structure voisine de l'**hémoglobine**, mais la partie centrale de la molécule est occupée par un atome de magnésium au lieu d'un atome de fer.

Chlorure

Ion négatif (Cl^-) formé lorsque de l'acide chlorhydrique (HCl) est dissous dans l'eau. On peut l'obtenir aussi par réaction de l'acide chlorhydrique avec certains métaux ou encore par combinaison d'un métal avec le chlore ; tous les métaux forment des chlorures ioniques tel le chlorure de sodium (Na^+Cl^-) qui n'est autre que le sel de table. Les non-métaux forment des chlorures covalents, comme le tétrachlorométhane ou tétrachlorure de carbone (CCl_4).

Chlorure d'hydrogène

Gaz incolore fumant (HCl) préparé en laboratoire en chauffant du chlorure de sodium en présence d'acide sulfurique. À l'échelle industrielle, il est obtenu comme un sous-produit de la chloration des hydrocarbures ou bien il est fabriqué directement à partir du chlore et de l'hydrogène qui résultent de la production de la soude caustique. On l'utilise pour fabriquer le polychlorure de vinyle (PVC) et d'autre composés chlorés. Il se dissocie entièrement dans l'eau en formant de l'**acide chlorhydrique**.

Chromatographie

Technique majeure de séparation ou d'analyse des mélanges de gaz, de liquides ou d'espèces dissoutes. On la met en œuvre en faisant passer le mélange (phase mobile) sur une substance adaptée (phase stationnaire) généralement liquide ou solide. Les différents constituants du mélange sont diversement adsorbés et retenus sur la phase stationnaire et sont ainsi séparés. Dans la chromatographie sur papier, le mélange se sépare parce que les différents corps chimiques ont des solubilités différentes dans le solvant qui progresse le long du papier et aussi des affinités différentes pour l'eau présente dans le papier. En chromatographie sur couche mince, une très mince couche d'adsorbant déposée sur une plaque de verre remplace dans ce cas le papier. Le mélange est séparé non seulement grâce aux différences de solubilité de ses constituants dans le solvant qui traverse la couche mince mais encore à cause de leur tendance plus ou moins forte à s'y accrocher (adsorption). Les mêmes principes s'appliquent à la chromatographie sur colonne. Dans le cas de la chromatographie gaz-liquide, le mélange de gaz passe à travers un long tuyau rempli par une poudre recouverte d'un film de liquide, enroulé sur lui-même et placé dans un four. Un gaz vecteur qui circule aussi à travers le tuyau pousse le mélange de gaz dont les constituants se séparent selon leur solubilité plus ou moins grande dans le film de liquide. Un détecteur placé en fin de circuit enregistre les différents composés au fur et à mesure de leur sortie. La chromatographie analytique n'utilise que de très faibles quantités de produits, souvent moins d'un microgramme, pour identifier et quantifier les constituants du mélange ; on peut par exemple analyser les acides aminés d'une protéine, ou mesurer la quantité d'alcool contenu dans l'haleine, le sang ou les urines. Par contre, la chromatographie préparative est utilisée pour purifier ou séparer les produits à une plus grande échelle, par exemple pour la récupération de protéines dans des effluents.

Chromatographie gaz-liquide
Type de **chromatographie** très sensible dans laquelle la phase mobile (mélange à analyser) est un gaz et la phase stationnaire un liquide. Les substances solides et liquides sont vaporisées au cours de leur introduction dans l'appareil pour analyse.

Chromatographie liquide
Type de **chromatographie** dans laquelle la phase mobile (le mélange à analyser) et la phase stationnaire sont liquides.

Chromatographie par échange d'ions
Type de **chromatographie** dans laquelle les composants d'un mélange d'ions en solution sont séparés en fonction de la facilité avec laquelle ils remplaceront les ions sur la matrice du polymère à travers laquelle ils circulent.

Cire
Substance grasse, solide ou semi-solide, composée d'esters, d'acides gras, d'alcools libres et d'hydrocarbures solides. Les cires minérales sont obtenues à partir du pétrole et peuvent être molles comme la vaseline ou dures comme la paraffine des bougies. Les cires animales comprennent la cire d'abeille et la lanoline. Certaines plantes sécrètent une cire végétale qui recouvre leurs feuilles d'un enduit imperméable à l'eau.

Colloïdes
État de la matière formé de très petites particules d'une substance (phase dispersée) régulièrement répartie dans une autre (la phase continue). La taille des particules dispersées est inférieure à celle d'une suspension de particules mais supérieure à celle de molécules réellement en solution. Les aérosols (dispersion d'un liquide ou d'un solide dans un gaz) et les **mousses** (dispersion de gaz dans un liquide ou un solide) sont des colloïdes faisant intervenir des gaz ; les émulsions (phases dispersée et continue liquides) et les **sols** (particules solides dispersées dans un liquide) font intervenir des liquides. Les sols où les deux phases donnent ensemble une structure tridimensionnelle ont une consistance de gelée et sont appelés **gels**.

Colorant azoïque
Groupe formé par les colorants synthétiques qui contiennent un motif azo (-N=N-) lié à un noyau aromatique, comme l'azobenzène. Les colorants azoïques sont souvent rouges, marron ou jaunes. On les produit à partir des amines aromatiques.

Colorant laqué
Pigment fabriqué grâce à l'interaction d'un colorant organique sur un composé inorganique tel qu'un oxyde, un hydroxyde ou un sel. On trouve couramment les colorants laqués dans les peintures et les encres d'imprimerie. *Voir* **anodisation** et **mordant**.

Colorimétrie
Analyse quantitative en solution où la couleur donnée par un réactif est comparée à celle d'une solution connue.

Combustion
Réaction rapide de combinaison d'une substance avec l'oxygène, dégageant de la chaleur et souvent de la lumière. La petite flamme d'une bougie brûlant lentement dans l'air et l'explosion d'un mélange gazeux d'hydrocarbure et d'air sont les deux exemples extrêmes d'une combustion. La combustion est incomplète s'il n'y a pas assez d'oxygène disponible. Le résultat recherché est généralement la chaleur ; cependant, on s'en sert aussi pour obtenir quelques produits particuliers : on brûle du soufre dans l'air pour obtenir le dioxyde de soufre qui donnera l'acide sulfurique dans le procédé de contact.

VOIR

LES ÉCHANGES DE CHALEUR 64
COMBUSTIONS ET COMBUSTIBLES 66
LES HYDROCARBURES 84
LES COMPOSÉS CARBONE-HYDROGÈNE 86

Combustion spontanée
Mise à feu de tout produit chimique ou de tout matériau qui n'est pas initiée par l'application directe d'une flamme. Le chlorate de sodium, par exemple, peut réagir avec son environnement, généralement par oxydation, pour produire une chaleur interne suffisante pour que la combustion se déclenche. Une combustion spontanée peut occasionnellement avoir lieu avec des chiffons imbibés de liquides inflammables ainsi que dans le foin, lorsque la fermentation élève la température jusqu'au point de combustion. *Voir* **réaction exothermique**.

Composé cyclique
Molécule organique dont une partie forme un anneau fermé. Elle peut être alicyclique (comme le cyclopentane), aromatique (benzène) ou hétérocyclique (pyridine). Les molécules alicycliques (cycles d'aliphatiques) ont des liaisons localisées où chaque électron reste confiné près de sa propre liaison, au contraire des aromatiques dans lesquelles les électrons ont la liberté de se déplacer d'une liaison à l'autre dans le cycle. Si les molécules alicycliques ont des propriétés chimiques similaires à celles des molécules non cycliques équivalentes, les aromatiques donnent des réactions chimiques totalement différentes à cause de leur structure très différente. Les hétérocycles ont un cycle dans lequel au moins un des atomes n'est pas de carbone mais généralement d'oxygène, de soufre ou d'azote ; ils sont soit aliphatiques soit aromatiques.

Composé insaturé
Composé qui possède des liaisons covalentes doubles ou triples entre les atomes de ses molécules. Les alcènes et les alcynes sont des exemples dans lesquels les deux atomes voisins sont tous les deux de carbone, alors que pour les cétones, l'insaturation existe entre des atomes de différents éléments. Les composés insaturés peuvent subir des réactions d'addition aussi bien que des réactions de substitution. Le test de laboratoire pour identifier les composés insaturés consiste à ajouter de l'eau de brome ; si la substance examinée est insaturée, l'eau de brome se décolorera. *Voir aussi* **composé saturé.**

Composé saturé
Terme donné à un composé organique, tel que le propane, qui est uniquement constitué de **liaisons covalentes** simples. Les composés organiques saturés ne peuvent subir que des réactions de substitution, comme dans la production de chloropropane à partir du propane, mais pas de réaction d'addition. Les solutions dans lesquelles on ne peut plus dissoudre de soluté sont également dites saturées.

Composition chimique
Proportion de chaque élément présent dans un composé chimique. La loi des proportions définies stipule que tout composé pur a une composition donnée et invariable. La loi des proportions multiples stipule que s'il existe deux composés distincts formés à partir de deux éléments, alors, pour une masse donnée du premier élément, le rapport de masse du deuxième élément entre les deux composés est un rapport de petits nombres entiers.

Concentration
1. Quantité de substance (soluté) présente dans une unité de volume de solution. On l'exprime fréquemment en mole par litre (mole par décimètre cube). Dans une solution concentrée, le soluté est présent en grande quantité. **2.** Action consistant à accroître la concentration d'une solution par élimination d'une partie du solvant.

Condensation

1. Changement d'état physique où une vapeur (un gaz) devient un liquide en perdant de la chaleur. On le réalise souvent en mettant la vapeur au contact d'une paroi froide ; c'est une étape essentielle de la distillation. **2.** En chimie organique, c'est une réaction dans laquelle deux composés organiques se combinent pour donner une molécule plus grosse tout en éliminant une petite molécule (le plus souvent d'eau). On l'appelle aussi réaction d'addition-élimination. La **polymérisation** par condensation est une réaction de polymérisation dans laquelle au moins l'un des monomères réagit par condensation dans la formation du polymère ; les polyamides (comme le Nylon) et les polyesters (comme le Dacron) sont obtenus ainsi.

Couche

Groupement d'électrons autour d'un atome. La couche interne peut porter deux électrons, la suivante huit, et ainsi de suite jusqu'à trente-deux pour la couche externe. Une couche pleine est plus stable qu'une couche incomplète : aussi les atomes ayant une couche externe pleine sont peu réactifs, alors que ceux qui possèdent une couche externe presque vide ou presque pleine sont hautement réactifs, formant des liaisons avec d'autres atomes, ce qui permet de remplir ces couches en partageant des électrons.

Craquage

Action de dissocier des composés chimiques par la chaleur, le plus souvent au cours du raffinage du pétrole. Dans cette industrie, de longues chaînes d'alcane sont découpées par la chaleur en alcanes plus petits et en alcènes, ce qui permet de produire les molécules aux embranchements multiples, appropriées pour l'essence. La réaction est menée à haute température et sous forte pression, souvent en présence d'un **catalyseur** (craquage catalytique).

VOIR

LES COMPOSÉS CARBONE-HYDROGÈNE 86
LES POLYMÈRES SYNTHÉTIQUES 98

Cristal

Substance possédant un arrangement ordonné de ses atomes, molécules ou ions constitutifs, qui se traduit par la création en surface de faces lisses bien définies. Les cristaux ont certaines propriétés physiques caractéristiques comme l'indice de réfraction et l'angle entre deux faces adjacentes. On classe les cristaux dans de nombreux systèmes ou groupes, basés sur le nombre d'axes imaginaires qui peuvent couper le centre d'un cristal parfait représentatif. On peut souvent identifier un minéral grâce à la forme de ses cristaux. On peut observer facilement des structures cristallines avec le sel de table (cubique) et le quartz (rhomboédrique ou trigonal).

CRISTAL

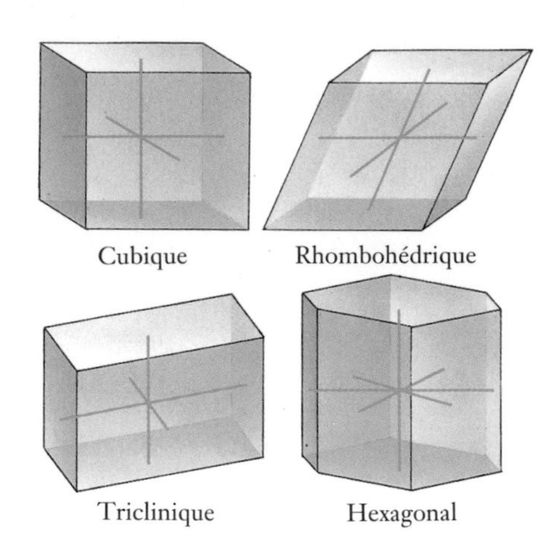

Cristallographie aux rayons X

Étude de la structure atomique ou moléculaire de substances cristallines, en les traversant aux rayons X. Un échantillon est d'abord broyé en poudre fine, puis exposé aux rayons X sous différents angles. Le motif de diffraction (un réseau de points) produit par les rayons X diffractés sur une plaque photographique est ensuite comparé à des standards de référence pour identification.

Cyanure

Ion CN^- dérivé du cyanure d'hydrogène HCN et tout sel comportant cet ion (produit par la réaction du cyanure d'hydrogène avec des alcalis), comme le cyanure de potassium KCN. Les cyanures les plus importants sont ceux de potassium, de sodium, de calcium, de mercure, d'or et de cuivre. *Voir aussi* **nitrile**.

CRISTALLOGRAPHIE AUX RAYONS X

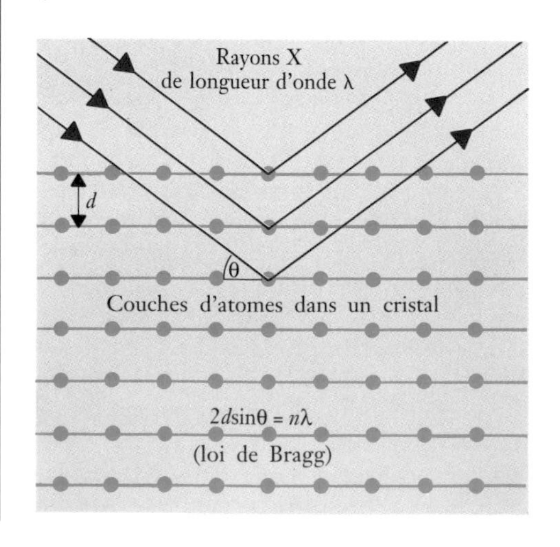

Cycle de l'azote

Suite de réactions chimiques dans lesquelles circule l'azote qui est recyclé à travers l'écosystème. L'azote, pris sous la forme de composés inorganiques (tels que les nitrates) dans le sol, est absorbé par les plantes et transformé en composés organiques (tels que les protéines) dans le tissu des plantes. Les herbivores mangent une fraction de cet azote dont une partie est absorbée par des carnivores qui se nourrissent d'herbivores. Enfin, l'azote retourne au sol dans les excréments ou bien lorsque les organismes meurent, puis est reconverti sous une forme inorganique par décomposition avant d'être absorbé par les plantes.

Cycle du carbone

Suite de réactions chimiques dans lesquelles l'élément carbone circule et est recyclé à travers tout l'écosystème. Au cours de la photosynthèse, le carbone est extrait du dioxyde de carbone par les végétaux puis converti en hydrates de carbone tandis que de l'oxygène est rejeté dans l'atmosphère. Ces carbohydrates sont ensuite utilisés dans la respiration des végétaux et par les animaux qui les mangent. Ainsi, le carbone retourne dans l'atmosphère sous la forme de son dioxyde. Le dioxyde de carbone est aussi rejeté dans l'atmosphère lors de la combustion des combustibles fossiles. Aujourd'hui, le cycle du carbone est menacé de rupture par la consommation croissante de combustibles fossiles et par la destruction par le feu de larges pans de forêt tropicale. Il en résulte une augmentation de

CYCLE DU CARBONE

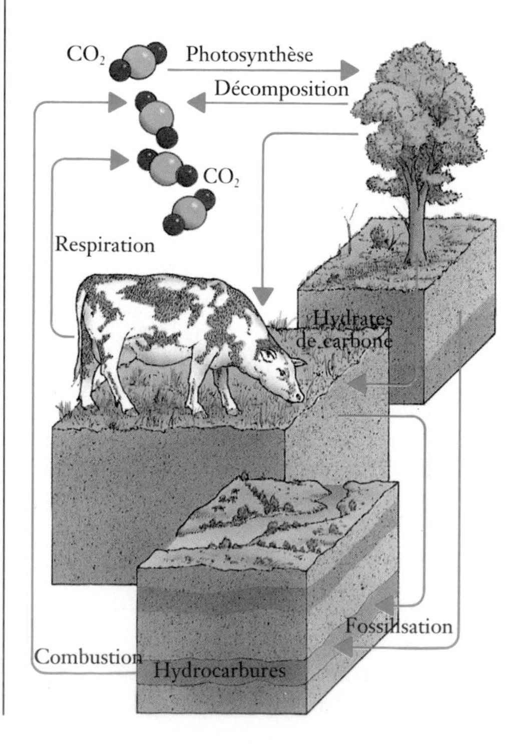

la concentration en dioxyde de carbone de l'atmosphère contribuant probablement à un renforcement de l'effet de serre.

Déliquescence
Absorption par un solide hygroscopique (absorbant de l'eau) de tant d'humidité de l'air que ce solide s'y dissout en formant une solution. Les substances déliquescentes comme le chlorure de calcium, l'hydroxyde de potassium ou de sodium sont de très bons agents desséchants et sont placés en tant que tels au fond des dessiccateurs.

Demi-vie
Temps pendant lequel la force d'un radio-isotope décroît de moitié. Théoriquement, la décroissance totale d'un échantillon radioactif n'est jamais achevée car il reste toujours quelque radioactivité résiduelle. Ainsi, on mesure la demi-vie plutôt que la durée totale de la décroissance. Elle peut varier d'un millionième de seconde au milliard d'années. Le carbone 14, isotope présent naturellement, a une demi-vie de 5730 ans. On utilise la proportion de carbone 14 restant dans un échantillon organique pour en déterminer l'âge.

Désulfuration
Procédé consistant à purifier des gaz de leur contenu en soufre ou en composés contenant du soufre, afin d'éviter la formation d'acides soufrés responsables de pluies acides.

Détergent
Substance ajoutée à l'eau pour en augmenter les capacités lavantes. On fabrique les détergents courants à partir de graisses et d'acide sulfurique. Ils sont constitués d'un groupe salin (« tête ») attaché à une longue chaîne d'hydrocarbure (« queue ») qui les fait ressembler à des molécules de savon. L'élimination de la saleté grasse accrochée aux parois à nettoyer se fait lorsque la « queue » d'hydrocarbure (soluble dans l'huile et les graisse) y pénètre alors que la « tête » saline (soluble dans l'eau mais pas dans les graisses) reste dans l'eau et s'y ionise. Ainsi, les particules de graisse acquièrent une charge négative et tendent alors à se repousser entre elles, ce qui les maintient en suspension dans l'eau. Elles sont enfin éliminées par rinçage. L'avantage des détergents par rapport aux savons est qu'ils ne produisent pas de traînées en formant des sels insolubles avec le calcium et le magnésium présents dans les eaux dures. Les phosphates associés aux détergents peuvent causer un enrichissement excessif des eaux des lacs ou des rivières.

VOIR

LES DIFFÉRENTS TYPES DE LIAISONS 54
SAVONS ET DÉTERGENTS 80

DEMI-VIE

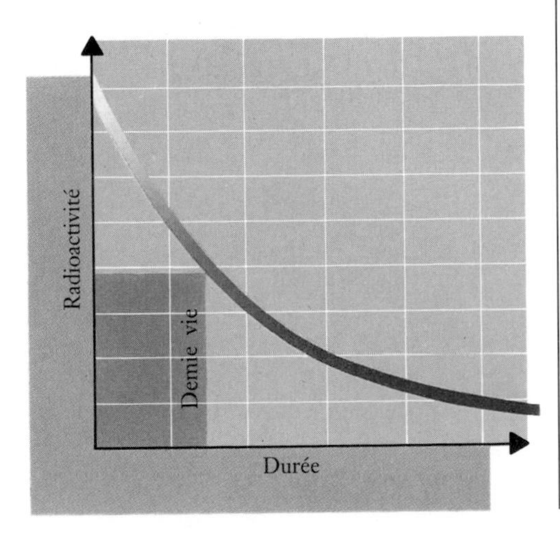

Diabète
Maladie dans laquelle les îlots de Langerhans du pancréas ne produisent plus assez d'insuline et ne permettent plus au corps d'utiliser les sucres correctement. On le traite par un régime alimentaire et des injections d'insuline.

Digestion
Processus par lequel la nourriture consommée par un animal est décomposée. Cela se produit à la fois par une action physique et par une série de réactions chimiques utilisant des **enzymes** pour rendre les nutriments aptes à être absorbés par les cellules pour leur métabolisme.

Diluant, charge
Substance inerte ajoutée à un produit commercial pour en augmenter économiquement la masse (charge des lessives) ou bien pour en changer les propriétés physiques, par exemple pour ajuster la viscosité d'une colle ou d'une peinture.

Dioxyde de carbone
Gaz incolore (CO_2) plus dense que l'air et faiblement soluble dans l'eau. On l'obtient par oxydation complète de corps contenant l'élément carbone, ou bien par ajout d'acide sur des carbonates ou des hydrogénocarbonates, ou encore lorsque ceux-ci sont chauffés. À l'instar des autres oxydes acides, sa dissolution dans l'eau s'accompagne de la formation d'un diacide faible qui forme des sels avec les bases. Dans une solution d'hydroxyde de calcium, le CO_2 forme un précipité blanc de carbonate de calcium utilisé comme indicateur de sa présence. Ce gaz permet d'éteindre la plupart des feux les moins vifs et est employé à cet usage dans les extincteurs. Le dioxyde de carbone joue un rôle majeur dans le cycle du carbone, dans la formation de l'eau calcaire et dans l'**effet de serre**. On utilise le dioxyde de carbone à l'état solide (glace sèche) dans des systèmes nécessitant une réfrigération à grande échelle.

Dioxyde de soufre
Gaz âcre ou liquide incolore (SO_2) produit par la combustion du soufre dans l'air ou dans l'oxygène. C'est un réducteur qui est largement utilisé pour désinfecter les récipients et les ustensiles alimentaires, ou comme conservateur dans certains produits alimentaires. Présent dans les rejets de cheminées industrielles, il est majoritairement responsable de la pollution atmosphérique, notamment de la **pluie acide** (en formant un mélange d'acides sulfurique et sulfureux avec l'eau).

Dissociation
Processus dans lequel un composé se scinde en plusieurs morceaux plus petits qui sont capables de se recombiner pour former à nouveau le réactif. Lorsque la dissociation est partielle (une partie seulement de l'ensemble des molécules se dissocie), il s'établit un équilibre chimique entre le composé et les produits de sa dissociation. On peut provoquer une dissociation en chauffant (dissociation thermique) ou en dissolvant la substance dans l'eau pour former des ions (ionisation). Cette dissociation là est responsable de la conductivité des **électrolytes**.

Distillation
Technique utilisée pour purifier des liquides ou séparer des mélanges de liquides aux points d'ébullition différents. On utilise la distillation simple pour la purification de liquides (ou la séparation du soluté de son solvant), par exemple pour obtenir de l'eau pure à partir d'eau salée. La solution est portée à ébullition (dans le bouilleur) et les vapeurs s'échappent dans un autre compartiment de l'appareil (le condenseur) où elles sont refroidies et condensées. Le liquide obtenu (le distillat) est le solvant pur alors que les solutés non volatils restent dans le bouilleur où ils sont récupérés ou jetés. On sépare des mélanges de liquides (comme le pétrole ou un mélange d'eau et d'alcool) par **distillation fractionnée**.

VOIR

LES COMPOSÉS CARBONE-HYDROGÈNE 86
CARBONE, HYDROGÈNE ET OXYGÈNE 88

Distillation fractionnée
Procédé utilisé pour séparer des mélanges complexes (comme le pétrole brut) en leurs

DISTILLATION FRACTIONNÉE

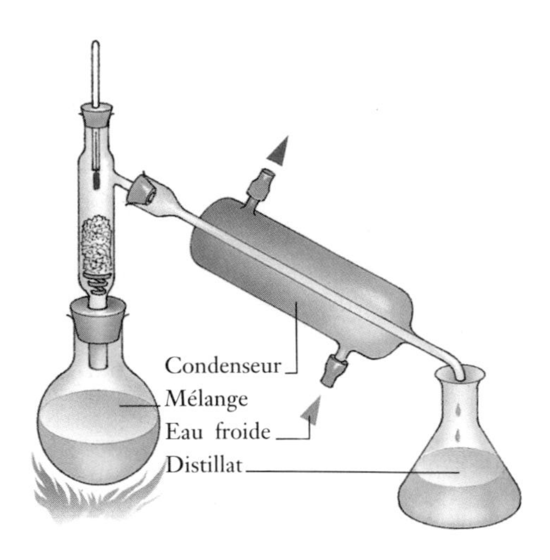

constituants par des cycles successifs d'ébullition et de condensation. On peut obtenir une bonne séparation en utilisant une longue colonne de fractionnement remplie de billes de verre et fixée sur l'appareil à distiller. Les vapeurs montantes passent au dessus du liquide qui redescend en créant un état stationnaire dans lequel la température décroît le long de la colonne. On peut récupérer les différentes fractions du distillat (ensemble de composés similaires aux températures d'ébullition voisines) en différents points de la colonne.

VOIR

LES HYDROCARBURES 84
LES COMPOSÉS CARBONE-HYDROGÈNE 86
CARBONE, HYDROGÈNE ET OXYGÈNE 88

Doublet libre
Nom donné à une paire d'électrons de la couche située le plus à l'extérieur d'un atome et qui ne sont pas utilisés dans une liaison. Dans certaines circonstances, ce doublet pourra permettre à l'atome de se lier à d'autres atomes, à des ions ou à des molécules (telles que le trifluorure de bore, BF_3) qui sont déficitaires en électrons, formant ainsi des liaisons covalentes de coordination (datives) dans lesquelles il fournit les deux électrons de la **liaison**.

Eau
Liquide incolore, inodore et sans saveur ; c'est l'oxyde d'hydrogène (H_2O). L'eau commence à geler à 0 °C et à bouillir à 100 °C. Quand elle est liquide, elle est pratiquement incompressible ; une fois gelée, elle se dilate en augmentant de 1/11 de son volume. À 4 °C, un centimètre cube d'eau a une masse de 1 gramme ; c'est sa densité maximum, qui donne l'unité de la masse volumique. Elle possède la plus haute chaleur spécifique connue et agit comme un solvant efficace, en particulier lorsqu'elle est chauffée.

Échange d'ions
Procédé par lequel les ions d'un composé remplacent les ions d'un autre. L'échange a lieu parce que l'un des composés est insoluble dans l'eau. Par exemple, lorsque de l'eau dure est passée sur une résine échangeuse d'ions, les ions calcium et magnésium dissous dans l'eau sont remplacés par des ions sodium ou hydrogène, éliminant ainsi la dureté de l'eau. Les adoucisseurs d'eau commerciaux utilisent généralement des résines échangeuses d'ions. L'ajout de cristaux de soude du commerce (carbonate de sodium) à une eau dure est également un exemple d'échange d'ions. L'échange d'ions chargés positivement est appelé échange de cations ; l'échange d'ions chargés négativement est appelé échange d'anions.

Effet de serre
Phénomène par lequel la chaleur du soleil est retenue à la surface de la Terre grâce à la présence dans son atmosphère de gaz divers. Les gaz à effet de serre les plus importants sont la vapeur d'eau, le **dioxyde de carbone**, le méthane (CH_4) et les **chlorofluorocarbones** (CFC ou Fréon). Le dioxyde de carbone et le méthane existent à l'état naturel, mais leur production supplémentaire dûe à l'industrie peut augmenter sensiblement l'effet de serre, même si cette production reste faible par rapport à la production totale de ces gaz. Le dioxyde de carbone est produit essentiellement par la combustion des combustibles fossiles et de larges parts de forêt (*voir* **cycle du carbone**). Le méthane est un sous-produit important de nombreux procédés industriels et agricoles.

Élastomère
Gomme naturelle ou synthétique qui se déforme facilement et reprend rapidement sa forme première lorsqu'on la libère. On citera les polychloroprènes et les copolymères de butadiène. Les chaînes moléculaires en pelote constituant l'élastomère sont déroulées par étirement, mais ont tendance à retourner rapidement à leur forme première car il y a peu de liaisons entre les différentes chaînes.

Électrode
Terminaison par laquelle un courant entre ou sort d'un circuit conducteur, par exemple l'anode ou la cathode d'une cellule d'**électrolyse**.

Electrodéposition
Méthode consistant à plaquer un métal sur un autre par électrolyse. On fait circuler un courant à travers une solution d'un sel du métal à déposer en se servant de l'objet à plaquer comme d'une cathode. L'anode est elle-même une électrode inerte ou composée du métal à plaquer, par exemple du zinc, du nickel, du chrome, du cadmium, du cuivre, de l'argent ou de l'or.

Électrolyse
Processus consistant à faire passer un courant à travers un liquide (solution ou sels fondus) appelé **électrolyte**. Il en résulte la migration des ions vers les électrodes : les ions positifs (**cations**) vont vers l'électrode négative (**cathode**) alors que les ions négatifs (**anions**) vont vers l'électrode positive (**anode**). Pendant l'électrolyse, les ions réagissent avec les électrodes en acceptant ou en cédant des électrons ; il en résulte des produits qui peuvent être gazeux (donnant un dégagement) ou solides (donnant un dépôt sur l'électrode). Par exemple, lorsque l'on électrolyse une solution d'acide chlorhydrique (comportant des ions H^+ et Cl^-), les ions H^+ réagissent sur la cathode en donnant de l'hydrogène gazeux et les ions chlorure (Cl^-) réagissent sur l'anode en donnant du chlore gazeux. Voir **électrodéposition.**

Électrolyte
Solution ou substance fondue dans laquelle peut circuler un courant électrique porté par des ions négatifs et positifs (*voir* **électrolyse**). On parle aussi d'électrolyte au sujet d'une substance qui, dissoute dans un solvant particulier (généralement de l'eau), donne une solution conductrice. On ne considère pas comme électrolyte les métaux à l'état liquide où le courant est transporté par des électrons libres.

Électron
Particule élémentaire stable, chargée négativement, et présente dans tous les atomes. Les électrons des atomes entourent le noyau en se groupant dans des couches ; un atome neutre compte autant d'électrons que de protons dans son noyau. La structure électronique des atomes conditionne leurs propriétés chimiques et la manière dont ils se combinent pour former des molécules. L'électron est aussi la particule de base de l'électricité, chacun portant une charge de $1{,}602192.10^{-19}$ coulomb. Un faisceau d'électrons peut subir une diffraction et produire des interférences de la même façon que la lumière ou d'autres ondes électromagnétiques. De la même manière, on peut le focaliser en utilisant des lentilles magnétiques et s'en servir alors dans un microscope électronique.

VOIR

LES ÉLÉMENTS 50
MÉLANGES ET COMPOSÉS 52
LES DIFFÉRENTS TYPES DE LIAISONS 54
LIAISONS ET STRUCTURES 56
NOMS ET FORMULES 60

Élément
Corps chimique qui ne peut pas être chimiquement séparé en différentes parties plus simples. Les atomes appartenant à un même élément ont le même nombre de protons dans leur noyau (correspondant à leur numéro atomique). Les éléments sont classés dans le **tableau périodique** des éléments qui comporte 109 éléments connus dont les 95 premiers sont presque tous naturels. Ceux de numéros atomiques supérieurs sont produits dans les accélérateurs de particules. Seuls 81 éléments sont stables, les autres (de numéros 43, 61, 84 et plus) sont tous radioactifs. On classe les éléments en métaux, non métaux et métalloïdes (faiblement métalliques), selon leurs propriétés physiques et chimiques ; environ 75 pour cent des éléments sont des métaux. Certains éléments sont très abondants sur Terre (oxygène, silicium, aluminium, ...) alors que d'autres sont rares (chrome, néon, ...), voire extrêmement rares, en particulier ceux qui sont radioactifs (astate, neptunium, ...). Pour désigner les éléments, on utilise des symboles formés d'une ou deux lettres initiales du nom latin ou d'une autre langue (par exemple C pour le carbone, Ca pour le calcium, N pour l'azote ou nitrogène) ; le symbole représente un atome de l'élément. Selon la théorie actuelle, l'hydrogène et une partie de l'hélium ont été générés au cours des premiers instants de l'Univers lors du « big bang » ; les autres éléments de numéro atomique inférieur à 26 (le fer) sont synthétisés par des réactions de fusion nucléaire dans les étoiles. Les éléments les plus lourds, comme le plomb et l'uranium, sont probablement générés au cours de l'explosion de vieilles étoiles massives : lorsque leur centre s'effondre, les forces de gravitation apportent l'énergie nécessaire à la fusion de noyaux plus lourds pour produire ces éléments.

Élément de transition
Métal du **tableau périodique** qui possède des couches électroniques internes incomplètes et une valence variable. Les métaux de transition les plus courants sont le cobalt, le cuivre, le fer et le molybdène. La plupart sont d'excellents conducteurs thermiques et électriques, formant généralement des composés colorés, ayant des points de fusion et d'ébullition élevés.

Eléments transuraniens
Éléments placés après l'uranium dans le **tableau périodique**, c'est-à-dire avec un numéro atomique supérieur ou égal à 93. Ces éléments possèdent des noyaux plus lourds et plus complexes que l'uranium, et sont tous radioactifs. Le neptunium et le plutonium existent à l'état naturel ; tous les autres sont produits à partir de l'uranium en le bombardant avec des neutrons.

Émulsifiant
Substance utilisée pour stabiliser les émulsions ou les dispersions d'eau dans de l'huile ou encore d'huile dans de l'eau. Le jaune d'œuf est un émulsifiant naturel. Les émulsifiants commerciaux synthétiques, comme les détergents, sont de longues molécules possédant des affinités et pour l'eau et pour l'huile en des endroits différents de leur structure.

Émulsion
Dispersion stable (*voir* **colloïde**) d'un liquide dans un autre liquide. On utilise par exemple des émulsions d'huile et d'eau dans les cosmétiques, et le lait est une émulsion de graisses et d'eau. *Voir* **émulsifiant**.

VOIR

MÉLANGES ET COMPOSÉS 52
L'ÉLABORATION DES HYDROCARBURES 92
ENCRES, PIGMENTS ET PEINTURES 122

Énantiomère
Pour une molécule asymétrique, c'est l'une des deux formes possibles, symétriquement inversée. L'exemple classique en est le cristal de tartrate de sodium et d'ammonium dont Louis Pasteur a découvert et séparé les deux énantiomères. Les énantiomères sont aussi appelés isomères optiques. *Voir* **activité optique**.

Énergie
Capacité à produire un travail ou de la chaleur. L'énergie potentielle est une énergie contenue dans la position de l'objet : un ressort étiré a une énergie potentielle élastique, un objet élevé au dessus de la surface de la Terre ou de l'eau contenue dans un réservoir placé en hauteur ont une énergie potentielle gravitationnelle. Un tas de charbon ou un réservoir de pétrole associés à l'oxygène nécessaire à leur combustion possèdent de l'énergie chimique. La lumière, le son, l'électricité et l'énergie nucléaire sont d'autres formes d'énergie. On peut convertir une forme d'énergie en une autre, mais sa quantité totale reste constante conformément au principe de conservation de l'énergie.

Energie chimique
Énergie stockée dans les atomes et les molécules qui est libérée au cours d'une réaction chimique. *Voir* **énergie**.

Énergie d'activation
C'est l'énergie minimum nécessaire au démarrage d'une réaction chimique. Quelques substances réagissent immédiatement entre elles dès qu'elles sont mises en contact (*voir* **combustion spontanée**) alors que d'autres doivent recevoir de l'énergie pour commencer à réagir. L'énergie d'activation est exprimée en joules par mole de réactif.

Engrais
Substance utilisée pour pallier les déficiences d'un sol pauvre ou dégradé. Les engrais contiennent une partie ou la totalité des vingt éléments chimiques nécessaires à la croissance des végétaux. Il y a des engrais organiques (fumier, compost) et inorganiques sous la forme de composés contenant principalement de l'azote (N), du phosphore (P) et du potassium (K). Les engrais apportés aux cultures contiennent largement plus de nutriments que les plantes n'en absorbent et peuvent alors provoquer la pollution des lacs et des rivières par ruissellement. Dans le but de protéger l'environnement, la recherche s'oriente actuellement dans la modification des plantes agricoles pour qu'elles puissent, par exemple, utiliser elles-mêmes l'azote de l'air à l'aide d'une symbiose bactérienne dans leurs racines (comme cela se passe naturellement pour certains légumes).

Enzyme
Protéine qui joue le rôle de catalyseur biochimique dans des réactions où une molécule (le substrat) est convertie en une autre. Les enzymes sont de grosses molécules complexes très spécifiques, chaque réaction demandant une enzyme particulière. L'enzyme se lie au substrat en des sites d'attache particuliers (sites actifs) pour donner un complexe enzyme-substrat qui va réagir ou se briser ; puis l'enzyme repart. On compare souvent le substrat à une serrure et l'enzyme à la clé nécessaire à son ouverture. Les enzymes ont de nombreux usages médicaux et industriels, de l'additif d'une lessive à la production de médicaments, et comme outil de recherche en biologie moléculaire.

VOIR

LA CHIMIE ET LA VIE 108
LES MATIÈRES PREMIÈRES DE LA VIE 110
LA CHIMIE DU VIVANT 112

Équation chimique
Présentation standardisée utilisant des symboles chimiques et des formules pour repré-

senter les réactifs et les produits d'une réaction chimique. Une équation chimique porte deux informations essentielles : **1.** les réactifs (à gauche) et les produits (à droite) ; **2.** les proportions des différents corps (stœchiométrie, c'est-à-dire la quantité de réactifs et de produits mis en jeu). Une équation doit être équilibrée de telle sorte que tous les atomes de chaque élément participant aux réactifs se retrouvent dans les produits et vice-versa. Par exemple, dans l'équation suivante, les réactifs sont égaux aux produits :
$Na_2CO_3 + 2\ HCl \rightleftarrows 2\ NaCl + CO_2 + H_2O$
Cette équation exprime qu'une mole de carbonate de sodium se combine avec deux moles d'acide chlorhydrique pour donner deux moles de chlorure de sodium, une mole de dioxyde de carbone et une mole d'eau. Dans cette équation, la double flèche montre que cette réaction est réversible ; par exemple, dans la réaction de formation de l'ammoniac à partir d'azote et d'hydrogène, la direction de la réaction dépend de la température et de la pression des réactifs.

VOIR

LES DIFFÉRENTS TYPES DE LIAISONS 54
LES ÉCHANGES DE CHALEUR 64

Équilibre chimique
État dans lequel l'énergie d'un système chimique donné est distribuée de manière la plus probable. L'équilibre chimique est atteint pour une réaction réversible lorsque les vitesses de la réaction sont égales dans les deux sens, de telle sorte que le système n'évolue plus.

Essence
Mélange volatil et incolore d'hydrocarbures contenant chacun entre cinq et huit atomes de carbone et extrait du pétrole. L'essence est utilisée dans les moteurs à explosion et pour la synthèse chimique.

Ester
Molécule organique produit de la réaction d'un alcool avec un acide, avec élimination d'une molécule d'eau. À l'inverse des sels, les esters sont des composés covalents. Les esters formés avec des acides carboxyliques ont pour formule générale RCOOR'. Les esters qui contiennent des hydrocarbures simples sont des substances odorantes et volatiles utilisées fréquemment comme arômes dans l'industrie alimentaire.

Éthanal
Aussi connu sous le nom d'acétaldéhyde (CH_3CHO), c'est le membre le plus important du groupe des **aldéhydes**. C'est un liquide incolore et inflammable qui bout à 20,8 °C. L'éthanal est formé par oxydation de l'éthanol ou de l'éthylène (éthène) et il est à la base de la synthèse de nombreux produits chimiques organiques.

Éthane
Hydrocarbure gazeux inodore, incolore et inflammable (CH_3CH_3), et deuxième de la série des hydrocarbures (paraffines).

Éthanoate
Appelé aussi acétate (CH_3COO^-), c'est un ion négatif dérivé de l'acide éthanoïque. Dans l'industrie textile, la rayonne acétate est une étoffe synthétique obtenue par le traitement de cellulose modifiée avec l'**acide éthanoïque**. En photographie, on utilise l'acétate de cellulose pour fabriquer des films d'acétate ininflammables.

Éthanol
Nommé aussi alcool éthylique, l'éthanol (CH_3CH_2OH) est l'alcool présent dans les boissons alcoolisées. Pur, c'est un liquide incolore d'odeur agréable qui peut être mélangé avec de l'eau ou de l'éther ; il brûle dans l'air avec une flamme bleu pâle. Les vapeurs d'éthanol forment avec l'air un mélange explosif qui est utilisé dans des moteurs à explosion à fort taux de compression. On produit l'éthanol par fermentation naturelle d'hydrates de carbone ou bien par addition d'eau sur l'éthène ou encore par réduction de l'éthanal. L'éthanol est également largement utilisé comme solvant.

VOIR

L'INDUSTRIE CHIMIQUE 74
CARBONE, HYDROGÈNE ET OXYGÈNE 88
LES TESTS BIO-MÉDICAUX 118
TEINTURES ET COLORANTS 124

Éthène
Nommé aussi éthylène (CH_2CH_2), c'est un gaz inflammable incolore, le premier de la série des alcènes. C'est le produit chimique de synthèse le plus largement utilisé surtout pour la fabrication du polyéthylène, du polychloroéthylène et du polychlorure de vinyle (PVC). On produit l'éthène à partir du gaz naturel, du gaz de cokerie ou par déshydratation de l'éthanol.

Éthylène
Voir **éthène**.

Éthyne
Gaz incolore et inflammable plus connu sous le nom d'acétylène ($HC \equiv CH$). C'est le premier terme de la série des alcynes et il est largement utilisé dans la production de gommes synthétiques. L'éthyne a été découvert en 1836 par le scientifique britannique Edmund Davy et utilisé dans les premières lampes à gaz, où il était généré par réaction de l'eau sur le carbure de calcium. Sa combustion donne plus de chaleur que n'importe quel autre carburant et c'est pourquoi on l'utilise dans les chalumeaux pour souder et couper.

Évaporation
Processus par lequel un liquide se transforme en vapeur à une température inférieure à son point d'ébullition. Un liquide abandonné au contact de l'air a tendance à s'évaporer car une certaine proportion de ses molécules possède assez d'énergie cinétique pour échapper à ses forces de cohésion interne. La température du liquide tend alors à s'abaisser parce que les molécules qui s'évaporent emportent de l'énergie.

Examens médicaux
Tests biochimiques utilisés pour détecter différentes substances présentes dans le corps humain. Par exemple, un grand nombre de maladies peut être détecté consécutivement à des niveaux anormaux de certains métabolites du système sanguin. Des examens urinaires permettent de détecter la présence de glucose ou de drogues dans le corps, ou de confirmer une grossesse.

Extincteur
Appareil servant à éteindre le feu en lui enlevant soit de la chaleur, soit l'oxygène soit le combustible, c'est-à-dire l'un des trois composants nécessaires à sa poursuite. Les extincteurs les plus simples projettent de l'eau sur le feu, mais ils ne peuvent être utilisés ni sur des feux électriques à cause du danger d'électrocution, ni sur les feux d'hydrocarbures car en flottant sur l'eau ceux-ci provoquent l'étalement de la flamme. La plupart des extincteurs domestiques contiennent du dioxyde de carbone sous pression qui recouvre les objets en feu et empêche l'oxygène de les atteindre. Les extincteurs secs à poudre répandent une poudre qui libère du dioxyde de carbone. Les extincteurs humides fonctionnent sur le principe des boissons gazeuses : on les active en libérant une dose d'acide sulfurique sur de l'hydrogénocarbonate de sodium, ce qui produit du dioxyde de carbone. Quelques extincteurs contiennent des halons, hydrocarbures où certains atomes d'hydrogène ont été remplacés par des atomes de fluor, de chlore ou de brome. Ils sont très efficaces sur les feux de braises, mais sont dangereux pour la couche d'ozone.

Extrusion
Procédé employé particulièrement pour la fabrication de fibres textiles en forçant une

EXTRUSION

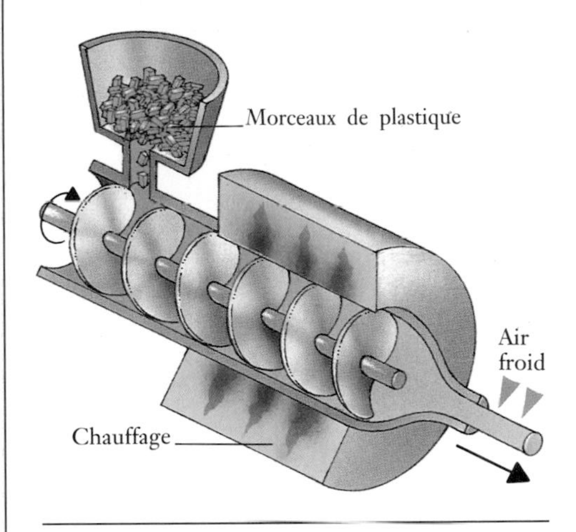

solution visqueuse du polymère ou le polymère fondu à travers de petits trous (filière). On utilise aussi l'extrusion pour la fabrication de produits en métal ou en plastique, comme par exemple des tubes.

Extrusion-soufflage
Procédé destiné à produire des pièces en plastique d'un seul morceau (par exemple une bouteille). On procède à la fois à une extrusion et à un soufflage dans un moule en deux parties détachables.

Filière
Disque perforé de trous fins de section définie à travers lequel les polymères fondus sont extrudés afin de produire des filaments continus de fibres synthétiques.

Fixation d'azote
Processus par lequel l'azote de l'atmosphère est transformé en composés nitrogénés par l'action de micro-organismes, tels que des algues bleues ou des bactéries, en symbiose avec certains légumes. Ce processus fabrique indirectement de l'azote disponible pour les plantes. Plusieurs procédés chimiques reproduisent la fixation d'azote pour produire des engrais.

Fluor
Élément non métallique gazeux, de couleur jaune pâle, de symbole F, de numéro atomique 9 et de masse atomique 19. Le fluor est le premier représentant de la colonne VII du **tableau périodique** (**halogènes**). Il est agressif, réactif, toxique et réagit directement avec presque tous les autres éléments. On le trouve naturellement dans la fluorine (CaF_2) et la cryolite (Na_3AlF_6). L'élément est utilisé sous la forme de fluorure d'hydrogène pour graver le verre et dans les **Fréon**s (molécules organiques contenant fluor, chlore ou brome) pour la réfrigération.

Force de Van der Waals
Faible force d'attraction entre des atomes et des molécules, dérivée du mouvement des électrons à l'intérieur de l'atome. Elle est environ 10 à 20 fois plus faible que la force d'attraction entre les atomes dans une liaison covalente.

Force intermoléculaire
Force d'attraction entre les molécules. Les forces intermoléculaires sont relativement faibles ; les composés moléculaires simples sont des gaz, des liquides ou des solides dont le point de fusion est bas. *Voir* **force de Van der Waals** et **liaison hydrogène**.

Formaldéhyde
Voir **méthanal**.

Formule chimique
Représentation d'une molécule, d'un radical ou d'un ion qui utilise les symboles de ses éléments constitutifs. La formule empirique donne seulement les rapports élémentaires dans le composé, sans indication ni sur leur nombre ni sur la manière dont ils sont liés. La formule brute indique le nombre de chaque atome du composé. La formule développée montre les positions relatives des atomes les uns par rapport aux autres et la nature de leurs liaisons. Par exemple, pour l'acide éthanoïque, la formule empirique est CH_2O, la formule brute $C_2H_4O_2$ et la formule développée CH_3COOH.

Formule moléculaire
Formule chimique qui indique le nombre réel d'atomes de chaque élément présent dans la molécule simple d'un composé chimique. Elle fournit deux types d'informations : la formule empirique et la masse moléculaire relative qui est déterminée expérimentalement.

Fréon (chlorofluorocarbones ou C.F.C.)
Molécule artificielle inodore, non toxique, ininflammable et chimiquement inerte formée à partir de carbone, de chlore, de fluor et parfois d'hydrogène. Les Fréons ont été utilisés comme gaz propulseur des bombes aérosols, comme fluide frigorifique des installations de froid et dans la production de mousses pour l'emballage. Lorsque les C.F.C. sont émis dans l'atmosphère, ils migrent doucement vers la stratosphère où, sous l'influence des rayons ultraviolets du Soleil, ils libèrent des atomes de chlore. Ceux-ci détruisent alors la couche d'ozone qui empêche la partie dangereuse du rayonnement solaire d'atteindre le sol.

VOIR

LA CHIMIE ET LA VIE 108
LA PHOTOSYNTHÈSE 130

Gaz
État de la matière dans lequel, comme dans l'air, les molécules se déplacent aléatoirement dans tout l'espace disponible, remplissant ainsi l'ensemble du récipient dans lequel il se trouve. On liquéfie les gaz en les refroidissant, ce qui ralentit la vitesse des molécules et permet aux forces attractives intermoléculaires d'empêcher leur dispersion.

Gaz rare
Élément, également appelé gaz noble, faisant partie d'une série de six éléments (hélium, néon, argon, krypton, xénon et radon) du groupe 0 du **tableau périodique** des éléments. Les gaz rares étaient autrefois appelés gaz inertes car on pensait qu'ils n'entraient dans aucune réaction chimique, alors qu'on sait depuis que cela est incorrect. La réactivité extrêmement faible de ces gaz est due à la stabilité de leur structure atomique. Toutes les couches électroniques des atomes de gaz rares sont complètes. Tous, à l'exception de l'hélium, ont huit électrons sur leur couche externe de valence.

Gel
Colloïde dans lequel les deux phases se sont combinées pour donner un corps solide ou semi- solide.

Glucose
Nommé aussi dextrose ou sucre de raisin, le glucose ($C_6H_{12}O_6$) est un sucre naturel fabriqué à partir d'autres sucres ou d'amidon. Il constitue l'apport énergétique des réactions biochimiques de la respiration. Le glucose est un monosaccharide (constitué d'une seule unité sucre) au contraire du saccharose habituel (constitué de deux unités : le glucose et un autre sucre, le fructose) qui est un disaccharide. On prépare des sirops de glucose par hydrolyse du sucre de canne ou de l'amidon, et il peut être purifié en une poudre cristalline.

VOIR

CARBONE, HYDROGÈNE ET OXYGÈNE 88
LES MATIÈRES PREMIÈRES DE LA VIE 110
LA CHIMIE DU VIVANT 112

Glycérol
Appelé aussi glycérine ou propane 1,2,3 triol ($HOCH_2CH(OH)CH_2OH$), c'est un liquide épais, incolore, inodore et gras. On l'obtient à partir des huiles végétales ou animales ou par fermentation du glucose. Les usages industriels du glycérol sont variés : fabrication d'explosifs puissants, additif antigel, traitement des fruits et du tabac contre la moisissure, cosmétiques.

Glycogène
Polysaccharide de glucose élaboré et stocké par le foie comme réserve de sucres ; c'est pourquoi on l'appelle aussi amidon animal. Le glycogène apporte de l'énergie aux muscles lorsqu'il est converti à nouveau en glucose par l'insuline (hormone) et métabolisé.

Graisse
Mélange de lipides (essentiellement des **triglycérides**), solide à la température ambiante. Les mélanges de lipides liquides à la température ambiante sont appelés des huiles. Plus grande est la proportion d'acides gras saturés, plus dure est la graisse. Les graisses forment l'essentiel de la nourriture de nombreux animaux avec une valeur calorique trois fois supérieure à celle des hydrates de carbone.

VOIR

LA CHIMIE ET LA VIE 108
LES MATIÈRES PREMIÈRES DE LA VIE 110
LA CHIMIE DU VIVANT 112

Graisse insaturée
Acide gras qui contient des liaisons doubles dans sa chaîne carbonée. *Voir* **composé insaturé.**

Groupement aryle
Ensemble de composés chimiques obtenus en enlevant un atome d'hydrogène à une molécule aromatique. Par exemple, le groupement phényle ($-C_6H_5$) est obtenu par le retrait d'un atome d'hydrogène au benzène.

Groupement éthyle
Groupement organique $-C_2H_5$.

Groupement hydroxyle
Groupement formé par la liaison entre un atome d'hydrogène et un atome d'oxygène (-OH) et lié à une molécule organique par une liaison covalente. Les composés ordinaires contenant un groupement hydroxyle sont les alcools et les phénols. L'hydroxyle réagit fréquemment comme une seule entité dans beaucoup de réactions chimiques.

Groupement méthyle
Groupement organique $-CH_3$.

Halogénation
Réaction dans laquelle un atome d'halogène est introduit dans un composé. On peut effectuer directement l'halogénation par un **halogène** à travers une réaction de substitution électrophile utilisant le chlorure d'aluminium comme catalyseur, ou bien en utilisant un composé halogéné comme un halogénure de phosphore, qui réagit avec les groupements hydroxyles.

Halogène
Un des cinq éléments du groupe des non métaux de la colonne VIIA du **tableau périodique**, donnant des liaisons chimiques très voisines. Ce groupe va du fluor, le plus réactif, à l'astate, le moins réactif, en passant par le chlore, le brome et l'iode. Les halogènes réagissent directement avec la plupart des métaux pour former des sels, comme le sel de table NaCl. Chaque halogène possède cinq électrons de valence, expliquant les similarités du groupe.

Halogénure d'argent
Tout composé formé à partir de l'argent et d'un halogène. Le bromure d'argent, le chlorure d'argent et l'iodure d'argent sont les halogénures d'argent les plus communs. Tous ces halogénures peuvent être précipités à partir d'une solution de nitrate d'argent par addition des ions halogénures appropriés. Le bromure d'argent et le chlorure d'argent sont généralement utilisés dans les émulsions photographiques ; exposés à la lumière et après développement, ils sont réduits en argent. *Voir* **photographie**.

Hélium
Gaz incolore et inodore, de symbole He, de numéro atomique 2, et de masse atomique relative 4,0026. Il appartient au groupe des gaz inertes et ne forme aucun composé. C'est le deuxième élément le plus abondant dans l'univers (après l'hydrogène), et il possède le plus bas point d'ébullition (-268,9 °C) et de fusion (-272,2 °C) de tous les éléments. Le noyau d'hélium, comportant deux protons et deux neutrons, est la particule alpha émise par certains corps radioactifs. Les petites quantités que l'on trouve dans l'atmosphère sont dues aux émissions de particules alpha des éléments radioactif présents dans la croûte terrestre. L'hélium gazeux est plus léger que l'air et sert à gonfler des ballons.

Hémoglobine
Protéine globulaire permettant à tous les vertébrés et à une partie des invertébrés de transporter l'oxygène à l'intérieur du corps. Chez les vertébrés, elle se trouve dans les globules rouges (érithrocytes) et est responsable de leur couleur. La molécule d'hémoglobine est formée de quatre chaînes de polypeptides (globine) contenant chacune un groupe hème (molécule contenant du fer) pouvant réversiblement se lier à une molécule d'oxygène.

Hormone
Sécrétion fabriquée par une glande endocrine et libérée dans la circulation sanguine. Les hormones induisent des changements dans le fonctionnement de divers organes pour répondre aux besoins du corps. L'hypophyse est le centre coordinateur de la sécrétion des hormones ; les hormones thyroïdiennes fixent la vitesse de la chimie globale de l'organisme ; l'adrénaline prépare la réponse de l'organisme au stress ; les hormones sexuelles, comme l'œstrogène, gouvernent les fonctions reproductrices.

HÉMOGLOBINE

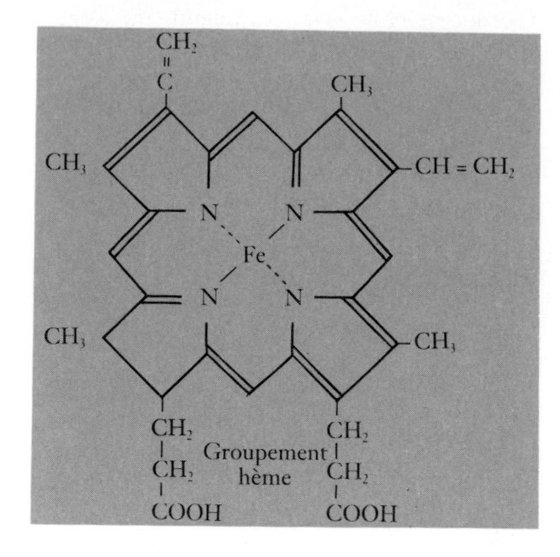

Huile
Substance inflammable, généralement insoluble dans l'eau, et principalement composée de carbone et d'hydrogène. Les huiles peuvent être solides (graisses et cires) ou liquides, et sont distinguées comme étant figées ou volatiles selon la facilité avec laquelle elles se vaporisent lorsqu'elles sont chauffées. Les huiles essentielles sont des liquides volatils obtenus à partir de plantes et sont utilisées comme parfums ou essence parfumées, ainsi qu'en aromathérapie. Les huiles figées sont des mélanges de lipides de consistance variée que l'on trouve à la fois chez les animaux (par exemple les huiles de poisson) et dans les plantes (dans les fruits à écale et les graines) ; elles sont utilisées comme aliment ou comme lubrifiant, ainsi que dans la confection de savons, de peintures et de vernis. Les huiles minérales, principalement obtenues à partir du raffinage du pétrole, sont composées d'un mélange d'hydrocarbures, et sont utilisées comme carburants et comme lubrifiants.

VOIR

COMBUSTION ET COMBUSTIBLES 66
SAVONS ET DÉTERGENTS 80
LES HYDROCARBURES 84
LES COMPOSÉS CARBONE-HYDROGÈNE 86
ENCRES, PIGMENTS ET PEINTURES 122

Hydrate
Composé chimique contenant un certain nombre de molécules d'eau. Par exemple, certains sels cristallisent avec des molécules d'eau (eau de cristallisation) en nombre bien déterminé, que l'on écrit à la suite de leur formule chimique. On citera le sulfate de cuivre pentahydrate $CuSO_4, 5H_2O$.

Hydrate de carbone
Molécule contenant du carbone, de l'hydrogène et de l'oxygène, de formule générique $C_n(H_2O)_n$, et tous les composés dérivés qui ont la même structure de base. À l'exemple du sucre et de l'amidon, les hydrates de carbone sont la principale source d'énergie de l'alimentation humaine. Les sucres sont les hydrates de carbone les plus simples (les monosaccharides, ou molécules à un seul cycle, comme le glucose et le fructose, et les di-saccharides, molécules à deux cycles, comme le saccharose) ; ce sont des molécules à la saveur sucrée solubles dans l'eau. Ces sucres forment des unités de base pouvant être reliées ensemble en longues chaînes ou grandes structures ramifiées que sont les polysaccharides, comme l'amidon ou le glycogène. On trouve des polysaccharides encore plus complexes comme la chitine, présente dans les parois cellulaires des champignons et dans le squelette externe des insectes, ou bien la cellulose qui constitue les parois cellulaires des végétaux.

VOIR
LA CHIMIE ET LA VIE 108
LES MATIÈRES PREMIÈRES DE LA VIE 110
LA CHIMIE DU VIVANT 112

Hydrocarbure
Composé uniquement formé d'atomes de carbone et d'hydrogène. Il existe de nombreuses sortes d'hydrocarbures, dont les **aliphatiques**, les **alicycliques** et les **aromatiques**. Les aliphatiques sont subdivisés en **alcanes**, **alcènes** et **alcynes**. Les hydrocarbures à usage industriel (carburants, lubrifiants et matière première pour la synthèse organique) sont obtenus à partir du pétrole ou du charbon. *Voir* **distillation fractionnée**.

VOIR
LA CHIMIE ORGANIQUE 82
LES HYDROCARBURES 84
LES COMPOSÉS CARBONE-HYDROGÈNE 86

Hydrogénation
1. Réaction où des atomes d'hydrogène sont incorporés à une molécule organique insaturée (qui contient au moins une double ou une triple liaison). On utilise couramment le nickel comme catalyseur de cette réaction. L'hydrogénation sert à transformer l'huile en margarine. **2.** Procédé de conversion du charbon en pétrole où le carbone présent dans le charbon est combiné à de l'hydrogène pour former des hydrocarbures.

VOIR
LA CHIMIE ORGANIQUE 82
L'ÉLABORATION DES HYDROCARBURES 92

Hydrogénocarbonate
Plus connu sous le nom de bicarbonate, c'est un composé qui contient l'ion hydrogénocarbonate HCO_3^-, sel acide de l'acide carbonique. Lorsqu'il est chauffé ou soumis à l'action d'un acide, l'hydrogénocarbonate dégage du dioxyde de carbone. Les composés les plus importants sont le bicarbonate de sodium et le bicarbonate de calcium.

Hydrogénocarbonate de sodium
Substance blanche, cristalline, faiblement alcaline ($NaHCO_3$) également appelée bicarbonate de soude, et obtenue par le **procédé Solvay**. Une solution d'hydrogénocarbonate de sodium se comporte comme un alcali, neutralisant les acides pour former de l'eau, du dioxyde de carbone et un sel. L'hydrogénocarbonate de sodium est utilisé dans les traitements médicaux comme antiacide, dans les poudres levantes (bicarbonate de soude) et dans les extincteurs à poudre sèche.

Hydrolyse
Réaction chimique dans laquelle l'action de l'eau ou de l'un de ses ions réduit un composé en molécules plus petites. Par exemple, les sels d'acides faibles s'hydrolysent en solution aqueuse. Presque tous les chlorures non métalliques subissent une hydrolyse en solution aqueuse ainsi que les esters et d'autres molécules organiques. C'est l'un des mécanismes de la digestion des aliments, et de la conversion de l'amidon en glucose. Ces dernières réactions nécessitent l'intervention d'**enzymes** comme catalyseurs.

Hydrophile
Terme s'appliquant à un groupe fonctionnel ayant une forte affinité pour l'eau, par exemple le groupement carboxyle (-COOH). Les molécules contenant à la fois un groupe hydrophile et un groupe **hydrophobe** sont communément utilisées dans les stabilisants d'émulsion (**émulsifiant**) et dans les **détergents**.

Hydrophobe
Terme s'appliquant à un groupe fonctionnel repoussant l'eau. *Voir aussi* **hydrophile**.

Hydroxyde
Composé inorganique contenant l'ion OH^- généralement associé à un métal. Les hydroxydes comptent l'hydroxyde de sodium (soude caustique, NaOH), l'hydroxyde de potassium (potasse, KOH) et l'hydroxyde de calcium (chaux éteinte, $Ca(OH)_2$). Les hydroxydes métalliques sont généralement basiques. *Voir aussi* **alcalis**.

Hydroxyde de sodium
Alcali le plus commun (NaOH), également appelé soude caustique, et extrêmement corrosif, qu'il soit solide ou en solution. Il est préparé de façon industrielle à partir du chlorure de sodium par électrolyse de saumure concentrée, dans laquelle le chlore est le produit majeur et l'hydroxyde de sodium est un sous-produit. Il est utilisé pour neutraliser les acides, dans la confection du savon et du papier, ainsi que dans le traitement des effluents pour éliminer les métaux lourds (transformés en hydroxydes).

Hydrure
Composé binaire de l'hydrogène avec un autre élément plus réducteur. Il en existe trois types : hydrures covalents, hydrures ioniques et hydrures métalliques.

Hypochlorite
Sel contenant l'ion ClO^-, dérivé de l'acide hypochloreux HClO.

Image latente
Image non détectable produite par l'action de la lumière sur les **halogénures** d'argent dans l'émulsion des films photographiques. La lumière est responsable de la décomposition des halogénures d'argent. L'atome d'halogénure (généralement du bromure) est piégé dans la base gélatineuse du film. Les particules invisibles d'argent forment l'image latente qui est ensuite rendue visible grâce à l'action d'un **révélateur**.

Image négative
Image produite par l'action d'un révélateur sur l'**image latente** d'un film photographique. Il résulte de ce procédé que l'image est foncée là où beaucoup de lumière a atteint le film et claire là où la lumière n'a pas touché le film. La lumière doit ensuite traverser l'image négative pour impressionner un papier photographique où une réaction chimique semblable à celle impliquée dans l'étape précédente du procédé produit une impression positive. *Voir* **photographie**.

Indicateur
Substance qui indique, par un changement de couleur, de turbidité ou de fluorescence, quand la concentration d'un produit chi-

mique donné a dépassé un certain seuil. On utilise les indicateurs pour trouver le point d'équivalence d'une **titration**. Les indicateurs les plus utilisés sont sensibles aux changements de **pH** ou à l'état d'oxydation d'un système. Un indicateur universel change de couleur de manière continue dans un large domaine de pH.

Indicateur universel
Mélange d'indicateurs acido-basiques, utilisé pour mesurer le pH d'une solution. Chaque indicateur le composant change de couleur à différentes valeurs de pH, ainsi le mélange est capable d'étaler une gamme de couleurs, selon le pH de la solution à tester, du rouge (à pH 0) au violet (à pH 14). On peut trouver le pH en ajoutant quelques gouttes de l'indicateur ou en utilisant un **papier indicateur** absorbant, imprégné de l'indicateur, et en notant chaque changement de couleur.

Inflammabilité
Capacité d'un matériau à prendre feu. Beaucoup de matières synthétiques sont très inflammables et doivent être traitées avec un revêtement ininflammable avant leur commercialisation.

Insuline
Hormone produite par des cellules spécialisées dans les îlots de Langerhans du pancréas, qui régule le métabolisme du glucose, des graisses et des protéines. L'insuline a été découverte par le médecin canadien Frederick Banting, qui fut le premier à l'utiliser dans le traitement des diabètes. C'est la première protéine dont la structure fut complètement déterminée.

Iode
Élément gris-noir, non métallique, ayant le symbole I, le nombre atomique 53, et une masse atomique relative de 126,9044. C'est un **halogène**. Lorsqu'ils sont chauffés, ses cristaux donnent une vapeur violette accompagnée d'une odeur irritante ressemblant à celle du chlore. L'iode se trouve uniquement combiné à d'autres éléments et ses sels, dits iodures, se trouvent dans l'eau de mer. En tant que nutriment minéral, il est vital au fonctionnement correct de la glande thyroïde où il se trouve en trace comme constituant de l'hormone thyroxine. L'iode est utilisé en photographie, dans la production de teinture et en médecine comme antiseptique.

Ion
Atome, ou groupe d'atomes, qui est chargé soit positivement (**cation**), soit négativement (**anion**) après la perte ou le gain d'électrons, résultant de réactions chimiques ou d'une exposition à certaines formes de radiations ionisantes.

Ion hydrogène
Atome d'hydrogène auquel on a enlevé son électron et portant donc une charge positive (H^+). C'est la concentration d'ions hydrogène en solution qui est utilisée pour mesurer le pH.

Isomérisme
Existence de composés chimiques (isomères) qui possèdent une composition moléculaire identique et la même masse mais des propriétés physiques ou chimiques différentes dues à des dispositions différentes de leurs atomes. Par exemple, le butane ($CH_3(CH_2)_2CH_3$) et le methyl propane ($CH_3CH(CH_3)CH_3$) sont des isomères : chacun possède quatre atomes de carbone et dix atomes d'hydrogène mais arrangés différemment. Les isomères de structure apparaissent de façon évidente mais les isomères géométriques et optiques doivent être dessinés ou modélisés afin de pouvoir apprécier leur différence dans leur disposition tridimensionnelle. Les isomères géométriques possèdent un plan de symétrie et une rotation restreinte des atomes autour d'une liaison ; les isomères optiques sont symétriques mais inversés. Par exemple, le 1,1 -dichloroéthylène ($CH_2{=}CCl_2$) et le 1,2 -dichloroéthylène ($CHCl{=}CHCl$) sont des isomères de structure mais il existe deux isomères géométriques possibles du dernier selon que les atomes de chlore sont du même côté ou sur des côtés opposés du plan formé par la double liaison carbone-carbone.

VOIR
LES POLYMÈRES NATURELS 96
LES MÉDICAMENTS 114
LES MÉDICAMENTS D'ORIGINE NATURELLE 116

Isotope
Atome ayant le même nombre atomique (même nombre de protons) qu'un autre atome mais un nombre de neutrons différent ; ces atomes diffèrent ainsi par leurs masses atomiques. Ils peuvent être stables ou radioactifs, existent à l'état naturel ou non. L'hydrogène (un proton, pas de neutron), le deutérium (un proton, un neutron) et le tritium (un proton, deux neutrons) sont des isotopes de l'hydrogène. La plupart des éléments, pris dans leur état naturel, existent sous la forme de mélanges d'isotopes.

Lanthanide
Élément métallique d'une série de quinze éléments (également appelés terres rares), placé dans une rangée du **tableau périodique** entre les numéros atomiques 57 (lanthane) et 71 (lutétium). L'un des membres de cette famille, le prométhéum, est radioactif. Tous se trouvent dans la nature. Les lanthanides sont regroupés à cause de leurs propriétés chimiques similaires (tous peuvent être bivalents), propriétés qui ne diffèrent que légèrement de l'un à l'autre. Les lanthanides étaient autrefois appelés terres rares car ils n'étaient pas très répandus et étaient très difficiles à identifier et à séparer de leur minerai. *Voir aussi* **actinide**.

Liaison
C'est le résultat de forces d'attraction qui maintiennent ensemble les atomes pour former une molécule. Les liaisons peuvent être ioniques, covalentes, métalliques ou intermoléculaires (par exemple la liaison hydrogène). Le type de liaison formée dépend des éléments impliqués et de leur structure électronique.
Dans une liaison ionique, fréquente dans les composés minéraux, les atomes liés ont perdu ou gagné un électron et sont devenus des ions ; dans le chlorure de sodium (NaCl), le sodium (Na) a perdu un électron pour donner un ion sodium Na^+ alors que le chlore (Cl) en a gagné un pour donner un ion chlorure Cl^-. Dans une liaison de covalence, les orbitales atomiques de deux atomes voisins se recouvrent pour former une orbitale moléculaire contenant deux électrons, qui sont alors partagés entre les deux atomes.

LIAISON

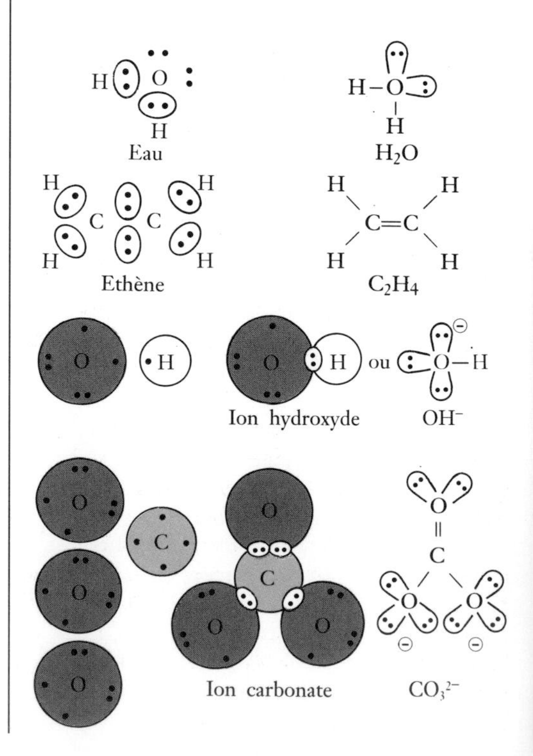

Les liaisons de covalence sont fréquentes dans les molécules organiques, comme les quatre liaisons carbone hydrogène dans le méthane (CH_4). Dans les liaisons datives ou de coordination, c'est un seul des deux atomes qui fournit les deux électrons de la liaison.
Pour les métaux, c'est dans le réseau cristallin qu'apparaît la liaison métallique ; les atomes métalliques ionisés occupent leur position propre dans le réseau, alors que les électrons de valence sont délocalisés autour de tous ces ions et forment un nuage appelé « gaz d'électrons ».
Dans une liaison hydrogène, un atome d'hydrogène lié à un atome électronégatif, comme l'oxygène ou l'azote, se retrouve avec une charge positive partielle et peut ainsi être attiré par un atome électronégatif d'une molécule voisine. *Voir aussi* **force de Van der Waals**.

VOIR

LES DIFFÉRENTS TYPES DE LIAISONS 54
LIAISONS ET STRUCTURES 56
NOMS ET FORMULES 60

Liaison carbone-carbone
Liaison formée lorsqu'un atome de carbone est lié à un autre atome de carbone. Parmi tous les éléments, le carbone est exceptionnel par le nombre de composés qu'il peut former. Le carbone possède une valence variée en formant des liaisons simples, doubles ou triples avec lui-même et avec beaucoup d'autres atomes. Cela est dû à la grande stabilité de la liaison carbone-carbone, qui permet aux atomes de carbone de se lier entre eux sans limite pour former des chaînes linéaires ou ramifiées, ou encore des anneaux.

Liaison covalente (ou de covalence)
Liaison formée lorsque deux atomes partagent une ou plusieurs paires d'électrons (généralement chaque atome apporte un électron). On représente cette liaison par un trait simple tracé entre les deux atomes. Il y a double liaison (par exemple dans les **alcènes**) quand les atomes considérés partagent deux paires d'électrons (chaque atome contribuant pour deux électrons), triple liaison (dans les **alcynes**) lorsque ce sont trois paires qui sont partagées. On dessine alors ces liaisons multiples par un double ou un triple trait entre les atomes. Les composés covalents ont une faible température de fusion et d'ébullition, sont de mauvais conducteurs de l'électricité, et sont généralement peu solubles dans l'eau mais solubles dans les solvants organiques. *Voir* **liaison** *et* **liaison carbone-carbone**.

Liaison double
Ce sont deux liaisons différentes entre deux mêmes atomes, comme dans les **alcènes** (-C=C-) et les **cétones** (-C=O). *Voir* **liaison covalente**.

Liaison hydrogène
Interaction entre un atome d'hydrogène lié à un atome d'oxygène ou d'azote et un atome d'oxygène ou d'azote d'une autre molécule. On observe de telles liaisons dans l'eau, les alcools et les protéines. *Voir* **liaison**.

Liaison ionique
Liaison chimique, également appelée liaison électrovalente, qui se forme lorsque les atomes d'un élément donnent leurs électrons aux atomes d'un autre élément formant ainsi des ions, respectivement chargés positivement et négativement. L'attraction électrostatique formée entre les ions de charge opposée constitue la liaison. Le chlorure de sodium, communément appelé sel (Na^+, Cl^-), est un composé ionique typique. *Voir* **liaison**.

Liaison polaire
Liaison covalente entre deux éléments d'électronégativité différente. *Voir* **liaison**.

Liaison simple
Voir **liaison covalente** *et* **liaison carbone-carbone**.

Liaison triple
Triple liaison covalente entre des atomes voisins, comme pour les **alcynes** (-C≡C-). *Voir* **liaison covalente** *et* **liaison double**.

Liant
Substance que l'on ajoute pour donner une cohésion, spécialement dans les peintures et les laques. Certains liants sont efficaces à température ambiante alors que d'autres doivent être chauffés pour agir de manière définitive. Les liants les plus importants sont les résines phénoliques, les éthers et esters de cellulose, et les durcisseurs de l'industrie des plastiques.

Ligand
Molécule ou ion qui donne une paire d'électrons à un atome ou un ion métallique pour former une liaison de coordination. Les ligands monodendate possèdent un seul point où la coordination peut se produire ; les ligands polydendate possèdent au moins deux sites de coordination. Beaucoup de complexes formant plus d'un type de ligand ont des stéréoisomères. *Voir* **stéréochimie**.

Lumière
Forme de radiation électromagnétique à laquelle l'œil humain est sensible. Sa longueur d'onde est comprise entre environ 400 nm dans le violet lointain et 800 nm environ dans le rouge extrême. On considère que la lumière possède à la fois les propriétés de la matière et d'une onde. Sa particule fondamentale, ou quantum, est appelée photon. La vitesse de la lumière (et de toute radiation électromagnétique) dans le vide est de 299 792,5 km sec^{-1}, et représente une constante physique universelle.

Macromolécule
Très grosse molécule, généralement **polymère**. De nombreux polymères naturels ou synthétiques contiennent des macromolécules comme par exemple la protéine d'hémoglobine.

Masse
Quantité de substance qu'un objet contient. C'est la force de gravité agissant sur la masse qui produit le poids. En conséquence, le poids d'un objet sur la Lune est inférieur à celui sur la Terre, alors que sa masse reste la même. La masse représente la mesure effective de l'inertie d'un objet - en d'autres mots, sa résistance à l'accélération. C'est une quantité scalaire ; l'unité standard internationale de la masse est le kilogramme.

Masse atomique relative (MAR)
Masse d'une **mole** d'atomes d'un élément, donnée relativement au douzième de la masse d'une mole d'atomes de carbone 12. Elle dépend uniquement du nombre de protons et de neutrons dans les atomes. La masse atomique relative d'un élément est basée sur les proportions relatives de chaque **isotope**, conduisant à des valeurs qui ne sont pas des nombres entiers. L'expression « poids atomique », bien que couramment utilisée, est incorrecte.

LIGAND

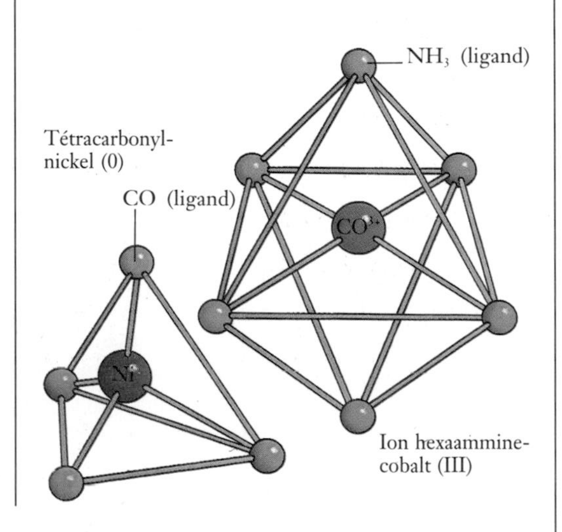

GLOSSAIRE

Masse équivalente
Quantité de matière qui réagit chimiquement avec une quantité donnée d'une substance standard (par exemple avec un gramme d'hydrogène). Elle représente la « capacité de combinaison » d'un corps. Pour un composé, elle dépend de la réaction envisagée, alors que pour un élément, elle est proportionnelle au rapport de sa **masse atomique** par sa **valence**.

Masse moléculaire relative
Somme des masses atomiques relatives des atomes constituant la molécule. L'expression « poids moléculaire » est incorrecte.

Matériau composite
Matériau obtenu en associant plusieurs matériaux aux propriétés complémentaires. La plupart des composites sont constitués d'une matrice continue dans laquelle on a dispersé un matériau divisé (par exemple des fibres). On citera les fibres de carbone et les plastiques armés à la fibre de verre. Les composites offrent plus de force et plus de résistance.

Médicament
Produit naturel ou synthétique introduit dans le corps pour augmenter ou supprimer une fonction biologique. Les médicaments sont utilisés médicalement pour prévenir ou soigner les maladies ou pour en atténuer les symptômes. Beaucoup de médicaments sont des substances voisines de celles présentes naturellement dans le corps. Il y a les hormones, les antibiotiques, les cytotoxiques (utilisés pour tuer les cellules malades ou cancéreuses), les immunosuppresseurs, les sédatifs et les anti-douleurs (analgésiques). *Voir* **chimiothérapie** *et* **pharmacologie**.

Médicament de synthèse
Médicament synthétisé en laboratoire ou par un procédé industriel et qui n'existe pas à l'état naturel. Ces médicaments synthétiques ont souvent pour origine des modifications positives de drogues naturelles. Aujourd'hui, la plupart des remèdes sont réalisés de façon synthétique. *Voir* **chimiothérapie**.

Mélamine
Composé cristallin blanc ($C_3N_6H_6$), obtenu en chauffant la dicyandiamide. Il peut être copolymérisé avec le méthanal pour donner des résines mélaminées thermodurcissables qui sont extrêmement résistantes à la chaleur et aux rayures. De telles résines sont particulièrement utilisées pour les revêtements laminés.

VOIR

LES DIFFÉRENTES SORTES DE PLASTIQUES 100
LA MISE EN FORME DES PLASTIQUES 102
L'UTILISATION DES PLASTIQUES 104

Mélange
Système contenant plus de deux composés qui gardent leurs propriétés physiques et chimiques séparées. Il n'existe pas de liaison chimique entre eux. Contrairement aux composés, les mélanges peuvent être séparés l'un de l'autre à l'aide de moyens physiques tels que la distillation, la filtration ou la cristallisation.

Mélange racémique
Mélange optiquement inactif de quantités égales des formes inversées d'isomères optiques. De tels mélanges sont produits durant la synthèse de composés ayant des molécules asymétriques à partir de matériaux optiquement inactifs au départ. Les composés optiquement actifs peuvent être isolés par de nombreuses méthodes telles que le couplage avec une substance optiquement active ou l'action de différentes bactéries et de levures qui n'attaquent qu'un seul des isomères. *Voir* **activité optique**.

Mercure
Élément lourd, métallique, gris argenté, de symbole Hg (du latin *hydrogyrum*), de numéro atomique 80 et de masse atomique relative égale à 200,59. C'est un liquide mobile (également appelé vif-argent), dense, avec un point de fusion bas (-38,87 °C). Sa source principale est le cinabre (HgS), bien qu'il soit quelquefois trouvé à l'état natif. Ses alliages avec d'autres métaux sont appelés amalgames (un amalgame d'argent et de mercure est utilisé en dentisterie pour obstruer les caries dentaires). Les utilisations industrielles comprennent les médicaments, les produits chimiques, les lampes à vapeur de mercure, les interrupteurs, les baromètres et les thermomètres. Le mercure peut s'accumuler dans le corps humain et il est toxique.

Métal
Tout groupe d'éléments chimiques ayant certaines caractéristiques chimiques et certaines propriétés physiques bien définies : ce sont de bons conducteurs de la chaleur et de l'électricité ; ils sont opaques mais réfléchissent bien la lumière ; ils sont malléables, ce qui permet de les travailler à froid et de les rouler en feuillets ; enfin, ils sont ductibles, ce qui permet de les étirer en fils fins. Les éléments métalliques composent environ 75 pour cent des 109 éléments répertoriés dans le **tableau périodique** des éléments. Ils peuvent former des alliages entre eux, des bases avec l'ion hydroxyde (OH^-), remplacer l'hydrogène d'un acide pour former un sel. On trouve la plupart des métaux dans la nature uniquement sous une forme combinée, comme composés ou minerais ; environ seize d'entre eux se trouvent sous une forme élémentaire, en tant que métal natif. Leurs propriétés chimiques sont largement déterminées par l'importance avec laquelle leurs atomes peuvent perdre un ou plusieurs électrons et former des ions positifs (cations).

VOIR

LES ÉLÉMENTS 50
MÉLANGES ET COMPOSÉS 52
ACIDES, BASES ET SELS 62
ÉLECTRICITÉ ET CHIMIE 72

Méthanal
Gaz incolore, souvent appelé **formaldéhyde** (HCHO), qui se condense en liquide à -21 °C. Il possède une odeur forte et pénétrante. Dissous dans l'eau, il est connu sous l'appellation de formol, utilisé comme agent de conservation biologique. Il est utilisé dans la fabrication de plastiques, de colorants, de mousse (par exemple la mousse formol-urée utilisée en isolation), et en médecine.

Méthane
Le plus simple des hydrocarbures (CH_4) de la série des **alcanes**. Gaz incolore, inodore et plus léger que l'air, qui brûle en donnant une flamme bleuâtre et explose lorsqu'il est enflammé dans l'air ou l'oxygène. Le méthane est le principal constituant du gaz naturel et se trouve également dans le grisou explosif des mines de charbon. Il est la cause d'environ 38 pour cent du réchauffement du globe à travers l'**effet de serre** ; il est prévu que la quantité de méthane dans l'air double dans les soixante prochaines années. On estime que 15 pour cent du méthane présent dans l'atmosphère est produit par les animaux ruminants.

Méthanol
Le plus simple des alcools (CH_3OH), aussi appelé alcool méthylique ou méthylène. Il peut être préparé par distillation sèche du bois (alors dénommé esprit-de-bois) mais plus généralement à partir du charbon ou du gaz naturel. Quand il est pur, c'est un liquide incolore, inflammable, ayant une odeur agréable, mais fortement toxique. Le méthanol est utilisé pour produire le methyl-tertiobutyl éther (qui remplace le plomb comme antidétonant dans l'essence), le méthanal, l'éthanoate de vinyl (largement utilisé dans la fabrication de peinture) et le carburant des automobiles.

Minerai
Tout corps se trouvant de façon naturelle dans les roches et les gisements à partir desquels le métal peut être extrait commercialement. Quelquefois, des métaux existent non-combinés (métaux natifs), mais on les trouve plus souvent sous la forme de composés tels que des carbonates, des sulfures ou des oxydes. Les minerais contiennent souvent des impuretés indésirables qui doivent être éliminées lorsque le métal est extrait. Les minerais à haute valeur commerciale comprennent la bauxite (oxyde d'aluminium, Al_2O_3), la blende (sulfure de zinc, ZnS) et le rutile (dioxyde de titane, TiO_2).

Minéral
Toute substance inorganique formée naturellement, ayant une composition chimique définie et une structure interne se répétant de façon régulière. Les minéraux forment les constituants des roches, qu'ils aient une forme parfaitement cristalline ou pas. Les minéraux sont généralement classés selon leurs anions par ordre de complexité croissante : sulfures, oxydes, halogénures, carbonates, nitrates, sulfates, phosphates et silicates. Pour un usage plus général, un minéral se définit comme tout matériau économiquement rentable pour une exploitation minière (en incluant le charbon et le pétrole, malgré leurs origines organiques). Les minéraux sont extraits de la croûte terrestre par de nombreux processus différents, comprenant les mines traditionnelles à ciel ouvert, les puits et les carrières, ainsi que les procédés plus spécialisés tels que ceux utilisés pour le pétrole. L'huile minérale est une huile obtenue à partir de sources minérales telles que le charbon et le pétrole.

Mole
Unité SI (symbole : mol) de la quantité d'une substance. Elle est définie comme étant la quantité d'une substance qui contient autant d'unités élémentaires (atomes, molécules, ions, radicaux, etc.) qu'il y a d'atomes dans 12 grammes de l'isotope 12 du carbone. Une mole d'un élément monoatomique a une masse, exprimée en grammes, égale à son nombre de masse et contient $6{,}02253 \times 10^{23}$ atomes (*voir* **nombre d'Avogadro**).

MINÉRAL

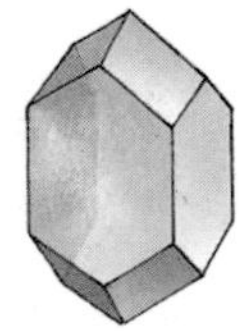
Zircon (tétragonal)

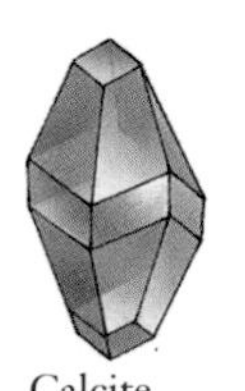
Calcite (trigonal)

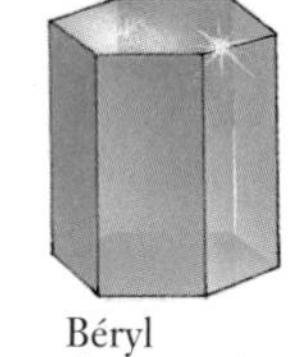
Béryl (hexagonal)

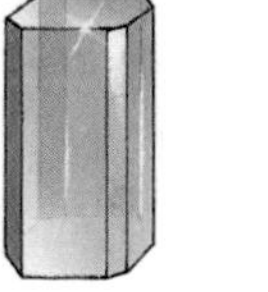
Kyanite (triclinique)

Gypse (monoclinique)

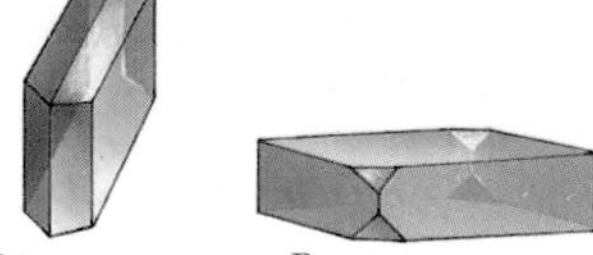
Baryte (orthorhombique)

VOIR

LES DIFFÉRENTS TYPES DE LIAISONS 54
NOMS ET FORMULES 60
LES MÉDICAMENTS D'ORIGINE NATURELLE 116

Molécule
Groupe de plusieurs atomes liés entre eux. La molécule d'un élément est formée de plusieurs atomes semblables, tandis que la molécule d'un composé est formée de plusieurs atomes différents liés entre eux. Les molécules peuvent varier en taille et en complexité depuis la molécule d'hydrogène (H_2) jusqu'aux grosses molécules de protéines. Elles sont maintenues ensemble par différents types de liaisons. La représentation symbolique d'une molécule est donnée par sa formule. La présence de plus d'un atome est notée par un index : par exemple, une molécule d'eau, qui possède deux atomes d'hydrogène et un atome d'oxygène, est représentée par H_2O. D'après la théorie cinétique et moléculaire de la matière, les molécules s'agitent en un mouvement incessant dont l'ampleur dépend de leur température et des forces exercées les unes sur les autres. La forme d'une molécule affecte directement ses propriétés chimiques, physiques et biologiques (*voir* **isomérisme**).

VOIR

MÉLANGES ET COMPOSÉS 52
LES DIFFÉRENTS TYPES DE LIAISONS 54
LIAISONS ET STRUCTURES 56

Monomère
Substance chimique composée de molécules simples à partir desquelles les polymères peuvent être tirés. Sous certaines conditions, les molécules simples (du monomère) polymérisent pour former une très grosse macromolécule. Ainsi, l'éthylène est le monomère du polyéthène (polyéthylène).

Monoxyde de carbone
Gaz incolore et inodore (CO) produit lorsque le carbone est oxydé dans une quantité d'air réduite. C'est un poison émis dans les gaz d'échappement automobiles qui forme un composé stable avec l'hémoglobine du sang en empêchant le transport de l'oxygène dans le corps. Industriellement, le monoxyde de carbone est utilisé comme agent réducteur dans de nombreux procédés métallurgiques. Il brûle dans l'air avec une flamme d'un bleu lumineux en donnant du dioxyde de carbone (CO_2).

MOLÉCULE

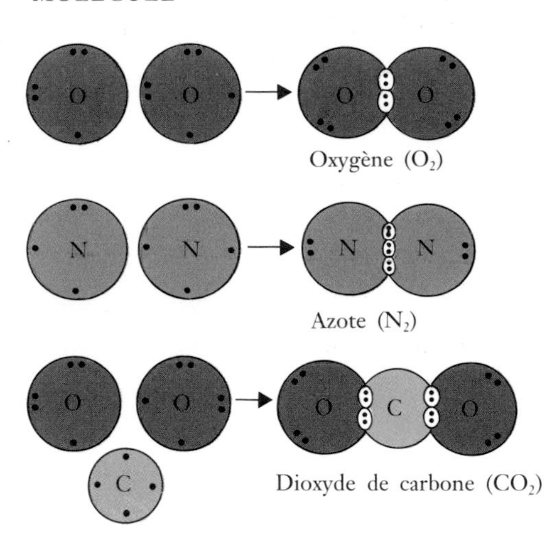

Mordant
Toute substance qui se combine avec un colorant pour le fixer sur une fibre qui ne peut pas être teinte directement. Les mordants sont généralement des hydroxydes faibles du fer, de l'aluminium ou du chrome. La couleur dépend du mordant utilisé ainsi que du colorant. L'action d'un pigment sur un mordant produit un **colorant**.

Mouillabilité
Aptitude d'un liquide à mouiller un solide. Elle est mesurée par la force d'adhésion entre les phases solides et liquides. Les agents mouillants sont utilisés pour abaisser la tension superficielle d'un liquide afin qu'il puisse disperser ou pénétrer plus efficacement le solide. *Voir* **savon** *et* **détergent.**

Moulage
Opération consistant à verser des mélanges fluides, habituellement des résines non renforcées, dans des moules dans lesquels il y a polymérisation avec ou sans apport de chaleur. Certains acryliques, les polyesters, les époxy et les résines polyuréthanes sont des résines à mouler. On se sert couramment de cette méthode pour enfermer des composants électriques. On peut aussi mouler des métaux.

Moulage par injection
Technique de fabrication permettant de mettre en forme un matériau fusible. Le matériau fondu est injecté à l'aide d'une vis ou d'un piston, parfois sous forte pression (jusqu'à 300 bars) à partir d'un cylindre chauffé dans un moule refroidi par eau. Lorsqu'il se solidifie, il prend la forme du moule.

MOULAGE PAR INJECTION

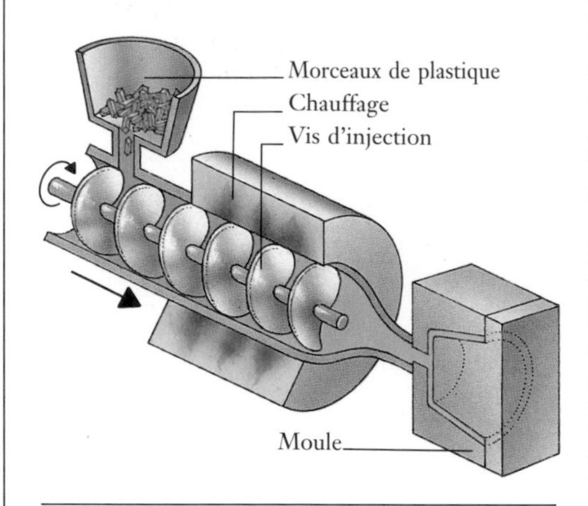

Mousse
Dispersion de bulles dans un liquide, appelée parfois écume. Les mousses solides comme le polystyrène expansé ou les plastiques mousse sont fabriqués en créant d'abord une mousse liquide qui est solidifiée. On stabilise les mousses à l'aide de stabilisants qui sont des huiles, des savons ou des agents émulsifiants. Ils agissent en créant des réseaux dans les parois des bulles et en réduisant la tension superficielle des liquides, ce qui augmente leur **mouillabilité** et stabilise les parois des bulles (films minces). Ces stabilisants sont aussi appelés surfactants.

Naphtalène
Hydrocarbure aromatique solide, blanc et volatil ($C_{10}H_8$) obtenu à partir du pétrole brut. L'odeur des boules anti-mites (naphtaline) est due au contenu en naphtalène. Il est utilisé pour faire de l'indigo et certains colorants azoïques, comme désinfectant doux et comme insecticide.

Neutralisation
Processus qui a lieu lorsque l'excès d'acide (ou l'excès de base) d'une substance réagit avec un ajout de base (ou d'acide) conduisant à une substance qui est ni acide, ni basique, mais qui est neutre avec un pH de 7.

Neutron
Une des trois **particules subatomiques** majeures (les autres étant les protons et les électrons). Les neutrons, qui ont environ la même masse que les protons mais pas de charge électrique, se trouvent dans tous les atomes à l'exception de l'hydrogène. Ils contribuent à la masse des atomes mais n'affectent pas leur chimie qui dépend plutôt du nombre de protons et d'électrons. Les isotopes d'un élément simple diffèrent seulement par le nombre de neutrons de leur noyau mais ont des propriétés chimiques identiques.

Nitrate
Tout sel ou ester de l'acide nitrique contenant l'ion NO_3^-. Les nitrates sont largement utilisés dans les explosifs, dans l'industrie chimique et pharmaceutique, et comme engrais. Presque tous les nitrates sont solubles dans l'eau, et seuls les nitrates de sodium et de potassium existent de façon significative dans la nature. Les nitrates jouent un rôle important dans le **cycle de l'azote**.

Nitration
Action d'addition d'un groupe nitro ($-NO_2$) à un composé organique (ou de substitution d'un groupe par un groupe nitro). La substitution électrophile du benzène ou des composés aromatiques parents par l'acide nitrique concentré est un exemple de nitration.

Nitrile
Groupe de composés organiques, également appelés cyanides, qui contiennent le groupe -CN lié à un groupe organique. Les nitriles sont généralement préparés par réaction du cyanure de potassium sur des halogénures d'alcane en solution alcoolique ou par la déshydratation des amides.

Nitrite
Sel ou ester de l'acide nitreux qui contient l'ion nitrite (NO_2^-). Les nitrites sont utilisés comme conservateurs (par exemple pour prévenir la croissance de spores du champignon responsable du botulisme), en particulier dans les viandes fumées telles que le lard et les saucisses.

Nitrocellulose
Série d'esters de deux à six groupes nitrates (NO_3^-) par molécule obtenue par l'action d'acide nitrique concentré sur la cellulose (telle que les déchets de coton), en présence d'acide sulfurique concentré. Ceux ayant au moins cinq groupes nitrates sont explosifs (fulmicoton), mais ceux possédant moins de cinq groupes NO_3^- étaient autrefois utilisés dans les laques, la rayonne (**soie artificielle**) et les plastiques, tels que les films photographiques couleurs, jusqu'à ce qu'ils soient remplacés par l'acétate de cellulose ininflammable.

Nombre d'Avogadro
Nombre d'entités élémentaires (atomes ou molécules) contenues dans une mole de substance ($6,02253.10^{23} mol^{-1}$) ; par exemple, le nombre d'atomes contenu dans 12 grammes de l'isotope du carbone 12. La masse atomique d'un élément est exactement la masse, exprimée en grammes, d'une mole de cet élément. Ce nombre a pour origine une hypothèse formulée par le physicien italien Amadeo Avogadro.

NOMBRE DE MASSE

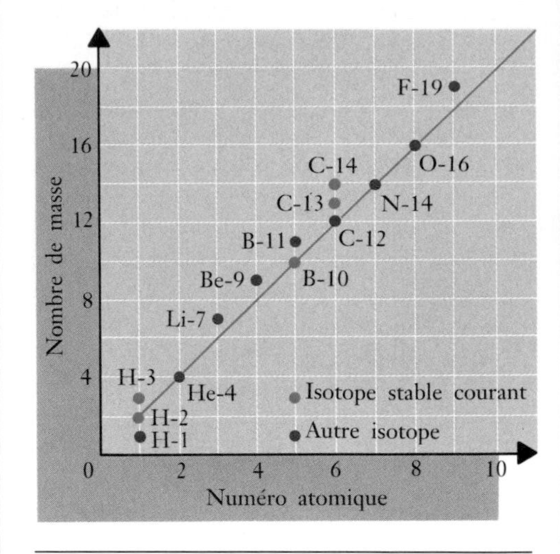

Nombre de masse
Somme des nombres de protons et de neutrons présents dans le noyau d'un atome. Il est utilisé accompagné du **numéro atomique** (nombre de protons) dans la notation nucléaire : pour les symboles représentant des isotopes nucléaires, tels que $^{14}_{6}C$, le nombre en indice (en bas) est le numéro atomique, et le nombre en exposant (en haut) est le nombre de masse. Le nombre de masse représente aussi le nombre de nucléons.

Nomenclature chimique
Nom donné à toute substance chimique. Des noms triviaux ont été donnés aux corps chimiques avant que leur chimie ne soit bien comprise, puis des noms traditionnels ont indiqué leur composition chimique, et enfin, plus récemment, la nomenclature systématique donne aussi quelque idée sur la structure de la substance en question. Par exemple, le vitriol bleu (trivial), le sulfate cuivrique (traditionnel) et le sulfate de cuivre(II) (systématique) sont les noms donnés au même composé.

Nomenclature systématique
Système moderne d'appellation des produits chimiques le plus répandu, procurant des informations utiles sur la structure d'une substance. Pour les composés organiques, le nom systématique dérive de l'alcane approprié ; par exemple, l'acide éthanoïque, CH_3COOH, et la propanone, CH_3COCH_3 (traditionnellement appelés acide acétique et acétone respectivement) sont nommés d'après leur alcane « parent », l'éthane (CH_3CH_3), et le propane ($CH_3CH_2CH_3$). Pour les composés inorganiques, on donne le nombre d'oxydation du métal ; par exemple, oxyde de fer (III), désignant Fe_2O_3. *Voir aussi* **nomenclature chimique**.

Non-métal
Élément appartenant à une série de vingt éléments ayant certaines propriétés physiques et chimiques opposées à celles des métaux. Ils sont typiquement de mauvais conducteurs de la chaleur et de l'électricité, et forment rarement des ions positifs. Comme les non-métaux acceptent les électrons pour former des ions négatifs et des liaisons covalentes, ils sont parfois appelés éléments électronégatifs. Les non-métaux incluent le carbone, l'azote, l'oxygène, le soufre, le phosphore et les halogènes.

VOIR

LES ÉLÉMENTS 50

LES DIFFÉRENTS TYPES DE LIAISONS 54

Noyau
Partie centrale d'un atome, chargée positivement, et qui constitue presque toute sa masse. À l'exception du noyau d'hydrogène qui n'a que des protons, les noyaux sont composés à la fois de protons et de neutrons. Autour des noyaux on trouve les électrons qui ont une charge négative égale à celle des protons, donnant ainsi à l'atome une charge globalement neutre.

Noyau benzénique
C'est la structure établie par le cycle aromatique (C_6H_6) qui forme un anneau de six atomes de carbone tous situés dans le même plan. Les liaisons situées entre deux atomes de carbone voisins sont toutes identiques et se présentent comme un intermédiaire entre une simple et une double liaison. Le benzène est la molécule **aromatique** la plus simple.

Numéro atomique
C'est le nombre de protons que contient le noyau de l'atome, et donc sa charge positive, ce nombre étant aussi le nombre d'électrons d'un atome neutre. Les différents éléments du **tableau périodique** sont classés suivant leur numéro atomique, ce qui rend possible d'en déduire la structure électronique. Par exemple, le sodium a un numéro atomique Z=11 et sa configuration électronique est de deux électrons dans la première couche de plus basse énergie, huit électrons dans la deuxième couche et un seul dans la couche de valence.

NOYAU BENZÉNIQUE

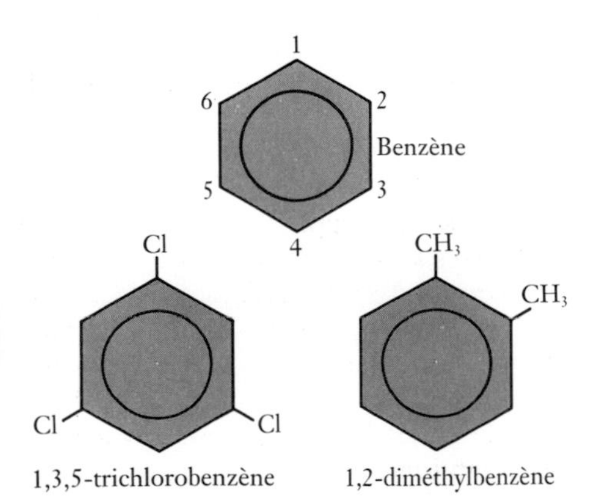

1,3,5-trichlorobenzène 1,2-diméthylbenzène

Nylon
Polymère synthétique à chaîne longue semblable dans sa structure chimique aux protéines. Le Nylon fut la première fibre commerciale entièrement synthétique fabriquée en 1938 par le chimiste américain Wallace Carothers à partir du pétrole, du gaz naturel, de l'air et de l'eau. Il existe principalement trois fibres de Nylon : le Nylon 6, le Nylon 6,6 et le Nylon 6,10 formés par différents schémas de polymérisation. Les fibres de Nylon sont fortes, élastiques et relativement insensibles à l'humidité et sont utilisées dans la fabrication d'articles moulés, de textiles et de sutures médicales.

Oléfine
Voir **alcène.**

Orbitale
Région située autour du noyau d'un atome (ou, dans une molécule, autour de plusieurs noyaux) et dans laquelle un électron a le plus de chances de se trouver. Selon la théorie des quanta, la position d'un électron reste incertaine ; on peut le trouver n'importe où. Cependant, il y a plus de chances de le trouver à certains endroits plutôt qu'à d'autres, et ce sont ces endroits qui constituent une orbitale. Un atome ou une molécule possède de nombreuses orbitales, chacune d'elles ayant une taille et une forme connues. Une orbitale est caractérisée par trois nombres, appelés nombres quantiques, représentant son énergie (et donc sa taille), son moment angulaire (et donc sa forme), et son orientation. Chaque orbitale peut être occupée par un ou deux électrons (si leurs spins sont opposés). Dans une **liaison covalente**, les orbitales moléculaires sont formées par une combinaison linéaire des orbitales atomiques externes des atomes.

Oxydation
Perte d'un électron, gain d'oxygène ou perte d'hydrogène par un atome, un ion ou une molécule lors d'une réaction chimique. L'oxydation peut être provoquée par réaction avec un autre composé (agent oxydant), lequel subit simultanément une réduction, ou elle peut avoir lieu de façon électrique à l'anode (électrode positive) d'une cellule électrolytique. *Voir aussi* **réaction redox.**

Oxyde
Tout composé de l'oxygène avec un autre élément, souvent obtenu en brûlant l'élément en question, ou l'un de ses composés, dans l'air ou dans l'oxygène. Les oxydes de métaux sont généralement des bases, et réagissent avec un acide pour donner un sel dans lequel le métal forme un cation. Quelques-uns réagissent aussi avec des alcalis forts pour produire un sel dans lequel le métal fait partie d'un anion complexe. La plupart des oxydes des non-métaux sont acides (se dissolvent dans l'eau pour former un acide). Quelques oxydes ne présentent aucune propriété acide ou basique suffisamment prononcée : ils sont neutres.

Oxydes d'azote
Composés chimiques qui contiennent uniquement de l'azote et de l'oxygène. Tous les oxydes d'azote (NO_x) sont des gaz. Le monoxyde d'azote (oxyde nitreux) et le dioxyde d'azote sont des produits d'échappement des moteurs à combustion interne et passent pour être impliqués dans le processus de réduction de la couche d'ozone, et pour contribuer à la pollution générale de l'air.

Oxyde de magnésium
Oxyde réfractaire, blanc et basique (MgO) que l'on trouve dans la périclase (magnésie). Il est utilisé comme antiacide et, après conversion au chlorure, sert de source de magnésium.

Oxyde de titane
Oxyde naturel, blanc, du titane (TiO_2). On le trouve dans de nombreuses formes minérales, en particulier le rutile, l'anastase et la brookite ; il est utilisé comme pigment blanc et comme charge pour les plastiques et le caoutchouc.

Oxygène
Élément gazeux, non métallique, de symbole O, de numéro atomique 8, et de masse atomique relative égale à 15,9994. Incolore, inodore et sans saveur, c'est l'élément le plus abondant de la croûte terrestre (presque 50 pour cent en masse), qui forme environ 21 pour cent en volume de l'atmosphère, et qui est présent sous une forme combinée dans l'eau et beaucoup d'autres substances. La vie sur Terre s'est développée grâce à l'oxygène qui est un sous-produit de la photosynthèse et la base de la respiration des plantes et des animaux. L'oxygène est très réactif et se combine avec tous les autres éléments à l'exception des gaz inertes et du fluor. Il existe normalement dans la nature comme molécule composée de deux atomes (O_2) ; les atomes simples de l'oxygène ont une durée de vie courte vu leur réactivité

(*voir* **radical libre**). Ils peuvent être produits par des étincelles électriques et par le rayonnement ultraviolet du Soleil dans l'espace, où ils se combinent rapidement avec l'oxygène moléculaire pour former l'**ozone** (O_3). Pour une utilisation industrielle, l'oxygène est obtenu par distillation fractionnée de l'air liquide, par électrolyse de l'eau ou en chauffant de l'oxyde de manganèse (IV) avec du chlorate de potassium.

Ozone
Gaz (O_3) hautement réactif, bleu pâle, ayant une odeur pénétrante. L'ozone est un allotrope de l'oxygène (*voir* **allotropie**), fait de trois atomes d'oxygène. Il se forme naturellement lorsque la molécule de la forme stable de l'oxygène (O_2) est cassée par une radiation ultraviolette ou une décharge électrique. L'ozone forme une couche mince dans la haute atmosphère qui protège la vie sur Terre du rayonnement ultraviolet. À des niveaux atmosphériques inférieurs, c'est un polluant de l'air qui contribue à l'**effet de serre**. Près du sol, l'ozone peut être la cause de crises d'asthme, de retard dans la croissance des plantes et de corrosion de certains matériaux. Il est produit par l'action du Soleil sur les polluants de l'air (*voir* **smog**). L'ozone est un agent oxydant puissant, utilisé dans l'industrie pour décolorer et pour stériliser l'eau ou l'air conditionné.

Papier indicateur
Morceau de papier recouvert d'un réactif indicateur qui change de couleur lorsqu'on teste des substances particulières. Le papier indicateur peut ainsi être utilisé pour identifier certaines propriétés spécifiques des substances examinées. Dans le cas du papier au **tournesol**, utilisé pour tester le **pH**, la couleur bleue indique la présence d'une base et la couleur rouge la présence d'un acide.

Paraffine
Voir **alcanes**.

Particule subatomique
Toute particule plus petite qu'un atome. Les particules subatomiques peuvent être des particules élémentaires indivisibles, telles que l'**électron** et le quark, ou elles peuvent être des composites, tels que le **proton**, le **neutron** et la particule alpha (qui est équivalente au noyau de l'atome d'hélium et produite par désintégration radioactive).

Peinture
Suspension de pigments délayés dans un liquide (liant ou solvant) qui, lorsqu'il est appliqué à une surface, sèche pour donner une pellicule dure et adhésive servant de décoration et de protection. Les types de peintures les plus courants en usage de nos jours sont les peintures cellulosiques (laques), les peintures à base d'huile, les peintures à émulsion ainsi que les peintures spécialisées telles apprêts et émaux.

Peinture en émulsion
Peinture constituée de l'émulsion dans de l'eau d'une résine pigmentée. Les résines utilisées peuvent être des acétates ou des chlorures de polyvinyle.

Périodicité
Base du **tableau périodique**, selon laquelle les éléments sont rangés d'après leur numéro atomique. Certaines propriétés chimiques et physiques réapparaissent ainsi à intervalles réguliers.

Pétrole
Huile minérale naturelle, appelée brut, que l'on trouve sous terre, dans des roches perméables, sous la forme d'un liquide inflammable brun grisâtre et épais. Le pétrole est constitué d'hydrocarbures mélangés à de l'oxygène, du soufre, de l'azote et divers éléments en proportions variées. Il est supposé dériver d'un matériau organique ancien qui a été transformé, d'abord par l'action de bactéries, ensuite par la chaleur et la pression (mais son origine peut également être chimique). De nombreux produits sont fabriqués à partir du pétrole brut par distillation fractionnée ou d'autres processus. Les produits du pétrole et les produits chimiques dérivés du pétrole sont utilisés en grande quantité dans la fabrication de produits pharmaceutiques, de fibres synthétiques, d'engrais, de détergents, d'articles de toilette, et de caoutchouc synthétique.

pH
Échelle logarithmique de 0 à 14 qui mesure l'acidité et l'alcalinité (pH signifie « potentiel d'hydrogène »). À 25 °C, un pH de 7 indique la neutralité ; en dessous de 7, il est acide, alors que au-dessus de 7, il est alcalin. La valeur du pH d'une solution aqueuse est égale à l'opposé du logarithme de la concentration en ions hydrogène. Le pH peut être mesuré au moyen d'un indicateur universel ou d'un pH-mètre.

Pharmacologie
Étude des médicaments, de leur chimie, de leur mode d'action, des interactions et des effets secondaires.

Phase
État physique de la matière. Par exemple, la vapeur, la glace et l'eau liquide représentent les trois différentes phases de l'eau. Un mélange de deux phases est appelé système à deux phases.

Phénol
Groupe de composés chimiques aromatiques ayant des propriétés faiblement acides et qui sont caractérisés par un groupe hydroxyle (OH^-) directement attaché à un cycle aromatique. Contrairement aux alcools, les phénols sont acides à cause de l'influence du cycle aromatique. Le plus simple des phénols, dérivé du benzène, est appelé phénol et possède la formule C_6H_5OH.

Phosphate
Sel ou ester de l'acide phosphorique (H_3PO_4). La neutralisation incomplète de l'acide phosphorique donne des phosphates acides. Les phosphates sont utilisés comme engrais et sont impliqués dans de nombreux processus biochimiques, en faisant souvent partie de molécules complexes telles que l'adénosine triphosphate (A.T.P.). L'accumulation de phosphates dans l'écosystème à partir des engrais ou d'autres sources (détergents) a provoqué la pollution de nombreux systèmes aquatiques.

Photochimie
Partie de la chimie qui concerne les effets du rayonnement, en particulier dans les régions du visible et de l'ultra-violet du spectre électromagnétique. Les réactions photochimiques comprennent à la fois celles qui produisent de la lumière et celles qui sont initiées par la lumière. L'une des toutes premières réactions photochimiques à être complètement expliquée fut la production de chlorure d'hydrogène à partir d'un mélange d'hydrogène gazeux (H) et de chlore (Cl) exposé à la lumière brillante. Dans ce cas, les molécules de gaz absorbent l'énergie lumineuse et se cassent pour former des atomes individuels de H et de Cl (initiation). Les atomes individuels peuvent ensuite se recombiner avec des atomes différents pour produire HCl (propagation) ou des atomes similaires pour reformer les gaz initiaux (terminaison). La photochimie est importante en photographie, pour la photosynthèse et dans l'étude des colorants.

VOIR

LA CHIMIE ET LES COULEURS 120
ENCRES, PIGMENTS ET PEINTURES 122
LA PHOTOSYNTHÈSE 130
LA CHIMIE DANS L'ATMOSPHÈRE 132

Photodissociation
Dissociation d'un composé provoquée par l'absorption de l'énergie lumineuse, et qui conduit généralement à la formation de radicaux libres. La photodissociation est à l'origine de nombreuses substances nuisibles trouvées dans les **smogs** photochimiques.

Photographie
Reproduction photochimique d'images sur des matériaux sensibilisés. Les techniques photographiques les plus courantes utilisent un support de film en acétate, recouvert d'halogénures d'argent sensibles à la lumière, sous la forme d'une gélatine. Les halogénures d'argent sont activés par la lumière pour former une **image latente** d'argent. Cette image latente est ensuite traitée en image négative à l'aide d'un **révélateur**. La photographie couleur se sert de différents colorants qui sont ajoutés aux différentes couches d'halogénures d'argent pour les rendre sensibles aux différentes couleurs primaires.

Photon
Particule élémentaire (ou paquet) d'énergie par laquelle la lumière et les autres formes de rayonnements électromagnétiques sont émises. Le photon possède à la fois des propriétés de particule et d'onde. Il n'a pas de charge et est considéré sans masse, mais il possède de la quantité de mouvement et de l'énergie. Il transporte la force électromagnétique (une des forces fondamentales de la nature). Un photon est émis chaque fois qu'un électron d'un atome perd de l'énergie. Lorsqu'il est absorbé par un atome, il excite un électron à un niveau d'énergie supérieur.

Photosynthèse
Processus biochimique grâce auquel les plantes vertes utilisent l'énergie de la lumière dans une série de réactions chimiques conduisant à la formation d'hydrates de carbone. La photosynthèse nécessite la présence de chlorophylle et la plante doit être approvisionnée en dioxyde de carbone et en eau. Les plantes vertes ayant une photosynthèse active emmagasinent le sucre en excès sous la forme d'amidon. Les réactions chimiques de la photosynthèse ont lieu en deux étapes. Pendant le jour, la lumière du Soleil sert à dissocier les molécules d'eau (H_2O) en molécules d'oxygène (O_2), en ions hydrogène (H^+) et en électrons, et l'oxygène dérivé se dégage. Durant la nuit, les protons et les électrons servent à transformer le dioxyde de carbone (CO_2) en hydrates de carbone ($Cn(H_2O)n$). La photosynthèse dépend de l'aptitude qu'a la chlorophylle à capturer l'énergie de la lumière solaire et à l'utiliser pour dissocier les molécules d'eau. D'autres pigments, tels que les caroténoïdes, sont également impliqués dans ce phénomène de capture de l'énergie lumineuse et de son passage vers la chlorophylle.

VOIR

LA CHIMIE ET LA VIE 108
LA CHIMIE DU VIVANT 112
LA PHOTOSYNTHÈSE 130

PHOTOGRAPHIE

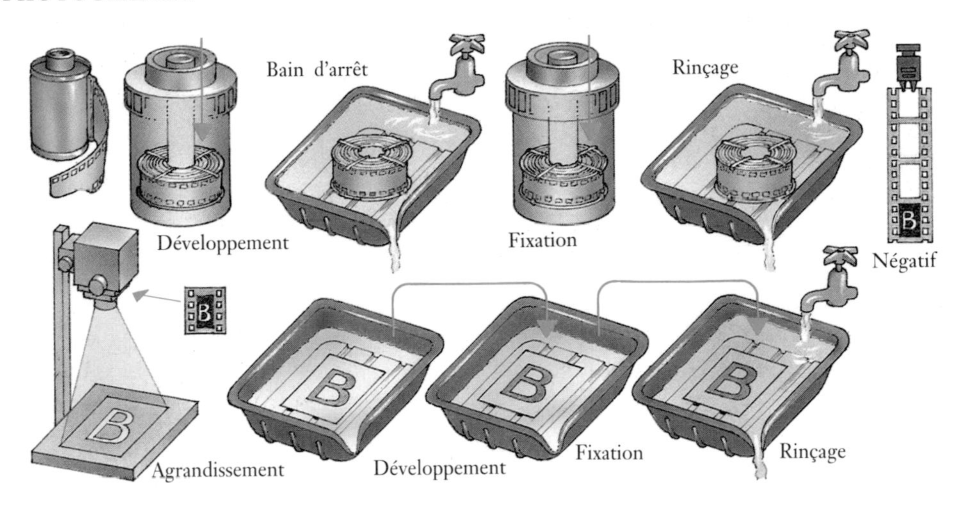

Pigment
Matériau synthétique ou naturel, insoluble et coloré qui, lorsqu'il est ajouté à un milieu propice, est capable de transmettre sa couleur. *Voir* **colorant laqué** *et* **peinture**.

Plastifiant
Toute substance ajoutée à un polymère synthétique afin de préserver ou d'augmenter sa flexibilité. Les plastifiants couramment utilisés comprennent le triphényl phosphate, le tricrésyl phosphate et les glycol esters à point d'ébullition élevé.

Plastique
Matériau synthétique stable, fluide à certaines étapes de sa fabrication, au moment de sa formation, puis, ultérieurement, rigide ou semi-rigide. Les plastiques modernes sont essentiellement dérivés du pétrole. La plupart sont des polymères. Les plastiques se présentent dans des consistances variant de dur et rigide à mou et caoutchouteux. *Voir* **thermoplastiques** *et* **plastiques thermodurcissables**. Un groupe de plastiques, les silicones, sont inertes chimiquement, ont de bonnes propriétés électriques et protègent de l'eau. Des polymères à mémoire de forme sont des plastiques qui peuvent être froissés ou aplatis et retrouver leur forme originale après qu'on les ait chauffés.

VOIR

LES POLYMÈRES ET LES MATIÈRES PLASTIQUES 94
LES DIFFÉRENTES SORTES DE PLASTIQUES 100
LA MISE EN FORME DES PLASTIQUES 102
L'UTILISATION DES PLASTIQUES 104
LE RECYCLAGE DES PLASTIQUES 106

Plastique biodégradable
Matière plastique pouvant être décomposée par l'activité bactérienne. La plupart de ces plastiques sont fabriqués à partir de matériaux d'origine biologique, comme l'amidon, ou, plus récemment, des polymères de l'acide lactique. Beaucoup de plastiques synthétiques ne sont pas biodégradables. Au contraire des métaux, les polymères synthétiques sont coûteux à recycler ; ainsi le rejet des emballages plastiques devient un grave problème d'environnement.

Plastiques thermodurcissables
Plastiques qui restent rigides une fois durcis et ne ramollissent plus lorsqu'ils sont chauffés. Les plastiques thermodurcissables comprennent la bakélite, les résines époxy (utilisées dans les peintures, les vernis, les laminés, et comme adhésifs) et le polyuréthane. Ils ne peuvent pas être recyclés.

Pluie acide
Pluie d'une acidité inhabituelle dont la cause principale est l'émission dans l'atmosphère de dioxyde de soufre (SO_2) et de divers oxydes d'azote. Le dioxyde de soufre est surtout formé au cours de la combustion du charbon qui contient de grandes quantités de soufre ; beaucoup d'activités industrielles produisent des oxydes d'azote ainsi que les **gaz d'échappement** automobile (*voir* **pot catalytique**).

VOIR

UN ENVIRONNEMENT PLUS PROPRE 70
LA CHIMIE DANS L'ATMOSPHÈRE 132

Point d'ébullition
Température à partir de laquelle un apport de chaleur à un liquide ne provoque plus son échauffement mais le transforme en vapeur. Le point d'ébullition de l'eau à la pression atmosphérique normale est de 100 °C. Le point d'ébullition croît ou décroît selon la pression.

Point de congélation
Température à laquelle le liquide considéré passe à l'état solide si on lui enlève de la chaleur. La température reste constante à ce point jusqu'à ce que tout le liquide se soit solidifié. Ce point reste constant à pression constante ; par exemple, le point de congélation de l'eau sous une pression atmosphérique standard est de 0 °C.

Point de fusion
Température à laquelle une substance fond ou passe de la forme solide à la forme liquide. Une substance pure prise sous des conditions standard de pression (généralement une atmosphère) possède un point de fusion bien défini. Pour un solide recevant de la chaleur à son point de fusion, la température ne varie pas jusqu'à ce que le processus de fusion soit terminé. Le point de fusion de la glace est 0 °C.

Point éclair
Température minimum à laquelle un liquide ou un solide volatil doit être chauffé pour émettre suffisamment de vapeur pouvant être enflammée avec une petite flamme. Le point de combustion d'un matériau est la température à laquelle il brûle entièrement. Pour le stockage de combustibles en toute sécurité, on doit bien connaître leur point éclair et le point de combustion.

VOIR

LES ÉCHANGES DE CHALEUR 64
COMBUSTION ET COMBUSTIBLES 66
MAÎTRISER LE FEU 68

Polyaddition
Réactions d'addition multiples lors d'un processus de **polymérisation**.

Polyamide
Type de **polymère** de condensation, naturel ou synthétique, ayant une structure semblable à celle des protéines. Les polyamides sont formés par interaction du groupe amine d'une molécule avec un groupe acide carboxylique d'une autre molécule (formant ainsi un groupe amide -$CONH_2$). Les chaînes d'un polyamide sont liées les unes aux autres par des liaisons hydrogène. La soie, les cheveux et la laine sont des exemples de polyamides naturels. Le **Nylon** est un exemple de polyamide synthétique. On appelle « fibres aramides » des polyamides possédant des groupes aromatiques liés aux groupes amides.

Polycarbonate
Série de **thermoplastiques** produite par la condensation de phosgène (chlorure de carbonyle) avec des composés organiques dihydroxy tels que le diphénylol propane. Les polycarbonates sont des matériaux résistants, transparents, légèrement teintés, mais coûteux ; ils sont utilisés pour faire des vitres de sécurité et pare-balles.

Polychlorure de vinyle (PVC)
Plastique solide, blanc et résistant, qui peut s'assouplir par incorporation d'un plastifiant. Produit à partir du chloroéthylène, il est également appelé polychloroéthylène ; c'est le plus connu et le plus largement utilisé des plastiques vinyliques. Il est facile à colorer et résistant au feu, aux intempéries et aux produits chimiques, et possède une grande variété d'utilisations : tuyaux d'écoulement, revêtement de sol, disques ou chaussures.

Polycondensation
Réactions de condensation multiples lors d'un processus de polymérisation. *Voir* **polymérisation.**

Polyéthène
Voir **polyéthylène.**

Polyéthylène
Thermoplastique résistant, blanc, translucide, cireux, également appelé polyéthène. C'est un polymère de l'éthylène gazeux C_2H_4. Il existe deux types de polyéthylènes standard : un polyéthylène basse densité (LDPE, de l'anglais), produit par polymérisation haute pression de l'éthylène, et un polyéthylène haute densité (HDPE, de l'anglais), qui est produit à une pression inférieure à l'aide de catalyseurs, et qui est plus rigide aux basses températures et plus mou aux températures élevées. On l'utilise dans de nombreuses fabrications, dans l'emballage et comme isolant électrique.

Polymère
Composé présentant de grosses molécules constituées de longues chaînes, ou réseau ramifié, composé d'unités simples répétées (monomères). De nombreux types de polymères existent, à la fois naturels (protéines, acides nucléiques, polysaccharides, ainsi que beaucoup de minéraux), et synthétiques (polyéthylène, Nylon et plastiques). Il existe deux groupes principaux de polymères synthétiques : les **thermoplastiques** et les **thermodurcissables**.

Polymérisation
Réaction chimique dans laquelle au moins deux molécules (généralement petites) d'une même sorte se joignent pour former une nouvelle molécule. La polymérisation par addition (**polyaddition**) produit de simples multiplications de la même molécule. Dans ce mode de polymérisation, de nombreuses molécules d'un composé simple se joignent pour former de longues chaînes. La polymérisation de l'éthylène en polyéthylène en est un exemple. Le **polychlorure de vinyle** (PVC) est un autre exemple de polymère d'addition. Dans la polymérisation par condensation (polycondensation), une petite molécule telle que l'eau ou le chlorure d'hydrogène est éliminée à la suite de la polymérisation. La production de polyesters formés par polymérisation d'acides organiques et d'alcools en est un exemple. Cette polymérisation peut impliquer un simple monomère qui a deux groupes réactifs, tels qu'un aminoacide ou plus de deux monomères différents tels que l'urée et le méthanal (formaldéhyde) ; dans ce cas, la polymérisation est une copolymérisation.

VOIR

LES POLYMÈRES ET LES MATIÈRES PLASTIQUES 94
LES POLYMÈRES NATURELS 96
LES POLYMÈRES SYNTHÉTIQUES 98
LES DIFFÉRENTES SORTES DE PLASTIQUES 100
L'UTILISATION DES PLASTIQUES 104
LE RECYCLAGE DES PLASTIQUES 106

POLYMÉRISATION

Polymérisation par addition

```
H          H H          H H          H
 \        /   \        /   \        /
  C=C    +     C=C    +     C=C
 /        \   /        \   /        \
H          H H          H H          H
```

Monomères d'éthylène

```
 H   H   H   H   H   H   H   H   H   H
 |   |   |   |   |   |   |   |   |   |
-C - C - C - C - C - C - C - C - C - C-
 |   |   |   |   |   |   |   |   |   |
 H   H   H   H   H   H   H   H   H   H
```

Polyéthylène

Polymérisation par condensation

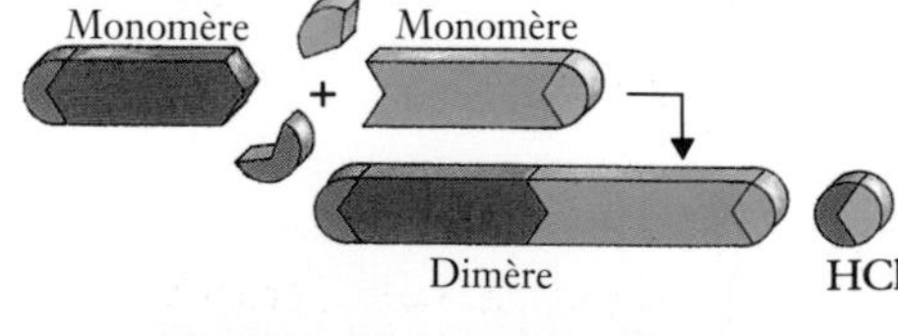

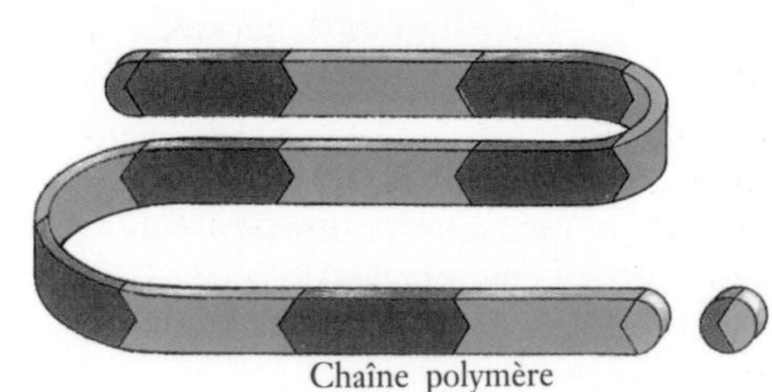

Chaîne polymère

Polystyrène
Plastique transparent, ressemblant au verre, produit par polymérisation du phényl éthylène (styrène). Le polystyrène est utilisé comme isolant thermique et électrique, ainsi que pour l'emballage et la décoration.

Potassium
Élément métallique blanc argenté, tendre et mou, de symbole K (*kalium* en latin), de numéro atomique 19, et de masse atomique relative 39,0983. C'est un métal alcalin qui possède une très faible densité et constitue le métal le plus léger après le lithium. Il s'oxyde rapidement lorsqu'il est exposé à l'air et réagit violemment avec l'eau. Il est largement présent dans la croûte terrestre combiné à d'autres éléments, et on le trouve dans des dépôts salins et minéraux sous la forme de silicates de potassium et d'aluminium. Cet élément fut découvert par le chimiste anglais Humphry Davy qui l'isola par **électrolyse** à partir de la potasse en 1807.

Pot catalytique
Nom commun donné à un appareillage fixé sur le pot d'échappement des automobiles pour en réduire les émissions toxiques. On utilise un mélange de métaux à base de platine finement déposé sur un support métallique ou céramique en nid d'abeille (afin d'en augmenter la surface utile) pour convertir les produits les plus nocifs en composés moins nuisibles : par exemple, les catalyseurs d'oxydation permettent la conversion des hydrocarbures imbrûlés et du monoxyde de carbone en eau et en dioxyde de carbone. Les catalyseurs à trois voies transforment aussi les oxydes d'azote en azote. Les catalyseurs sont « empoisonnés » par le plomb et les composés soufrés qu'il convient d'éliminer des carburants automobiles.

Précipité
Solide insoluble formé dans un liquide à la suite d'une réaction dans ce liquide entre au moins deux substances solubles. Les précipités se déposent généralement au fond de la solution ; cependant, si les particules sont très petites, elles peuvent rester en suspension, formant ainsi un précipité colloïdal (*voir* **colloïde**).

Pression
Force physique agissant perpendiculairement à un corps par unité de surface. L'unité SI de la pression est le pascal (newton par mètre carré) égal à 0,01 millibar. Dans un fluide (liquide ou gaz), la pression augmente avec la profondeur. La pression atmosphérique est d'environ 100 kilopascals (1013 millibars ou 1 atmosphère) au niveau de la mer.

Procédé Haber
Procédé industriel de fabrication de l'ammoniac (NH_3) qui utilise la réaction équilibrée de l'hydrogène sur l'azote atmosphérique. On utilise un catalyseur de fer finement divisé contenant des oxydes de potassium et d'aluminium comme promoteur de réaction, à une température de 400 °C et une pression de 250 bars. Comme environ seulement 10 pour cent des réactifs se combinent, on recycle ceux qui n'ont pas réagi. L'ammoniac est récupéré soit par dissolution dans l'eau, soit par condensation à basse température. C'est un procédé très important pour l'utilisation de l'azote dans les engrais synthétiques. Il a été primitivement développé par le chimiste allemand Fritz Haber en 1908, et est aussi connu sous le nom de procédé Haber-Bosch.

Procédé Hall-Héroult
Procédé industriel utilisé pour produire l'aluminium par **électrolyse** de la bauxite. On commence par purifier la bauxite en la dissolvant dans de la soude et en retirant les parties insolubles. On précipite ensuite l'hydroxyde d'aluminium que l'on transforme par chauffage en oxyde pur Al_2O_3. L'oxyde est alors mélangé à de la cryolite pour en abaisser le point de fusion et le mélange est électrolysé avec des électrodes de graphite. On recueille l'aluminium au fond du bac d'électrolyse. Ce procédé a reçu le nom des chimistes américain Charles Martin Hall et français Paul Héroult qui l'ont découvert de manière indépendante en 1886.

Procédé Solvay
Procédé industriel à plusieurs étapes portant le nom de son inventeur, le chimiste belge Ernest Solvay, et permettant la fabrication du carbonate de sodium. On génère du dioxyde de carbone par chauffage de calcaire, puis on le fait passer à travers une solution de chlorure de sodium saturée en ammoniac. Le bicarbonate de sodium formé est isolé (il précipite) puis chauffé pour être transformé en carbonate de sodium. Tous les produits intermédiaires sont recyclés de telle sorte que le seul sous-produit formé soit le chlorure de calcium.

Produits pétrochimiques
Produits chimiques dérivés du traitement du pétrole (brut) ou du gaz naturel. Les industries pétrochimiques sont celles qui obtiennent leurs matières premières du traitement du pétrole et du gaz naturel. Les polymères, les détergents, les solvants et les engrais azotés sont tous des produits majeurs de l'industrie pétrochimique. Les produits chimiques inorganiques comprennent le noir de charbon, le soufre, l'ammoniac et le péroxyde d'hydrogène.

Propanone
Liquide volatil, inflammable et incolore, traditionnellement appelé acétone (CH_3COCH_3), et largement utilisé comme solvant et comme matière première pour faire des plastiques. La propanone est la plus simple des cétones. Elle bout à 56,5 °C, se mélange à l'eau en toute proportion et possède une odeur caractéristique.

Protéine
Nom général donné à toute substance polymère complexe et biologiquement importante, composée d'aminoacides liés par des liaisons peptides. D'autres types de liaisons sont responsables de la création d'une structure tridimensionnelle caractéristique des protéines qui peut être fibreuse, globulaire ou plissée. Les protéines sont essentielles pour tous les organismes vivants. Sous forme d'enzymes, elles régulent tous les aspects du métabolisme. Les protéines structurelles telles que la kératine et le collagène fabriquent la peau, les griffes, les os, les tendons et les ligaments ; les protéines des muscles produisent le mouvement ; l'hémoglobine transporte l'oxygène ; et les protéines des membranes régulent le mouvement de substances à travers les cellules.

VOIR

LA CHIMIE ET LA VIE 108
LES MATIÈRES PREMIÈRES DE LA VIE 110
LA CHIMIE DU VIVANT 112

Proton
Particule subatomique chargée positivement, constituant fondamental du noyau atomique. Le proton porte une charge unitaire positive égale à la charge négative d'un électron. Sa masse est presque 1836 fois celle d'un électron, soit $1{,}67 \times 10^{-24}$ grammes. Le nombre de protons contenus dans l'atome d'un élément est égal à son **numéro atomique**.

Pyrolyse
Décomposition d'une substance réalisée en la chauffant à température élevée en l'absence d'air. Le procédé est utilisé, par exemple, pour brûler et se débarrasser des vieux pneus sans contaminer l'atmosphère. Le terme est également synonyme de **craquage**.

Quartz
Voir **silice.**

Radical libre
Atome ou molécule possédant un électron non apparié et de la sorte très réactif. La plupart des radicaux libres ont une courte durée de vie. Les radicaux libres produits dans un organisme vivant sont très dangereux. Ils

sont souvent générés par des températures élevées et on les trouve dans les flammes et les explosions. Le radical méthyle (CH_3) est un radical libre simple produit en cassant la liaison carbone-carbone dans l'éthane. L'action de la lumière ultraviolette du Soleil sépare les molécules de **Fréon** en radicaux libres qui détruisent la couche d'ozone présente dans les couches supérieures de l'atmosphère. *Voir* **liaison carbone-carbone** *et* **liaison covalente**.

Radioactivité
Désintégration spontanée du noyau d'un atome radioactif, accompagnée de l'émission d'un rayonnement. La radioactivité est produite par les isotopes radioactifs des éléments, que l'on trouve normalement sous une forme stable, ainsi que par tous les isotopes des éléments radioactifs. Elle peut être soit naturelle soit induite. La radioactivité établit un équilibre dans le noyau des substances radioactives instables, formant finalement un arrangement stable des nucléons (protons et neutrons). Cela s'accomplit très fréquemment grâce à l'émission de particules alpha (noyau d'hélium, comprenant deux protons et deux neutrons), de particules bêta (électrons et positrons) ou d'une radiation gamma (ondes électromagnétiques de très haute fréquence). Elle a lieu soit directement, suivant une désintégration en une étape, soit indirectement, grâce à un nombre de désintégrations qui transmutent un élément en un autre. L'instabilité de la distribution des éléments dans le noyau d'un atome radioactif détermine la durée de demi-vie des isotopes de l'atome. *Voir* **demi-vie**.

Radio-isotope
Forme radioactive de synthèse ou naturelle d'un élément. La plupart des radio-isotopes sont produits par bombardement d'un élément stable à l'aide de neutrons dans le cœur d'un réacteur nucléaire. La radiation émise est facile à détecter (les radio-isotopes sont également utilisés comme traceurs). Les radio-isotopes sont utilisés en médecine, dans l'industrie, l'agriculture, et la recherche.

RADIOACTIVITÉ

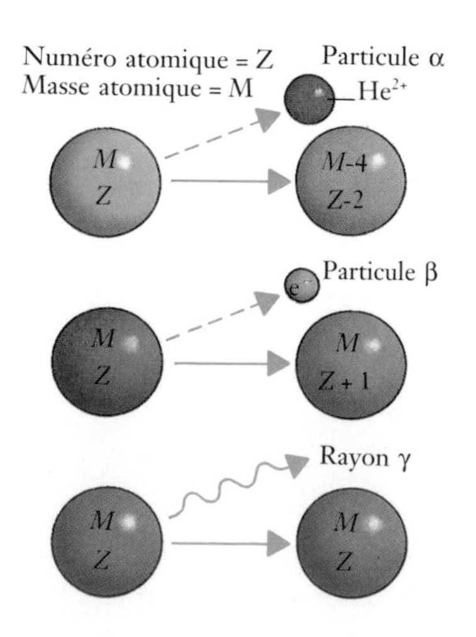

Raffinage
Production de matériaux purs à partir de matériaux ou de mélanges de matériaux chargés d'impuretés. Par exemple, le pétrole est raffiné en hydrocarbures utilisables par **distillation fractionnée** et **craquage**. L'électrolyse et le flottage sont d'autres techniques couramment utilisées en raffinage.

Rayonne
Fibre synthétique produite à partir de la cellulose (à l'origine sous la forme de pâte de bois). Il existe deux types de rayonne, la rayonne de viscose et la rayonne d'acétate, qui diffèrent dans la méthode de production des filaments de cellulose.

Réacteur à lit fluidisé
Réacteur dans lequel les particules d'un matériau actif sont maintenues séparées les unes des autres par un fluide à grande vitesse (gaz ou liquide) qui traverse un lit de ce matériau solide. De tels lits sont utilisés dans l'industrie chimique pour permettre le contact intime entre un solide et un gaz, des vitesses de transfert de chaleur importantes, et une température uniforme.

Réactif
Matériau qui prend part à une réaction chimique. Les réactifs sont notés du côté gauche de l'**équation** décrivant une réaction.

Réaction chimique
Interaction d'au moins deux atomes, ions ou molécules (réactifs) donnant des composés chimiquement différents (produits). Toutes les réactions sont réversibles à différents degrés ; les produits peuvent réagir pour former à nouveau les réactifs originaux (*voir* **équilibre**). Cependant, dans de nombreux cas, cette réaction de retour n'existe pas réellement ou n'existe que virtuellement et la réaction est irréversible.

Réaction de Friedel et Craft
Réaction chimique utilisée pour synthétiser des hydrocarbures benzéniques substitués par des alkyles ou des cétones aromatiques. Elle permet aux halogénures d'alcane ou d'acyle de réagir avec les hydrocarbures aromatiques grâce à la catalyse du chlorure d'aluminium anhydre. Le nom de la réaction est dû aux chimistes français Charles Friedel et américain James M. Craft.

Réaction endothermique
Changement chimique ou physique dans lequel de l'énergie provenant du milieu extérieur est absorbée. On désigne par ΔH la quantité d'énergie absorbée. La coagulation du blanc d'œuf (albumine) lors de sa cuisson est un exemple de réaction endothermique. *Voir aussi* **réaction exothermique**.

Réaction exothermique
Changement chimique ou physique dans lequel de l'énergie est libérée vers le milieu extérieur. Une explosion est une réaction exothermique très rapide. *Voir aussi* **réaction endothermique**.

Réaction redox
Réaction d'oxydo-réduction dans laquelle un des réactifs est réduit et l'autre est oxydé en même temps. La réaction ne peut se produire que si les deux réactifs sont présents, chacun se transformant simultanément. Par exemple, l'hydrogène réduit l'oxyde de cuivre (II) en cuivre tandis qu'il est oxydé en eau. La corrosion du fer et les réactions qui ont lieu dans une électrolyse sont également des exemples de réactions redox.

Réactions en chaîne
Suite de réactions, impliquant souvent des **radicaux libres**, dans lesquelles le produit d'une étape sert de réactif à la suivante. Une réaction en chaîne est caractérisée par la production continue de substances réactives. Elle comprend trois étapes distinctes : l'initiation (première génération d'espèces réactives), la propagation (réactions utilisant et produisant à la fois des espèces réactives) et la terminaison (réactions consommant des espèces réactives et ne produisant que des espèces non réactives). Les réactions en chaîne peuvent être lentes (par exemple l'oxydation des huiles comestibles) ou accélérées lorsque la quantité d'espèces réactives croît, produisant finalement une explosion. *Voir* **réaction exothermique** *et* **photochimie**.

RÉACTION EN CHAINE

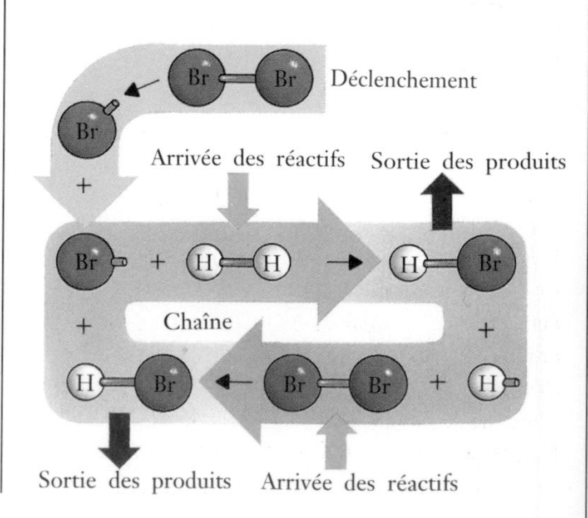

Réactivité
1. Terme imprécis qui décrit la facilité avec laquelle un élément ou un composé prend part à une réaction chimique. Par exemple, les **métaux alcalins** (sodium, potassium, etc.) et les **halogènes** (fluor, chlore, etc.) possèdent une réactivité élevée, alors que les **gaz rares** (hélium, argon, etc.) ont une réactivité extrêmement faible. **2.** Facilité avec laquelle une teinture réactive forme des liaisons chimiques covalentes avec une fibre.

VOIR
LES ÉLÉMENTS 50
LES DIFFÉRENTS TYPES DE LIAISONS 54
LIAISONS ET STRUCTURES 56
ACIDES, BASES ET SELS 62

Rectification
Voir **distillation fractionnée**.

Recyclage
Traitement des déchets ménagers ou industriels (tels que les métaux et les plastiques) qui peuvent être réutilisés, économisant ainsi des dépenses sur des matières premières rares et aidant aussi à réduire la pollution de l'environnement. Dans de nombreux procédés chimiques commerciaux, les produits dérivés des réactions principales sont recyclés directement dans la réaction. Par exemple, tous les sous-produits intermédiaires du **procédé Solvay** pour la production de carbonate de sodium sont recyclés.

VOIR
UN ENVIRONNEMENT PLUS PROPRE 70
DES PRODUITS CHIMIQUES UTILES 78
LE RECYCLAGE DES PLASTIQUES 106

Réducteur
Toute substance qui peut réduire une autre substance (*voir* **réduction**). Dans une réaction redox, c'est le réducteur lui-même qui est oxydé. L'hydrogène, le monoxyde de carbone, le carbone et les métaux constituent de forts réducteurs. Les réducteurs sont également appelés agents de réduction.

Réduction
Processus dans lequel un atome, un ion ou une molécule gagne des électrons, perd de l'oxygène, ou gagne de l'hydrogène, pendant une réaction chimique. Une réduction peut être provoquée par la réaction avec un autre composé qui est simultanément oxydé (réducteur), ou électriquement à la cathode (électrode négative) d'une cellule électrique. La réduction de l'oxyde de fer(III) en fer par le monoxyde de carbone, l'hydrogénation de l'éthylène en éthane et la réduction de l'ion sodium en sodium sont des exemples.

Représentation moléculaire
Technique de détermination des formes, des structures internes et des propriétés des molécules, basée sur la connaissance de leurs constituants atomiques et des longueurs des liaisons. La représentation moléculaire peut être utilisée pour développer des médicaments de synthèse avec des spécificités importantes. La représentation moléculaire tridimensionnelle reposait autrefois sur l'utilisation de tiges et de boules mais l'invention et les applications du traitement informatique peu coûteux et puissant, ont considérablement augmenté les possibilités et les emplois des techniques de représentation.

Résine
Toute substance produite par **polymérisation**. Les résines naturelles, sécrétées par de nombreux arbres, sont acides ; on les trouve sous la forme de substances vitreuses friables ou dissoutes dans des huiles naturelles. Les résines synthétiques sont utilisées pour la confection d'adhésifs, de plastiques et de peintures.

Résines urée-formaldéhyde
Groupe de résines polymères synthétiques produites par copolymérisation de l'urée et du formaldéhyde (méthanal) sous l'effet de la chaleur. Les **plastiques thermodurcissables** résultant sont translucides et peuvent être facilement colorés par des colorants. Ils sont ininflammables et résistants aux intempéries et à de nombreux agents chimiques. On les utilise également comme adhésif.

VOIR
LES POLYMÈRES SYNTHÉTIQUES 98
LES DIFFÉRENTES SORTES DE PLASTIQUES 100
LA MISE EN FORME DES PLASTIQUES 102

Résonance magnétique nucléaire (RMN)
Absorption d'un rayonnement électromagnétique de fréquence précise par un noyau ayant un certain moment nucléaire (non nul) et placé dans un champ magnétique externe. Par exemple, les protons de l'eau subissent une RMN pour une fréquence de radiation égale à 12,6 MHz et dans un champ magnétique de 0,3 tesla. L'application principale de la RMN en chimie consiste en une technique appelée spectroscopie RMN qui est largement utilisée pour déterminer et analyser les structures chimiques complexes.

Révélateur
En photographie, c'est un agent réducteur basé sur une molécule de benzène substituée par deux ou trois groupements amino ou hydroxo. Le révélateur réduit les grains d'halogénure d'argent (généralement des bromures) de l'**image latente** pour donner le négatif. L'hydroquinone a été historiquement le constituant principal des révélateurs ; il est maintenant associé à des agents lavants et des bactéricides.

Revêtement de surface
Traitement de surface de tout matériau dans le but d'améliorer ses propriétés telles que sa résistance à l'usure, sa conductivité électrique ou son aptitude à accepter une teinture. *Voir aussi* **anodisation**.

Saponification
Séparation (par hydrolyse) d'un ester par traitement à l'aide d'un alcali fort, produisant l'alcool et un sel de l'acide gras à partir desquels l'ester avait été fabriqué. Le procédé est utilisé pour faire du savon, procédé dans lequel le savon est séparé en ajoutant une solution saturée de chlorure de sodium.

Savon
Tout sel d'un métal et de différents acides gras (les plus courants étant les acides palmitique, stéarique et oléique). Les savons solubles dans l'eau sont fabriqués par l'action de l'hydroxyde de sodium ou de l'hydroxyde de potassium. Le savon disperse la graisse et les impuretés dans l'eau ; cependant, contrairement aux détergents, les savons forment des sels insolubles avec les ions magnésium et calcium, présents dans l'eau dure, pour produire de la mousse.

Sel
Groupe de composés contenant un ion positif (cation) provenant d'un métal ou de l'ammoniac et un ion négatif (anion) provenant d'un acide ou d'un non-métal. Si l'ion négatif possède un atome d'hydrogène remplaçable, c'est un sel acide (par exemple, l'hydrogénocarbonate de sodium, $NaHCO_3$) ; sinon, c'est un sel normal (par exemple, le chlorure de sodium, NaCl). Les sels ont les propriétés typiques des composés ioniques.

VOIR
MÉLANGES ET COMPOSÉS 52
LES DIFFÉRENTS TYPES DE LIAISONS 54
ACIDES, BASES ET SELS 62

Sel de table
Autre nom du chlorure de sodium (NaCl), solide cristallin blanc, que l'on trouve dissous dans l'eau de mer, ou sous la forme de sel gemme dans de grands gisements dans le sous-sol. Ce sel commun est largement uti-

lisé dans l'industrie alimentaire comme conservateur et pour l'assaisonnement, et dans l'industrie chimique pour fabriquer le chlore, l'acide chlorhydrique et le sodium.

VOIR

MÉLANGES ET COMPOSÉS 52
LIAISONS ET STRUCTURES 56

Série homologue
Ensemble de produits organiques dans lequel les formules moléculaires des composés suivent une progression arithmétique. Les alcanes (paraffines), les alcènes (oléfines) et les alcynes (acétyléniques) forment de telles séries où les masses moléculaires de deux termes successifs diffèrent des 14 unités correspondant à un groupement $-CH_2-$. La liste des premiers termes de la série des alcanes est : méthane (CH_4), éthane (C_2H_6), propane (C_3H_8), butane (C_4H_{10}) et pentane (C_5H_{12}). Les différents termes d'une série homologue ont des propriétés chimiques voisines, mais leurs propriétés physiques évoluent graduellement d'un terme au suivant.

Silicate
Tout composé contenant du silicium et de l'oxygène, combinés en ion négatif (anion), et un ou plusieurs cations métalliques. Il existe un grand nombre de silicates complexes, de masse moléculaire élevée, contenant tous l'unité structurelle de base du tétrahèdre SiO_4. Les silicates naturels communs sont les sables (le sable orangé est un type de silice contenant des impuretés d'oxydes de fer). Le verre est un matériau élaboré à partir de polysilicates complexes dans lesquels d'autres éléments (tels que le bore) ont été incorporés.

Silice (dioxyde de silicium)
Minéral cristallin blanc et transparent (SiO_2), insoluble dans l'eau mais soluble dans l'acide fluorhydrique et les bases fortes. À l'état naturel, elle peut exister sous quatre formes : cristobalite, tridymite, quartz et lechatéliérite. C'est l'un des minéraux les plus abondants de la croûte terrestre (12 pour cent en volume). La silice est largement utilisée dans la confection de verres ordinaires, de vernis et d'émaux, et sous forme de briques pour le revêtement hautement réfractaire de fours.

Silicium
Élément métalloïde, de symbole Si, de numéro atomique 14 et de masse atomique relative égale à 28,08. Le silicium est l'élément le plus abondant après l'oxygène, se présentant sous la forme de silice ou de silicates. Le silicium forme une poudre brune amorphe ou des cristaux gris semi-conducteurs. On l'utilise dans les alliages ou pour fabriquer des transistors et des semi-conducteurs.

Site actif
1. Zone de la surface d'un catalyseur où s'exerce son activité. **2.** Zone de la surface d'une molécule d'enzyme qui se lie à la molécule substrat. L'interaction entre l'enzyme et le substrat dépend de la forme tridimensionnelle de la chaîne polypeptidique constituant l'enzyme. Cet arrangement est responsable de l'action spécifique de l'enzyme et de ses possibilités d'inhibition.

Smog
Mélange polluant de fumée, de brouillard et de vapeurs chimiques. Le smog photochimique est produit sous certaines conditions climatiques par la réaction photochimique complexe de la lumière du Soleil sur les hydrocarbures non-brûlés, en particulier les gaz d'échappement qui atteignent l'atmosphère libre.

Sol
Colloïde de très petites particules, ayant les caractéristiques d'un liquide.

Soluté
Toute substance qui est dissoute dans une autre substance (solvant) pour former une solution.

Solution
Mélange homogène d'au moins deux substances. Une des substances (généralement un liquide) est le **solvant** et les autres (**solutés**) sont dites dissoutes dans le solvant. Les constituants d'une solution peuvent être solides, liquides ou gazeux. Le solvant est normalement la substance qui est présente en plus grande quantité ; cependant, si l'un des constituants est liquide, on le considère comme le solvant, même s'il ne représente pas le composé majeur.

Solvant
Toute substance, généralement liquide, qui dissoudra une autre substance (soluté) pour former une solution. Les solvants peuvent être classés en solvants polaires, tels que l'eau et l'ammoniac liquide, et en solvants non-polaires, tels que le benzène et l'éthoxyéthane, selon leur aptitude à dissoudre des substances liées de façon différente.

VOIR

UN ENVIRONNEMENT PLUS PROPRE 70
LA CHIMIE DANS L'ATMOSPHÈRE 132

Soude
Voir **carbonate de sodium** *et* **hydroxyde de sodium**.

Soufre
Élément réactif, non-métallique, jaune et friable, de symbole S, de numéro atomique 16 et de masse atomique relative égale à 32,06. On le trouve et on le récupère à l'état naturel dans le gaz naturel et le pétrole. Il existe sous plusieurs formes allotropiques, dont une qui est plastique (*voir* **allotropie**).

Spectromètre de masse
Appareil d'analyse de la composition chimique. Les ions positifs d'une substance sont déviés à travers des champs magnétiques, dans le vide, sur un détecteur qui permet de mesurer précisément les concentrations relatives des différentes espèces ioniques présentes, en particulier les isotopes.

Spectroscope
Tout appareil utilisé dans l'étude de spectres atomiques ou moléculaires. Les spectroscopes peuvent être utilisés pour identifier des composés inconnus, et représentent d'inestimables outils analytiques en chimie, en astronomie, en médecine et dans l'industrie. Les spectroscopes d'émission sont utilisés pour analyser les séries caractéristiques des raies du spectre produites lorsqu'un élément est excité. Ainsi on peut réaliser l'analyse élémentaire d'un mélange inconnu. Les spectroscopes d'absorption sont utilisés pour analyser les atomes et les molécules qui absorbent de l'énergie de façon caractéristique. On peut obtenir une information structurelle plus détaillée à l'aide de spectroscopes infra-rouge (en rapport avec les vibrations moléculaires) ou de spectroscopes de résonance magnétique nucléaire (RMN) (en rapport avec les interactions entre les noyaux atomiques adjacents).

SPECTROSCOPE

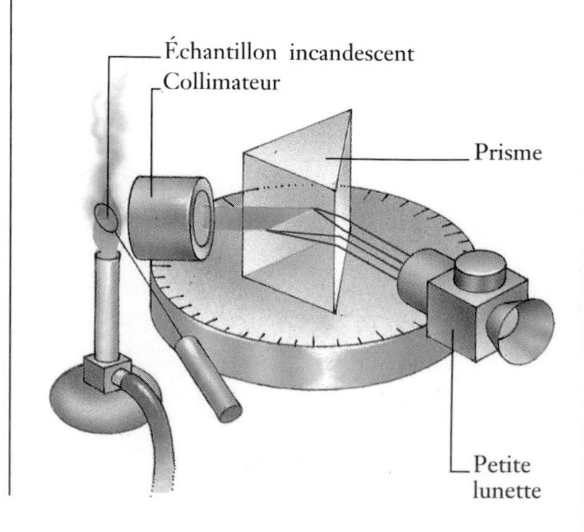

Stéréochimie
Étude des différents arrangements spatiaux (stéréo-isomères) des atomes dans une molécule. En chimie organique, l'existence de stéréo-isomères est due à la position des directions tétraédriques des quatre différentes liaisons covalentes du carbone. Le stéréo-isomérisme peut être divisé en deux types. Dans l'isomérisme optique (*voir* **activité optique**), deux structures chimiquement semblables ayant différentes configurations atomiques peuvent provoquer une rotation du plan de polarisation de la lumière polarisée plane dans différentes directions. Dans l'isomérisme géométrique, la double liaison entre deux atomes de carbone empêche la rotation autour de l'axe des atomes de carbone, chacun d'eux étant par ailleurs lié à deux atomes ou groupes d'atomes différents. Cela conduit à deux isomères différents ayant des configurations notées *cis* et *trans*. Ces isomères géométriques peuvent avoir des propriétés chimiques très semblables, mais des propriétés physiques assez différentes (leurs points de fusion, par exemple).

Stéréo-isomérisme
Voir **stéréochimie.**

STÉRÉOCHIMIE

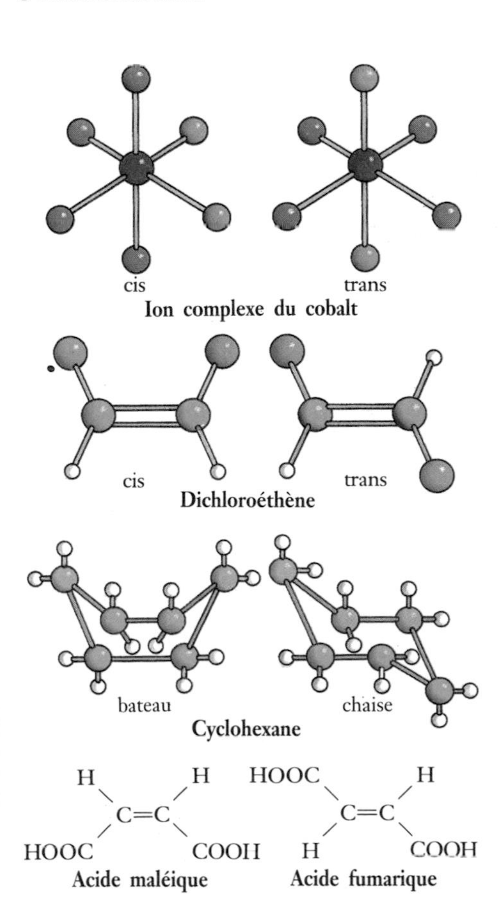

Stéroïde
Lipide dérivé d'un composé saturé appelé cyclopentano-perhydrophénantrène qui possède une structure moléculaire complexe constituée de quatre cycles carbonés. L'un des groupes les plus importants des stéroïdes est constitué par la famille des alcools stéroïdes (stérols). D'autres stéroïdes comprennent les hormones sexuelles (telles que la testostérone et l'œstrogène), les hormones corticostéroïdes (produites par la glande surrénale) et les acides biliaires.

VOIR

CARBONE, HYDROGÈNE ET OXYGÈNE 88
LES MÉDICAMENTS 114

Styrène
Hydrocarbure ($C_6H_5CH=CH_2$, phényléthylène) incolore, soluble dans l'éthanol et l'éthoxyéthane. Il est utilisé dans la production du polystyrène.

Sublimation
Transformation directe d'un solide en vapeur sans passer par la phase liquide. Certaines substances qui ne peuvent pas se sublimer à la pression atmosphérique peuvent le faire si l'on réduit la pression. C'est le principe de la lyophilisation, durant laquelle la glace se sublime à basse pression.

Substance hygroscopique
Substance absorbant l'eau atmosphérique mais ne s'y dissolvant pas. Un exemple en est le sulfate de cuivre(II).

Substrat
Composé ou mélange de composés sur lesquels agit une enzyme dans une réaction biochimique.

Sucre
Hydrate de carbone cristallin, soluble, incolore, au goût sucré. Les sucres sont classés en monosaccharides, chaque molécule étant composée d'une seule unité d'hydrate de carbone à chaîne linéaire ou cyclique (par exemple, le glucose et le fructose) ; disaccharides, faits de deux unités monosaccharides semblables ou différentes (par exemple, le sucrose et le lactose) ; et polysaccharides, faits de plus de deux unités d'hydrate de carbone (par exemple, l'amidon et la cellulose).

VOIR

CARBONE, HYDROGÈNE ET OXYGÈNE 88
LES POLYMÈRES NATURELS 96

Sulfate
Sel ou ester dérivé de l'acide sulfurique. Les sulfates organiques possèdent la formule générale R_2SO_4. Les sels de sulfate contiennent l'ion SO_4^{2-}. La plupart des sulfates sont solubles dans l'eau (à l'exception des sulfates de plomb, de calcium, de strontium et de baryum), et nécessitent une température élevée pour se décomposer. L'ion sulfate est détecté en solution à l'aide du chlorure de baryum ou du nitrate de baryum qui précipitent sous forme de sulfate insoluble.

Sulfure
Composé contenant du soufre et un autre élément, dans lequel le soufre est l'élément le plus électronégatif. Les composés du soufre avec des non-métaux sont des composés covalents (par exemple, le sulfure d'hydrogène, un acide faible). Les métaux donnent des sulfures ioniques basés sur l'ion S^{2-} et les composés formés sont des sels du sulfure d'hydrogène. Les sulfures se trouvent de façon naturelle dans de nombreux minéraux et ont très souvent une odeur extrêmement désagréable.

Synthèse
Formation de composés chimiques à partir d'un nombre supérieur de composés élémentaires. La synthèse d'un médicament, par exemple, peut impliquer plusieurs étapes depuis le matériau initial jusqu'au produit final ; la complexité de ces étapes représente le facteur majeur dans le coût de production.

VOIR

LES POLYMÈRES SYNTHÉTIQUES 98
LES MÉDICAMENTS D'ORIGINE NATURELLE 116

Tableau périodique
Tableau dans lequel les éléments sont rangés dans l'ordre de leur numéro atomique (*voir* **périodicité**). Le tableau résume les propriétés majeures des éléments et permet de pouvoir prédire leur comportement. Il existe de saisissantes similitudes dans les propriétés chimiques des éléments de chacune des colonnes (appelées groupes) qui sont numérotées de I à VIII. Le numéro des groupes indique le nombre d'électrons sur la couche électronique incomplète située le plus à l'extérieur et par conséquent la valence maximum. On peut observer un échelonnement des propriétés le long d'une ligne horizontale (appelée période). Le caractère métallique augmente en suivant une période de droite à gauche et en descendant une colonne. Une grande série d'éléments, situés entre les groupes II et III, rassemble les éléments de transition affichant un état de valence carac-

téristique supérieur à un. Ces particularités sont une conséquence directe de la structure électronique (et nucléaire) des atomes des éléments. Les relations établies entre les positions des éléments dans le tableau périodique et leurs propriétés majeures ont permis aux scientifiques de prédire les propriétés des autres éléments ; par exemple, le technetium, de numéro atomique égal à 43, qui fut produit en laboratoire pour la première fois en 1937. Le premier tableau périodique a été conçu par le chimiste russe Dimitri Mendeleyev en 1869.

VOIR

LES ÉLÉMENTS 50
MÉLANGES ET COMPOSÉS 52
LIAISONS ET STRUCTURES 56

Tamis moléculaire

Substance cristalline poreuse, souvent un alumino-silicate, qui peut être déshydratée en entraînant peu de changement dans sa structure cristalline. Les sites non occupés, régulièrement espacés, qui en découlent fournissent une grande surface d'adsorption pour des molécules plus petites. Les tamis moléculaires sont utilisés dans la séparation et la purification de liquides et comme desséchants. Comme ils peuvent être utilisés conjointement à des produits chimiques qui ne réagissent pas sur eux, ils servent également de **catalyseurs** et de supports de catalyseurs. *Voir aussi* **zéolithe**.

Tautomérisme

État d'équilibre dynamique entre deux isomères (tautomères), convertibles de façon spontanée. La conversion entre les deux isomères est provoquée par le changement de position d'un atome d'hydrogène dans la structure moléculaire.

TAUTOMÉRISME

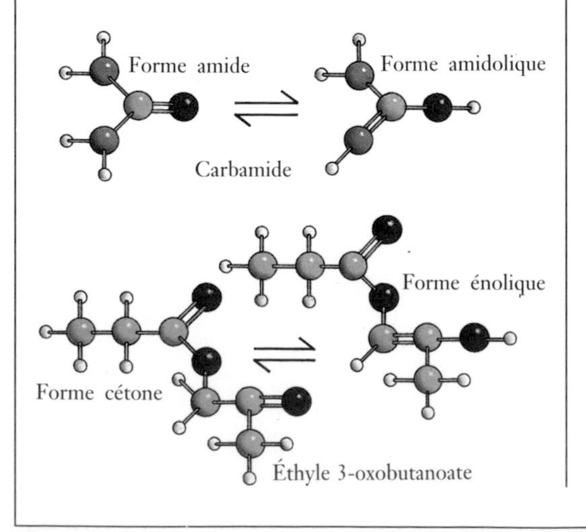

TEINTURES ET COLORANTS

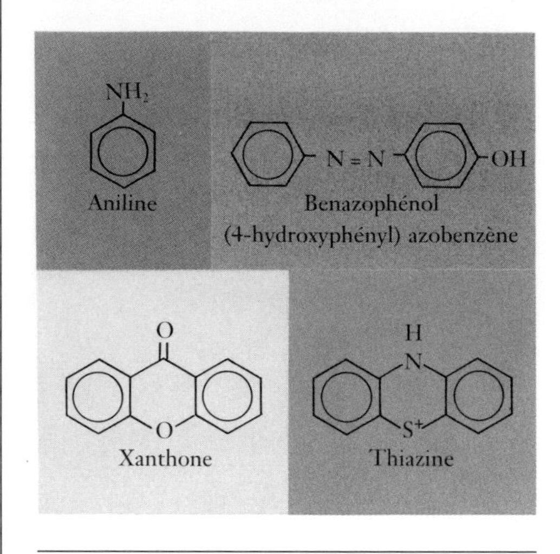

Taux de production

Quantité de produit réellement obtenue dans une réaction chimique, exprimée en pourcentage de la quantité théorique de produit qui aurait du être obtenue, et calculée sur la base de la nature chimique des réactifs originaux.

Teintures et colorants

Substances qui, appliquées en solution, colorent un substrat, par exemple des cheveux ou un tissu. Les teintures directes s'appliquent directement sur le matériau à teindre ; les teintures indirectes demandent le traitement préalable du matériau par une autre substance (*voir* **mordant**). On forme certains colorants insolubles par simple oxydation à l'air d'un produit incolore en solution après son application. Les colorants naturels sont l'indigo, la garance (alizarine) et la cochenille. Depuis le XIXe siècle, l'industrie utilise couramment des colorants de synthèse dont ceux à base d'aniline ou de composés azoïques.

Température d'inflammation

Température minimum à laquelle on doit chauffer une substance pour qu'elle prenne feu spontanément, sans plus avoir besoin de source de chaleur supplémentaire. Par exemple, l'éthanol a une température d'inflammation de 425 °C.

Thermochimie

Étude des changements d'énergie calorifique qui ont lieu lors d'une réaction chimique. La thermochimie pratique se sert essentiellement de la calorimétrie pour mesurer les chaleurs standards de réaction.

Thermoplastiques

Plastiques qui ramollissent lorsqu'ils sont chauffés et redurcissent en refroidissant. Les thermoplastiques comprennent le polyéthylène, le polychlorure de vinyle, le polystyrène, le Nylon et le polyester. Tous peuvent être recyclés s'ils sont collectés proprement.

Thiosulfate

Sel dérivé de l'acide thiosulfurique et contenant l'ion $S_2O_3^{2-}$. En milieu acide, les thiosulfates se décomposent pour donner du soufre et l'ion hydrogénosulfite (HSO_3^-).

Titrage

Technique analytique servant à déterminer la concentration d'un composé dans une solution en mesurant la quantité de ce composé capable de réagir avec un autre composé de concentration connue. Une quantité connue d'une des solutions est placée dans un bécher. L'autre solution est ajoutée petit à petit à l'aide d'une burette graduée. La fin de la réaction chimique est déterminée par le changement de couleur d'un indicateur, ou à l'aide d'un détecteur électrochimique. Les titrages se font couramment entre acides et bases.

Tour de lavage

Dispositif industriel destiné à éliminer certains gaz en les dissolvant. On peut ainsi éliminer le dioxyde de soufre (SO_2) présent dans les fumées d'usine, ce qui limite d'autant la pollution atmosphérique.

Tournesol

Colorant extrait de différents lichens et utilisé en chimie comme indicateur coloré pour tester la nature acide ou basique de solutions aqueuses. Il devient rouge en présence d'acide et bleu en milieu basique. *Voir* **papier indicateur**.

Triglycéride

Terme donné à un ester acide gras du glycérol (propane-1,2,3-triol) dans lequel les trois groupes hydroxyles sont substitués. Dans les triglycérides simples, les trois esters gras sont identiques ; dans les triglycérides complexes, deux ou trois esters acides gras différents sont présents. Les triglycérides sont les composants majeurs des graisses et des huiles, et représentent une réserve alimentaire importante pour la vie animale.

Trou de la couche d'ozone

Trou formé dans la fine couche d'ozone de la stratosphère par l'un des nombreux réducteurs d'ozone – composés chimiquement stables contenant du chlore ou du brome et qui restent inchangés pendant un temps suffisamment long pour être emportés dans la haute atmosphère. Les plus connus sont les chlorofluorocarbones (CFC), mais beaucoup d'autres réducteurs de l'ozone sont connus tels que les halons, utilisés dans les extincteurs, le trichloroéthane et le tétrachlorométhane

TROU DE LA COUCHE D'OZONE

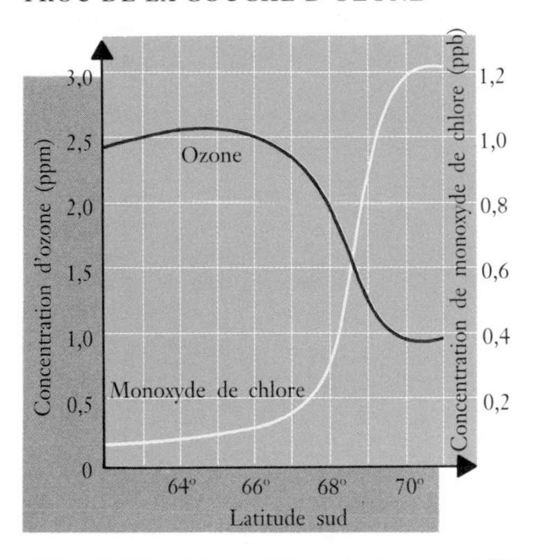

thane, tous deux utilisés comme solvants, des substituts des CFC, ainsi que le pesticide bromométhane. L'ampleur de la décroissance d'ozone est hors de proportion comparée à la quantité de réducteurs injectés dans la haute atmosphère, car une réaction en chaîne peut être établie par une seule molécule de CFC, conduisant à la destruction de milliers de molécules d'ozone.

Les trous dans la couche d'ozone sont dangereux parce qu'ils permettent à une grande quantité de rayons ultraviolets, principaux responsables du cancer de la peau, d'atteindre la surface de la Terre. La diminution d'ozone au dessus des régions polaires constitue la manifestation la plus marquée d'un effet global.

Urée

Solide cristallin blanc ($CO(NH_2)_2$), produit final de nombreuses dégradations de protéines chez les mammifères, et synthétisé par combustion de l'ammoniac dans le dioxyde de carbone.

Valence

Capacité de combinaison d'un atome ou d'un radical, déterminée par le nombre d'électrons qu'un atome gagnera, perdra ou partagera lorsqu'il réagira avec un autre atome. Les éléments qui perdent des électrons (tels que l'hydrogène et les métaux) ont une valence positive ; ceux qui gagnent des électrons (comme l'oxygène et d'autres nonmétaux) ont une valence négative. Dans les composés ioniques, la valence (électrovalence) d'un élément est égale à la charge ionique ; par exemple, dans le sulfure de sodium, Na_2S, le sodium possède une valence de 1 (Na^+) et le soufre a une valence de 2 (S^{2-}). Dans les composés covalents, la valence (covalence) est égale au nombre de liaisons formées ; pour le dioxyde de carbone (CO_2) le carbone a une valence de 4 et l'oxygène possède une valence de 2.

VALENCE

Métaux et cations	Non métaux et anions
Valence 1	
Ammonium NH_4^+	Chlorate ClO_3^-
Cuivre I Cu^+	Chlorure Cl^-
Mercure I Hg_2^{2+}	Hydrogénocarbonate HCO_3^-
Argent I Ag^+	Hydroxyde OH^-
Sodium Na^+	Nitrate NO_3^-
Valence 2	
Barium Ba^{2+}	Carbonate CO_3^{2-}
Cuivre II Cu^{2+}	Oxygène O
Plomb II Pb^{2+}	Sulfate SO_4^{2-}
Mercure II Hg^{2+}	Sulfite SO_3^{2-}
Zinc Zn^{2+}	
Valence 3	
Aluminium Al^{3+}	Azote N
Chrome III Cr^{3+}	Phosphore III P
Fer III Fe^{3+}	Phosphate PO_4^{3-}
Valence 4	
Plomb IV Pb^{4+}	Carbone C
Manganèse IV Mn^{4+}	Silicium Si
Étain IV Sn^{4+}	Soufre IV S

Vapeur

État de la matière semblable à un gaz dans lequel les molécules d'une substance bougent de façon désordonnée et avec beaucoup d'espace entre elles. La distance entre les molécules, et par conséquent le volume de vapeur, ne sont limités que par les parois du récipient les contenant. On peut condenser la vapeur en liquide par une augmentation de pression.

Vaporisation

Transformation directe d'un liquide en vapeur à une température située sous son point d'ébullition. Les liquides volatils se vaporisent aisément à température ambiante.

Vitamines

Composés organiques, sans lien chimique entre eux, que l'on trouve nécessairement en petites quantités pour un bon fonctionnement de l'organisme. Il existe environ 14 vitamines généralement reconnues, qui sont classées en vitamines solubles dans l'eau, comme les vitamines B et C, et vitamines solubles dans la graisse (liposolubles), comme les vitamines A, D et K. Beaucoup agissent comme des coenzymes, petites molécules qui permettent aux enzymes de fonctionner efficacement. Les vitamines sont normalement présentes en quantité appropriée dans un régime équilibré.

Vitesse de réaction

Vitesse à laquelle une réaction chimique se produit, c'est-à-dire vitesse à laquelle les réactifs sont consommés et les produits formés. Dans une réaction qui inclut différentes étapes, l'étape la plus lente détermine la vitesse globale de la réaction.

Vulcanisation

Procédé de traitement du caoutchouc utilisant le soufre ou des composés soufrés pour améliorer ses propriétés physiques, en particulier sa résistance à l'usure. Le soufre est absorbé par le caoutchouc soit par combustion du caoutchouc brut avec du soufre à de hautes températures (135-160 °C), soit en traitant des feuillets de caoutchouc à froid avec une solution de S_2Cl_2.

Zéolithe

Groupe de silicates d'aluminium hydratés naturels ou synthétiques, contenant également du sodium, du calcium, du baryum, du strontium ou du potassium, dans lesquels les molécules d'eau sont retenues dans les cavités du réseau cristallin. Les zéolithes sont utilisées comme **tamis moléculaires** pour séparer les mélanges, grâce à leur capacité d'absorber de façon sélective. Elles possèdent également une grande aptitude à l'échange d'ions, et sont utilisées dans la production de carburants, de benzène et de toluène à partir de matières premières de moyenne qualité telles que le charbon et le méthanol.

LES ATOMES ET LES MOLÉCULES

1

Depuis toujours, les chimistes travaillent avec des atomes, et c'est l'étude de ce qui se passe entre les atomes pendant les transformations chimiques qui constitue la base de leur science. Mais ce ne fut qu'à partir de l'invention du microscope à balayage à effet tunnel dans les années 1980 que les chimistes furent réellement capables de voir les atomes pour la première fois.

Dans l'Antiquité, les Grecs pensaient que les atomes étaient des particules qui ne pouvaient être divisées et les appelaient *atomos*, ce qui signifie indivisible. Or, bien que l'idée d'indivisibilité des Grecs reste dans l'appellation actuelle d'atome, nous savons maintenant que les atomes sont eux-mêmes constitués de particules plus petites. Les principales sont les protons qui portent une charge électrique positive, les électrons qui ont une charge électrique négative, et les neutrons qui sont électriquement neutres. Le centre, ou noyau, de la plupart des atomes est fait de neutrons et de protons, et porte une charge positive. L'atome d'hydrogène possède un noyau simplement constitué d'un proton. Les électrons se déplacent autour du noyau dans une série de couches, ou orbitales, maintenues en place grâce à l'attraction de la charge positive des protons du noyau.

Autour de nous, tout est fait de combinaisons d'éléments chimiques, substances chimiques constituées d'un seul type d'atomes et qui ne peuvent être décomposées en une substance plus simple. Du fait que les atomes représentent l'unité la plus petite d'un élément chimique qui peut exister, tout en conservant les caractéristiques de l'élément, ils constituent la brique à partir de laquelle est construite toute chose : la chimie aborde donc tous les aspects de notre existence.

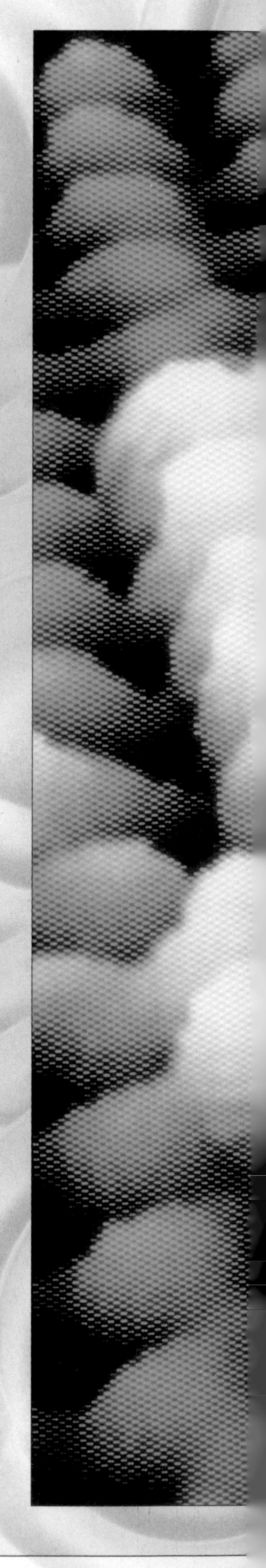

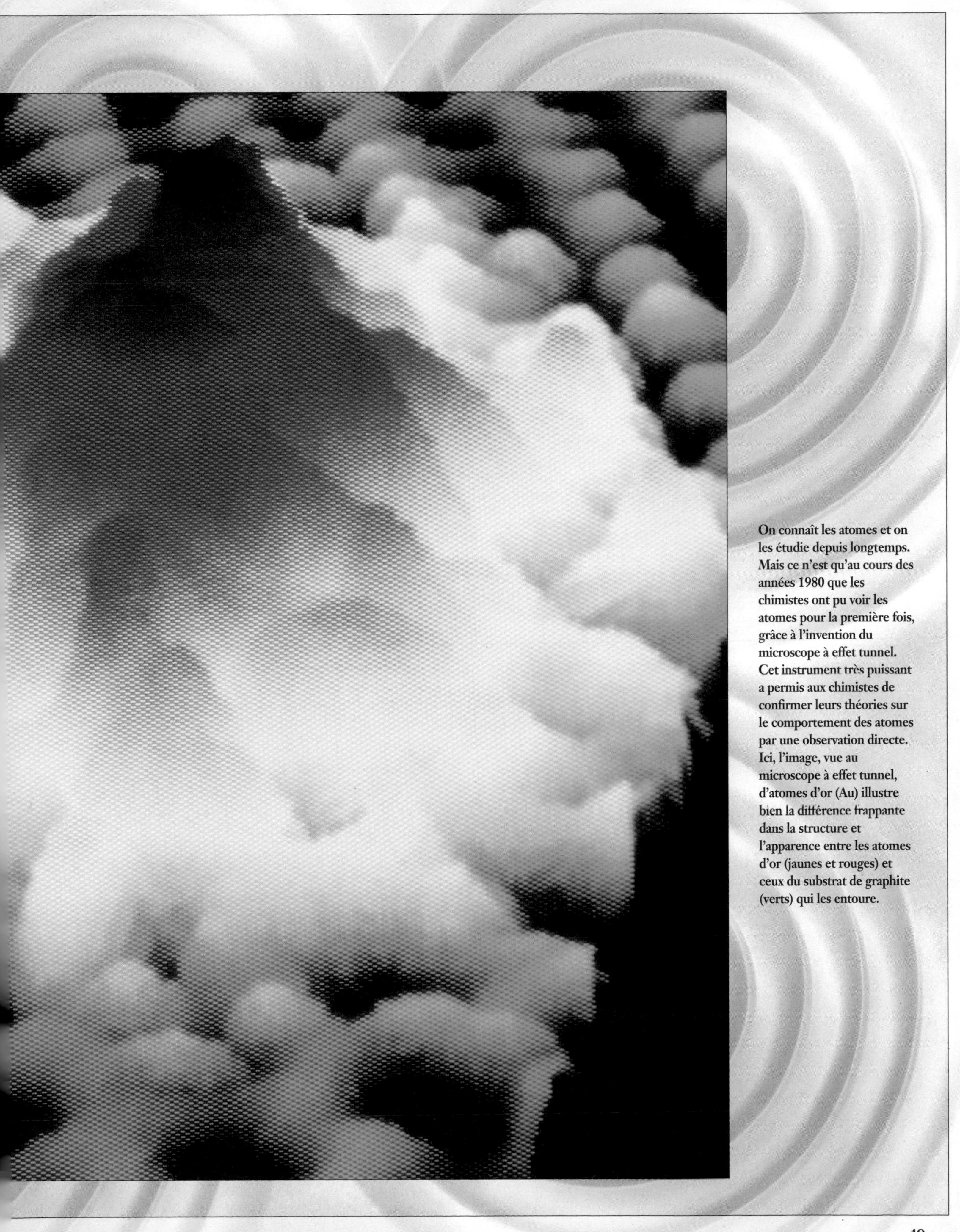

On connaît les atomes et on les étudie depuis longtemps. Mais ce n'est qu'au cours des années 1980 que les chimistes ont pu voir les atomes pour la première fois, grâce à l'invention du microscope à effet tunnel. Cet instrument très puissant a permis aux chimistes de confirmer leurs théories sur le comportement des atomes par une observation directe. Ici, l'image, vue au microscope à effet tunnel, d'atomes d'or (Au) illustre bien la différence frappante dans la structure et l'apparence entre les atomes d'or (jaunes et rouges) et ceux du substrat de graphite (verts) qui les entoure.

Les éléments

À première vue, il paraît impossible de prédire les propriétés chimiques et physiques d'un élément sans réaliser des expériences. Mais puisque les atomes interagissent, il est simplement nécessaire de connaître le nombre de protons dans le noyau, appelé numéro atomique, pour prédire bon nombre de leurs propriétés physiques et chimiques. Le grand outil de prédiction est un tableau connu sous le nom de Tableau Périodique.

Dans ce tableau, le numéro atomique de chaque élément apparaît en haut de la case de l'élément. Les isotopes sont des atomes du même élément qui ont un nombre différent de neutrons dans leur noyau, mais le même nombre de protons. Certains éléments sont des isotopes radioactifs pour lesquels les noyaux se brisent de façon spontanée pour libérer des particules de haute énergie.

Le nombre total de neutrons et de protons dans un atome représente sa masse atomique. Pour des raisons de convenance, les chimistes se réfèrent souvent à la masse atomique relative d'un élément (autrefois appelé poids atomique). On trouve ce nombre en comparant la masse moyenne d'un atome d'un élément (prenant en compte les proportions de chaque isotope) avec une valeur de référence équivalente au douzième de la masse d'un atome de l'isotope 12 du carbone, noté ^{12}C. Ce nombre est généralement indiqué dans le tableau périodique en bas de la case d'un élément.

Dans le tableau périodique, les éléments sont rangés dans l'ordre croissant de leur numéro atomique. On trouve les éléments ayant des propriétés physiques et chimiques semblables dans des intervalles définis, ou périodes, du numéro atomique. Cette périodicité rend possible la prédiction des caractéristiques d'un élémen simplement en connaissant sa position dans le tableau périodique Lorsque le tableau fut rempli pour la première fois, cette périodi cité permit de prédire l'existence d'éléments tels que le germa nium qui n'étaient pas encore connus. Maintenant, elle perme aux chimistes de prédire les propriétés d'éléments super lourds qu n'ont pas encore été synthétisés.

Les éléments peuvent être divisés en métaux, non-métaux e métalloïdes sur la base de leurs propriétés. Les métaux son conducteurs de l'électricité et de la chaleur et diffèrent générale ment des non-métaux par leur point de fusion élevé, une appa

MOTS CLÉS

ALCALINO-TERREUX
ALCALINS
ÉLÉMENT
ISOTOPE
MASSE ATOMIQUE RELATIVE
MÉTAL
NON-MÉTAL
NUMÉRO ATOMIQUE
RADIOACTIVITÉ

▶ **Bien qu'il ne soit présent qu'en traces sur Terre, l'hélium (He) est très répandu dans l'Univers. Il a été détecté pour la première fois dans le spectre solaire d'où son nom qui vient du grec *hélios*, le Soleil. L'hélium est un gaz plus léger que l'air. Il s'agit d'un élément pas du tout réactif car la couche électronique externe de ses atomes est saturée.**

Métaux alcalins
Métaux de terres alcalines
I
II
3 Li
4 Be
11 Na
12 Mg
19 K
20 Ca
37 Rb
38 Sr
55 Cs
56 Ba
87 Fr
88 Ra
Éléments de transition
21 Sc
22 Ti
23 V
24 Cr
25 Mn
39 Y
40 Zr
41 Nb
42 Mo
43 Tc
71 Lu
72 Hf
73 Ta
74 W
75 Re
103 Lr
104 Rf
105 Ha
Éléments internes de transition
57 La
58 Ce
59 Pr
60 Nd
61 Pm
62 Sm
63 Eu
89 Ac
90 Th
91 Pa
92 U
93 Np
94 Pu
95 Am

◀ **Le magnésium (Mg) est un métal d'un blanc argenté, très réactif et qui brûle dans l'air avec une flamme éclatante. On l'utilise souvent dans les pièces de feu d'artifice, et il a été employé dans les lampes de flashes. Huitième élément par ordre d'abondance sur Terre, il est présent dans la dolomite et la brucite. Léger et solide, il forme de bons alliages avec l'aluminium.**

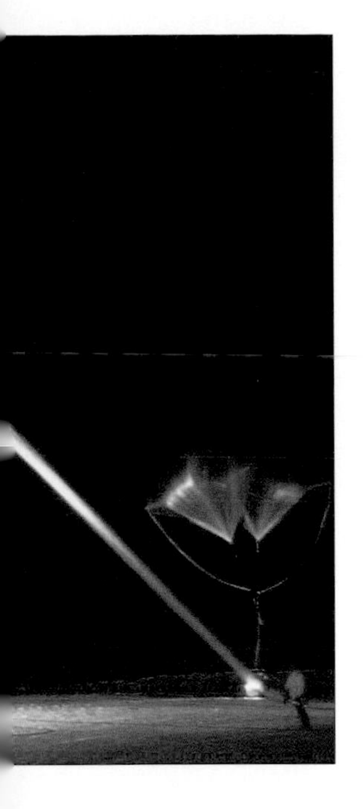

■ **Le tableau périodique regroupe les éléments suivant leurs propriétés chimiques et physiques. La place d'un élément y est définie par le nombre de protons de son atome : l'hydrogène (H) en a un seul, l'hélium (He) deux ; etc. Le premier tableau a été publié en 1869 par le chimiste russe Dmitri Mendeleïev. Les lignes horizontales sont appelées périodes. Tous les éléments dans une période ont le même nombre de couches, chaque élément ayant un électron de plus sur sa couche externe lorsqu'on se déplace de gauche à droite. Les colonnes sont appelées groupes. Les éléments d'un même groupe ont le même nombre d'électrons sur leur couche externe et tendent à avoir des propriétés chimiques semblables.**

Éléments de transition					Groupe bore III	Groupe carbone IV	Groupe azote V	Groupe oxygène VI	Halogènes VII	Hydrogène / Gaz rares VIII
									1 H	2 He
					5 B	6 C	7 N	8 O	9 F	10 Ne
					13 Al	14 Si	15 P	16 S	17 Cl	18 Ar
26 Fe	27 Co	28 Ni	29 Cu	30 Zn	31 Ga	32 Ge	33 As	34 Se	35 Br	36 Kr
44 Ru	45 Rh	46 Pd	47 Ag	48 Cd	49 In	50 Sn	51 Sb	52 Te	53 I	54 Xc
76 Os	77 Ir	78 Pt	79 Au	80 Hg	81 Tl	82 Pb	83 Bi	84 Po	85 At	86 Rn

Lanthanides	64 Gd	65 Tb	66 Dy	67 Ho	68 Er	69 Tm	70 Yb
Actinides	96 Cm	97 Bk	98 Cf	99 Es	100 Fm	101 Md	102 No

rence brillante, et en étant malléables et ductiles. Les métalloïdes possèdent certaines propriétés des métaux et certaines caractéristiques des non-métaux. Par exemple, ils conduisent l'électricité mieux que les non-métaux, lesquels sont pour la plupart non conducteurs ou isolants.

Les métaux représentent la plupart des éléments et remplissent toute la partie gauche du tableau périodique. Les non-métaux apparaissent sur la droite, séparés des métaux par les métalloïdes.

Les éléments du groupe I, ou métaux alcalins, réagissent vigoureusement dans l'eau pour créer des solutions alcalines fortes. Les éléments du groupe II, les métaux alcalino-terreux, ne se trouvent jamais naturellement sous une forme pure, mais au contraire comme composés dans des minéraux qui forment d'importantes roches de la croûte terrestre. On citera par exemple le calcium que l'on trouve dans le calcaire ou le magnésium, dans la dolomite. Les métaux de transition, situés entre les groupes II et III, sont durs, solides et brillants. L'aluminium, qui est le troisième élément le plus abondant de la croûte terrestre, se trouve dans le groupe III. Le carbone et le silicium, deuxième élément le plus abondant sur Terre, appartiennent au groupe IV. Les éléments du groupe V comprennent l'azote et le phosphore. L'oxygène, l'élément le plus abondant sur terre, appartient au groupe VI, comme le soufre. Les éléments du groupe VII, ou halogènes, sont des non-métaux et sont si réactifs qu'on les trouve généralement combinés avec d'autres éléments dans des sels. Les éléments du groupe VIII, gaz nobles ou inertes, sont très différents. Leur couche électronique externe est pleine, ce qui les rend presque totalement non réactifs.

Jusqu'à présent, 106 éléments ont été découverts, nommés et rangés dans le tableau périodique. Mais il semblerait que 15 éléments supplémentaires auraient existé au moment de la formation de la Terre : ils pourraient peut-être être synthétisés dans des accélérateurs de particules à haute énergie.

▼ **Le plomb (Pb) est un métal mou et lourd souvent utilisé comme lest. Comme on l'a aussi beaucoup utilisé pour faire des tuyaux, il a donné son nom aux plombiers.**

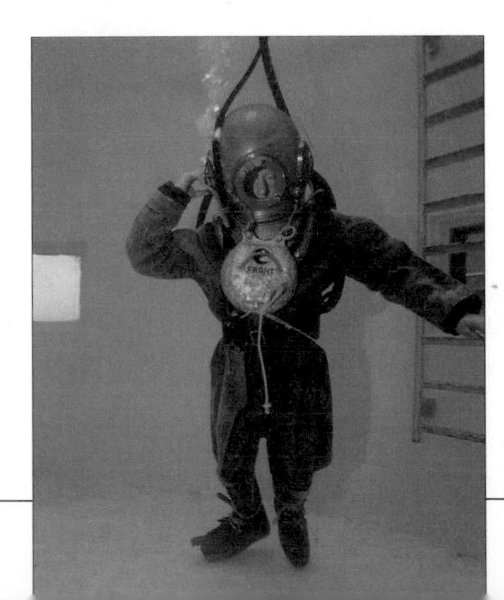

▼ **Le soufre (S) est extrait des mines depuis l'Antiquité. Aujourd'hui, il est principalement utilisé pour produire de l'acide sulfurique.**

Mélanges et composés

Lorsque deux atomes ou plus se lient ensemble, ils forment une molécule. Les molécules peuvent être fabriquées à partir de plusieurs atomes du même élément, ou d'atomes de différents éléments. Ils peuvent s'assembler de différentes façons pour former des mélanges, des solutions, des émulsions et même de nouveaux composés. Tous sont importants pour le chimiste, bien que les composés soient souvent considérés comme le domaine réservé du chimiste.

Le contenu d'une poubelle est un parfait exemple de ce que peut être un mélange. Elle contient probablement une variété de différentes substances telles que du verre, du papier, du plastic et du métal tous mélangés. Dans la poubelle, aucune réaction chimique n'a eu lieu et les différents composants des ordures ne sont pas liés chimiquement ensemble. Il est très facile – même si cela est désagréable – de séparer les différents composants en se servant de caractéristiques telles que leur taille, leur texture, leur couleur et leur densité.

MOTS CLÉS

- COMPOSÉ
- ÉMULSIFIANT
- ÉMULSION
- LIAISON
- MÉLANGE
- MOLÉCULE
- SOLUTÉ
- SOLUTION
- SOLVANT

Une tasse de thé ou de café constitue un bon exemple pour illustrer ce que sont les corps composés et les solutions. Les corps composés sont des molécules qui contiennent des atomes d'au moins deux éléments différents, et l'eau (H_2O) en est le plus commun et le plus abondant sur Terre. Dans l'eau, comme dans tous les composés, les atomes sont liés entre eux par des liaisons chimiques. Il y a différents types de liaisons chimiques qui impliquent tous le partage d'électrons entre les atomes de la molécule. Afin de former ou de détruire de telles liaisons, une réaction chimique est nécessaire car des moyens physiques comme l'agitation, le pressage ou la filtration ne suffisent pas à joindre ou séparer des éléments individuels.

Grâce à la structure de sa molécule, l'eau est un excellent solvant et est souvent considérée comme le solvant universel vu le nombre de substances qui peuvent être dissoutes par elle. L'action de dissolution de l'eau est essentielle pour faire du thé ou du café. L'eau chaude est utilisée comme solvant pour dissoudre le jus plein de saveur des feuilles de thé ou des grains de café. Certains y dissolvent aussi un soluté solide (le sucre) et un soluté liquide (le lait). Ces solutés sont facilement solubles dans l'eau. Dans le thé, ils sont séparés en molécules ou en ions en se dispersant de façon homogène dans tout le solvant. Les molécules de soluté se dispersent éventuellement dans la boisson chaude sans aucune aide, mais elles se dissolvent plus rapidement si on remue la boisson. Une tasse de café contient aussi de minuscules particules de grains en suspension, mais celles-ci ne sont pas chimiquement altérées comme le sont les solutés. Dans les régions où l'eau est dure, c'est-à-dire contient des ions calcium, magnésium et bicarbonate, il peut apparaître un film ou une mousse à la surface de la boisson qui disparaît en ajoutant un acide faible comme le jus de citron à la place du lait. Cette mousse est principalement composée de cristaux de carbonate de calcium qui se dissolvent facilement dans l'acide.

La margarine est un exemple d'émulsion, mélange de deux liquides qui ne peuvent se dissoudre l'un dans l'autre. Les différents composants d'une émulsion se rassemblent en de minuscules gouttelettes d'un liquide suspendues dans l'autre.

La margarine est une émulsion de graisses, d'huiles et de lait qui est principalement composé d'eau. Normalement, l'huile et l'eau ne se mélangent pas à cause des différences dans leur structure moléculaire qui font qu'elles ont une attraction plus forte pour des molécules de même type plutôt que de type opposé. Dans les sauces vinaigrettes, on résout ce problème en secouant vigoureusement pour émulsionner l'huile avec le vinaigre qui est essentiellement fait d'eau. L'agitation énergique disperse les deux liquides en minuscules gouttelettes pour former une émulsion temporaire. Lorsque les gouttelettes se rassemblent de nouveau, les deux liquides se séparent en peu de temps et l'huile flotte sur le vinaigre.

Pour la margarine, il est nécessaire d'obtenir une émulsion qui dure plus longtemps, aussi on utilise un émulsifiant. Les émulsifiants sont des molécules qui contiennent une terminaison attirée par l'huile et une autre attirée par l'eau. La lécithine, émulsifiant naturel que l'on trouve dans le jaune d'œuf, remplit cette fonction.

▼ (1) Ces deux tas de limaille de fer (gris) et de soufre en poudre (jaune) sont des exemples d'éléments. On ne peut pas les séparer en substances plus simples. Si on ne fait que les mélanger (2), aucune réaction chimique n'a lieu et on peut facilement les séparer à nouveau avec un aimant qui attire les particules de limaille de fer (3). Si on chauffe le mélange du fer et du soufre (4), une réaction chimique se produit qui empêche de séparer facilement les deux éléments. Le composé produit est du sulfure de fer (FeS), que l'on trouve naturellement sous forme de pyrite, aussi appelée « or des fous » car son éclat doré a déçu plus d'un prospecteur.

Le sel et l'eau

Le chlorure de sodium (NaCl) ou sel de table est un composé de sodium et de chlore. Les atomes de sodium portent une charge positive et ceux de chlore une charge négative ; ce sont donc des ions qui sont maintenus ensemble dans le composé par des liaisons ioniques. Le chlorure de sodium se dissout facilement dans l'eau comme beaucoup de composés ioniques. Au cours de cette dissolution, les ions se séparent les uns des autres en s'entourant de nombreuses molécules d'eau. Les ions Cl^- (chargés négativement) attirent les molécules d'eau par une extrémité et les ions Na^+ (chargés positivement) par l'autre. Si on laisse l'eau s'évaporer, les ions Na^+ et Cl^- s'assemblent de nouveau en formant des cristaux de sel. L'eau possède des caractéristiques très exceptionnelles. Formée par la combinaison de deux gaz, l'hydrogène et l'oxygène, l'eau est liquide à température ambiante.

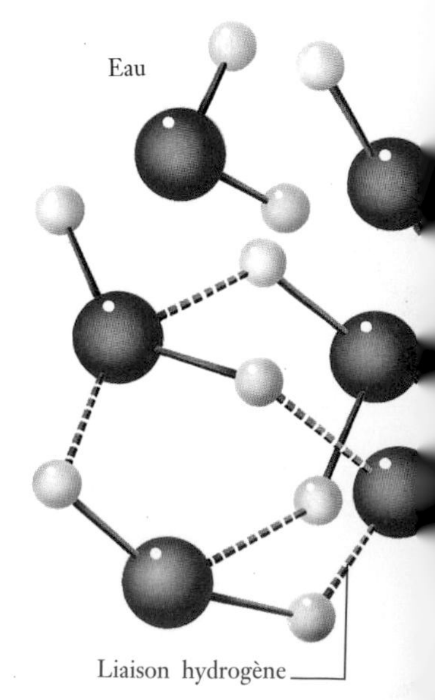

◀ Les crèmes glacées sont des émulsions d'huile et d'eau. Celles que l'on trouve dans le commerce contiennent un émulsifiant (le monostéarate de glycérol) qui stabilise l'émulsion. Le sable est un mélange de différents minéraux alors que l'eau de mer est une solution de sel et d'autres minéraux.

▶ Une fois que la réaction chimique entre le soufre et le fer a commencé grâce au chauffage, elle se met à produire beaucoup de chaleur : c'est une réaction exothermique.

Les différents types de liaisons

Bien que les électrons soient les particules atomiques les plus petites (ils sont plus de 1800 fois plus légers qu'un neutron ou qu'un proton) ce sont eux qui déterminent les propriétés chimiques des atomes. Les électrons sont largement responsables de la façon dont les atomes réagissent ou se lient avec d'autres atomes. Les atomes s'assemblent pour former une molécule lorsque l'attraction du noyau d'un atome voisin est plus forte que l'attraction de leur propre noyau. Les électrons se déplacent alors sur la couche externe de l'atome voisin, ou bien ils sont partagés entre les atomes. La compréhension du rôle des électrons dans la liaison fournit la clé pour déchiffrer les réactions chimiques.

Les atomes recherchent toujours une stabilité chimique. Ceux qui possèdent une couche externe d'électrons incomplète essaient de se lier chimiquement avec d'autres atomes. Inversement, les éléments qui ont une couche périphérique d'électrons pleine sont très stables (comme le néon, un des gaz rares).

Les atomes s'assemblent pour former des molécules et des composés au moyen de liaisons chimiques. Une réaction chimique impliquant la création ou la rupture de liaisons n'a lieu spontanément que si les produits sont plus stables que les atomes qui réagissent. En se liant, les atomes perdent, gagnent ou partagent des électrons, et le nombre d'électrons dont un atome dispose pour participer à la liaison est appelé valence.

Les atomes peuvent se combiner de nombreuses façons. En conséquence, deux composés ayant la même composition chimique peuvent ne pas avoir la même forme. Ces formes différentes, ou isomères, peuvent également posséder différentes propriétés chimiques. Le raffinage du pétrole est une industrie où la connaissance des propriétés des isomères est cruciale. Afin

MOTS CLÉS

- ATOME
- COUCHE
- CRISTAL
- ÉLECTRON
- ION
- LIAISON
- LIAISON CARBONE-CARBONE
- LIAISON COVALENTE
- LIAISON DE COORDINATION
- LIAISON DOUBLE
- LIAISON IONIQUE
- VALENCE

Les liaisons chimiques

Il existe trois principaux types de liaisons : ionique, métallique et covalente. Lorsqu'un atome perd ou gagne des électrons, il devient chargé électriquement : on l'appelle un ion. Une liaison ionique se forme lorsque des ions de charges opposées sont maintenus ensemble grâce à une attraction électrique et forment un arrangement régulier, ou cristal, également appelé réseau ionique. Dans le sel de table (NaCl), les atomes de sodium perdent un électron et prennent une charge positive tandis que les atomes de chlore gagnent un électron pour prendre une charge négative.

Dans la liaison métallique, un réseau se forme lorsque les atomes de métal partagent tous leurs électrons externes pour former un nuage d'électrons. Les liaisons métalliques sont très solides, aussi les métaux tendent à avoir des points de fusion et d'ébullition élevés. Dans un réseau métallique, les électrons peuvent se déplacer librement, ce qui explique pourquoi les métaux sont de si bons conducteurs de l'électricité et de la chaleur.

Dans la liaison de covalence, les atomes ne gagnent ni ne perdent d'électrons mais ils partagent leurs électrons avec un autre atome. Lorsqu'un seul électron est partagé entre deux atomes, comme par exemple dans la molécule de fluor (F_2), une liaison simple se forme. Quand deux électrons sont partagés, comme dans le dioxyde de carbone (CO_2), la liaison est appelée double liaison. Dans l'acétylène (C_2H_2) où deux atomes de carbone sont maintenus ensemble grâce à une triple liaison, trois électrons sont partagés.

Dans les liaisons covalentes, les électrons ne sont pas toujours partagés de façon équivalente entre les atomes. Lorsque le partage est déséquilibré, comme dans la molécule d'eau (H_2O), la liaison est dite polaire, et la molécule résultante possède un pôle chargé négativement et un autre chargé positivement.

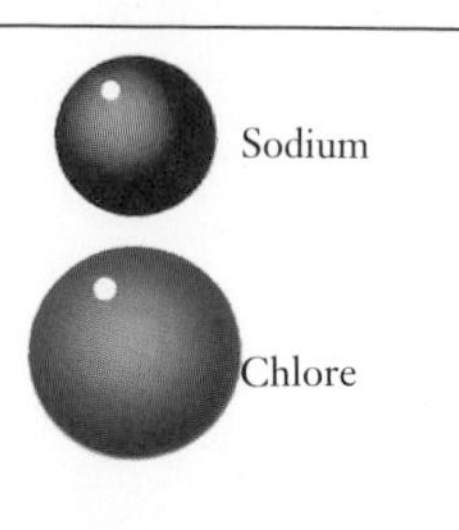

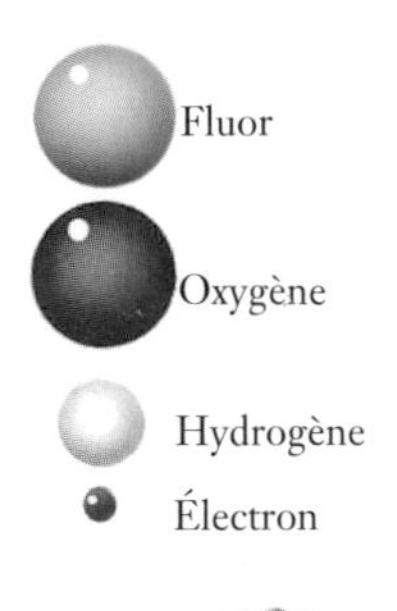

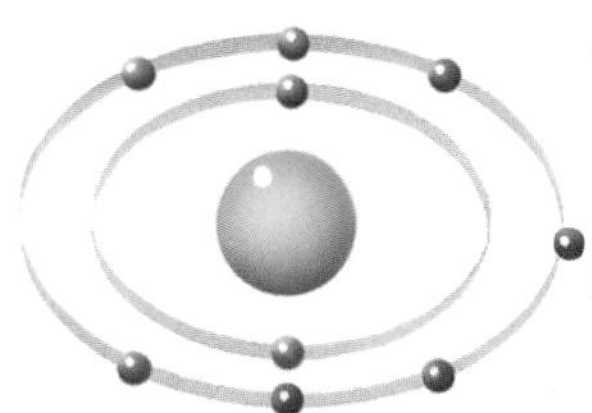

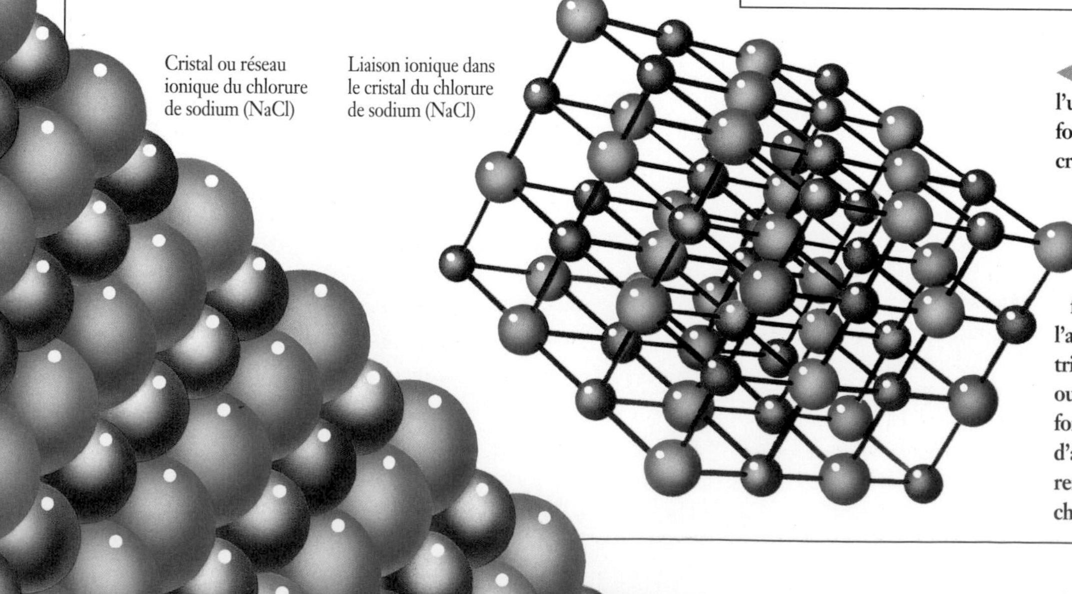

Cristal ou réseau ionique du chlorure de sodium (NaCl)

Liaison ionique dans le cristal du chlorure de sodium (NaCl)

◄ **Le sel de table (NaCl) est l'un des nombreux composés formant des cristaux. Les cristaux sont délimités par des faces bien visibles qui se coupent en formant des angles caractéristiques. La forme du cristal reflète l'arrangement tridimensionnel des atomes ou des molécules qui le forment. L'étude du réseau d'atomes dans un cristal peut renseigner sur ses propriétés chimiques.**

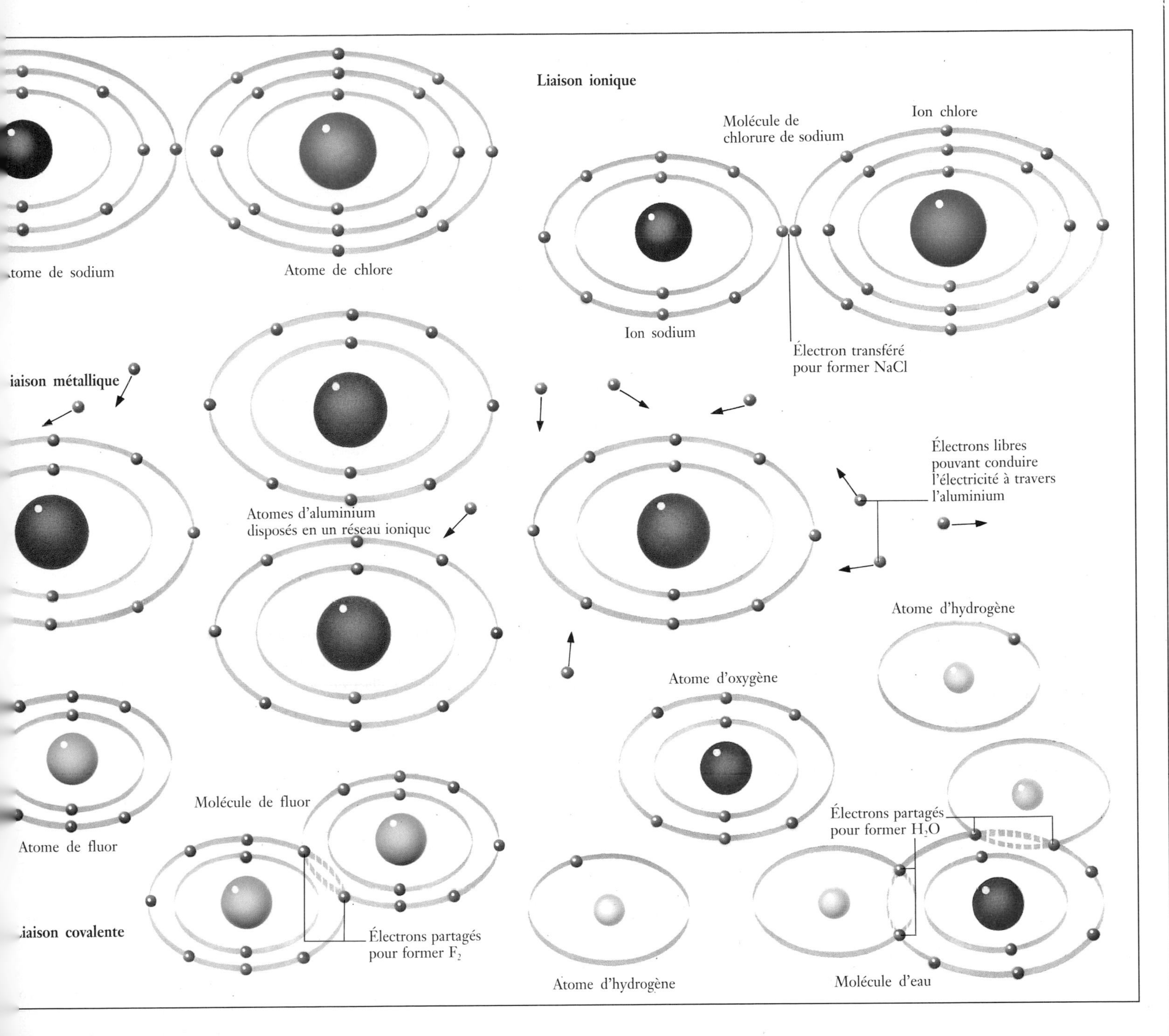

◀ Comme le sel (NaCl), la pyrite (FeS) est seulement constituée de deux éléments. De la même façon que dans le sel, les atomes de fer et de soufre forment un réseau cubique à faces centrées. Mais contrairement aux cristaux de sel qui ont généralement la forme d'un cube, les cristaux de pyrite peuvent être cubiques, octaédriques ou présenter 12 faces pentagonales.

de produire une essence pour automobile ayant le maximum de volatilité, pour que les voitures démarrent plus facilement par temps froid, et le bon indice d'octane pour que les voitures roulent sans à-coups et avec suffisamment de puissance, les raffineurs doivent proposer un juste équilibre entre chaîne principale et isomères ramifiés des alcanes, principaux composants du pétrole. Bien que deux isomères aient la même composition chimique, leurs formes moléculaires sont différentes, et en conséquence leurs performances comme carburant diffèrent. Un carburant ayant trop peu d'alcanes à chaîne droite sera trop volatil, alors qu'un carburant n'ayant pas assez d'alcanes ramifiés aura un taux d'octane très bas.

LIAISONS ET STRUCTURES

Lorsque deux atomes d'oxygène se joignent à un atome de carbone au moyen de doubles liaisons covalentes, il se forme du dioxyde de carbone (CO_2), gaz relativement inoffensif. Mais lorsque les mêmes éléments se lient à l'aide d'une double liaison covalente et d'une liaison de coordination (dative), le résultat est très différent. Ce composé, le monoxyde de carbone (CO), est un poison mortel gazeux.

Une formule chimique à elle seule ne peut pas renseigner sur l'aspect d'une substance et sur ses propriétés physiques. Ces propriétés sont fortement influencées par la façon dont les atomes sont liés entre eux et arrangés l'un par rapport à l'autre. Plus les liaisons sont fortes, quel que soit leur type, plus les points de fusion et d'ébullition de la substance sont hauts, et généralement plus sa dureté est grande.

MOTS CLÉS

ALLOTROPIE
DIOXYDE DE CARBONE
EAU
FORCE DE VAN DER WAALS
LIAISON
LIAISON DE COVALENCE
LIAISON DOUBLE
LIAISON HYDROGÈNE
LIAISON TRIPLE

Les propriétés du mastic de silicone, utilisé pour fabriquer des jouets, sont aussi le résultat d'une combinaison de liaisons de coordination et de covalence. Dans ce cas, pour remplacer certains atomes de silicium dans la chaîne polymérisée du silicone, on utilise des atomes de bore qui forment facilement des liaisons de coordination avec des chaînes d'atomes voisines. Lorsque le mastic est manié doucement, il s'étire parce que les chaînes de silicium glissent les unes sur les autres tant que les atomes de bore forment des liaisons de coordination avec les atomes d'oxygène successifs de la chaîne voisine. Mais lorsque le mastic est manié violemment, il se casse car les atomes de bore sont alors incapables de former des liaisons de coordination, et les liaisons de covalence entre les chaînes cèdent.

Les forces entre les molécules jouent également un rôle important pour déterminer les propriétés des substances. Certaines molécules, telles que l'eau, se maintiennent ensemble grâce à des liaisons de covalence polaires, dans lesquelles les électrons sont partagés de façon inégale. Cela donne une faible charge électrique positive à une terminaison de la molécule et une faible charge électrique négative à l'autre bout. Ces charges

▶ Le carbone illustre la grande variété de caractéristiques qui peut résulter des différents arrangements des atomes. Il existe naturellement sous quatre formes distinctes, ou allotropiques : carbone amorphe, graphite, diamant et buckminsterfullerène. La grande variété de composés de carbone pur résulte du fait que le carbone avec une valence égale à 4 peut former des liaisons simples, doubles ou triples avec lui-même, et peut aussi former quatre liaisons de covalence avec d'autres atomes. Le carbone amorphe consiste en particules de carbone sans forme que l'on trouve dans les suies formées durant la combustion incomplète d'hydrocarbures. Dans le graphite, le carbone est arrangé en fins feuillets composés d'anneaux hexagonaux. Les feuillets sont maintenus ensemble par de faibles forces de Van der Waals.

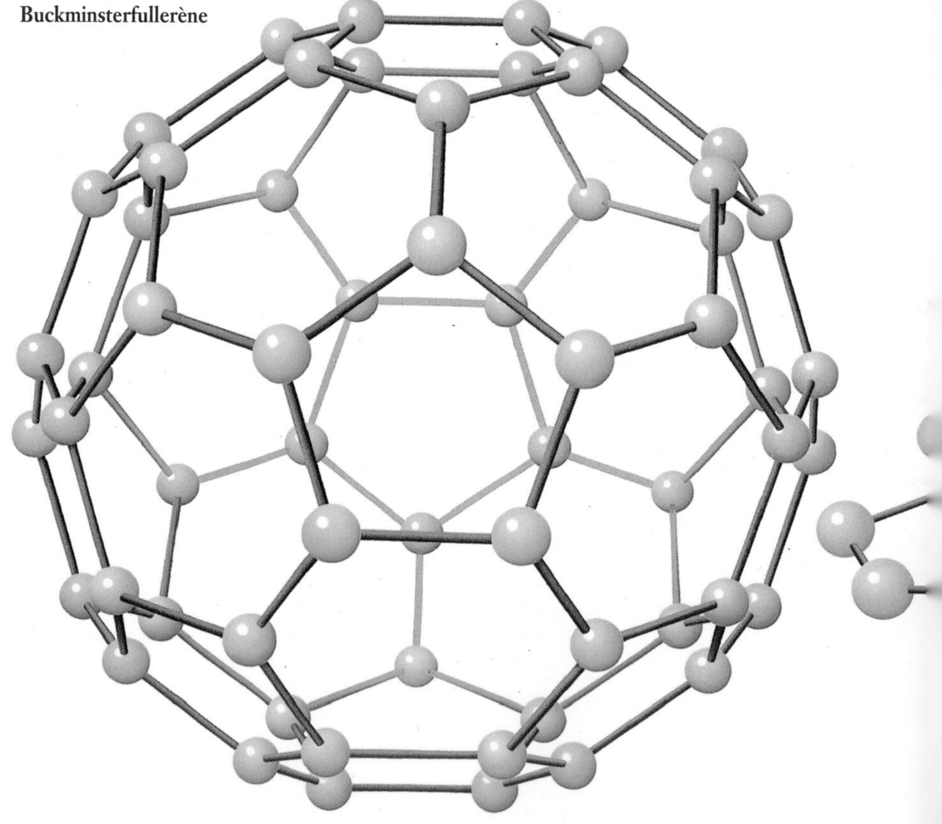

Buckminsterfullerène

▶ Le buckminsterfullerène (C_{60}), la quatrième forme allotropique du carbone, ne fut extrait et caractérisé à partir de la suie qu'en 1985. Sa structure de base consiste en anneaux pentagonaux et hexagonaux d'atomes de carbone ressemblant à un dôme géodésique (inventé par l'architecte Buckminster Fuller, d'où le nom). Elle offre de nombreuses possibilités pour « doper » les molécules afin de modifier leurs caractéristiques électriques et magnétiques en plaçant d'autres composés à l'intérieur. Cela a conduit à définir de nouvelles molécules appelées fullerènes. Certaines possèdent des propriétés de supraconducteur à des températures relativement élevées ou des propriétés ferromagnétiques très utiles.

opposées s'attirent, et l'attraction dipôle-dipôle attire les molécules l'une vers l'autre. Les liaisons hydrogène constituent une forme d'attraction dipôle-dipôle très forte. Bien qu'elles soient très faibles comparées à des liaisons chimiques ordinaires, elles possèdent certains effets significatifs. La liaison hydrogène de l'eau est responsable de sa tension de surface élevée. C'est pourquoi certains insectes « marchent » à la surface d'une eau tranquille. La liaison hydrogène est aussi une des raisons pour lesquelles le point d'ébullition de l'eau est élevé. Il faut fournir de l'énergie sous forme de chaleur pour casser les liaisons hydrogène et séparer les molécules liquides en molécules individuellement libres telles qu'on les trouve dans la vapeur.

Les forces intermoléculaires n'ont pas besoin d'être fortes pour être puissantes. Les forces de Van der Waals, oscillations de charges positives et négatives qui prennent place à la surface des molécules consécutivement à la position constamment changeante des électrons, attirent les molécules non polaires ensemble s'il n'existe pas de forces plus fortes encore pour le faire. Dans le graphite, les liaisons de covalence maintiennent les feuillets de carbone entre eux, mais ce sont des liaisons de Van der Waals qui lient les couches les unes aux autres. La faiblesse des liaisons de Van der Waals permet aux couches de glisser l'une sur l'autre ; c'est pourquoi le graphite est un si bon lubrifiant.

■ Le diamant (*ci-dessous*), autre forme du carbone, est l'une des substances naturelles les plus dures. Sa valeur en tant que pierre précieuse dépend de la façon avec laquelle il a été taillé, mais sa principale utilisation est plus industrielle que décorative : sa dureté en fait un excellent outil à découper. Au contraire, le graphite minéral (*à gauche*) est une des formes de carbone les plus tendres. Cela en fait un bon lubrifiant et un bon conducteur électrique.

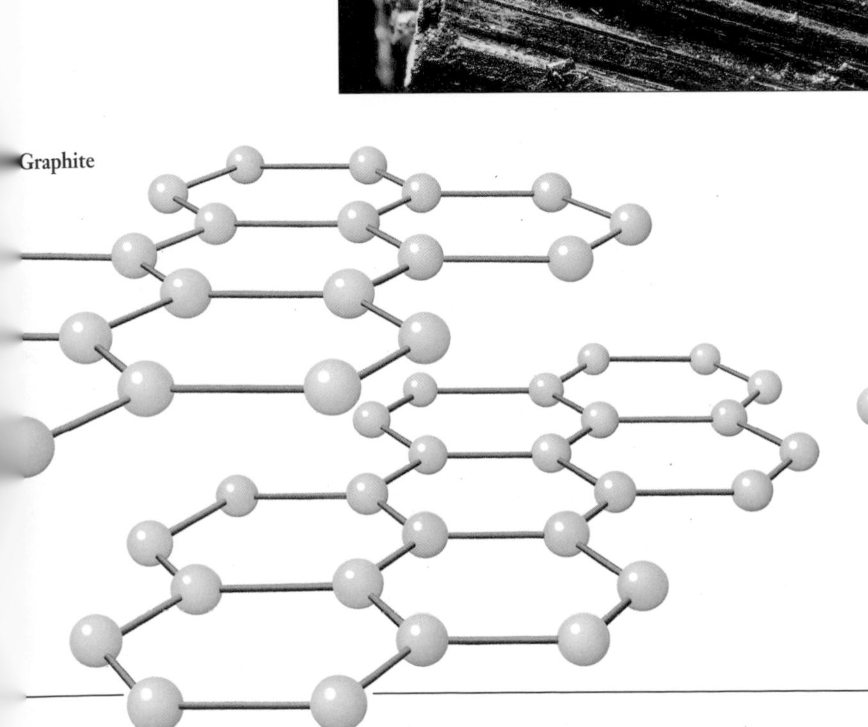

Diamant

◄ Dans le graphite (*au centre*), un réseau d'anneaux hexagonaux de carbone forme de fins feuillets. Dans le diamant (*ci-contre*), chaque atome de carbone est lié de façon covalente à quatre autres atomes pour former un réseau tridimensionnel dense de molécules tétraédriques.

LES RÉACTIONS CHIMIQUES

2

L'art du chimiste réside dans la compréhension et le contrôle de la chimie responsable des réactions chimiques. Elles ont lieu soit de façon explosive soit de façon graduelle, et certaines même ne se produisent pas du tout sans une aide extérieure.

C'est la nature des réactifs qui détermine la vitesse à laquelle la réaction a lieu, ou même si elle aura bien lieu. En général, les atomes recherchent une plus grande stabilité en complétant leur couche externe d'électrons. Un élément qui possède un seul électron sur sa couche externe comme l'hydrogène (qui a un proton et un électron au total) donne facilement cet électron. L'hydrogène forme ainsi de nombreux composés, allant de l'eau aux hydrocarbures et autres molécules organiques, en passant par les acides et les bases. Les métaux et les halogènes tels que le sodium et le chlore sont si réactifs qu'il peut être parfois difficile de les contrôler.

Comprendre comment les liaisons se rompent et se forment peut aider les chimistes à initier des réactions, à manipuler certains éléments réactifs en toute sécurité, et à contrôler les vitesses des réactions. Augmenter la température, la pression ou la concentration peut fournir l'énergie d'activation nécessaire pour amorcer une réaction et en augmenter la vitesse. Les catalyseurs (substances qui accélèrent la vitesse d'une réaction en ne subissant elles-mêmes aucune transformation chimique permanente) peuvent même aider à former des composés à partir d'éléments pourtant peu réactifs.

Tous les procédés chimiques industriels, quelle que soit leur importance, débutent sur la paillasse d'un laboratoire. Le laboratoire de chimie est l'endroit où naissent les nouvelles idées en matière de chimie. Dès qu'on découvre une réaction potentiellement utile, elle peut être extrapolée à une échelle industrielle. Comprendre comment une réaction chimique fonctionne constitue une première étape vers la création de nouveaux processus chimiques pour l'industrie. La conception de l'équipement et du matériel adéquats pour réaliser l'expérience en toute sécurité pour la première fois est également importante.

NOMS ET FORMULES

Pour être utiles aux chimistes, les noms des composés chimiques doivent indiquer la composition du composé, mais également donner une indication de structure sur la forme et la nature des liaisons chimiques. Les consommateurs, eux, recherchent un nom facile à retenir, et qui peut être associé à un produit connu, utilisé pour un rôle spécifique. En reconnaissant ce besoin, les fabricants de produits chimiques développèrent très tôt des noms de marque pour pousser sur le marché leurs produits. Beaucoup de ces noms qui contiennent certaines informations chimiques sont devenus des mots d'usage quotidien.

MOTS CLÉS

ÉQUATION CHIMIQUE
FORMULE CHIMIQUE
NOMENCLATURE CHIMIQUE
NOMENCLATURE SYSTÉMATIQUE
RÉACTION CHIMIQUE

Cependant, du point de vue des chimistes, les noms de marque ne donnent pas suffisamment d'informations, en particulier lorsqu'on se réfère à des composés organiques qui souvent incluent un nombre important de molécules compliquées contenant du carbone. Les chimistes ont besoin d'une information complète sur la nature de la réaction ainsi que sur les réactifs et les produits de la réaction afin de pouvoir trouver le sens d'une appellation chimique.

Bien qu'un certain nombre de systèmes aient été développés par le passé, la majorité des chimistes se fient maintenant à une forme de nomenclature systématique soutenue par l'Union Internationale de Chimie Pure et Appliquée (IUPAC, en anglais). Dans ce système, le nom d'un composé décrit de nombreuses caractéristiques importantes telles que les types de composés cycliques ou les chaînes fonctionnelles que la molécule contient, et quelles sortes de liens les maintiennent ensemble. Le grand avantage de ce système est que tous les chimistes à travers le monde peuvent comprendre quelque chose à la structure et à la chimie d'un composé organique simplement en connaissant son nom. L'inconvénient est que parfois les noms sont très compliqués. Par exemple, le glucose (type de sucre) devient 2,3,4,5,6-pentahydroxyhexanal dans le système IUPAC.

Les composés peuvent aussi être représentés par leurs formules chimiques qui indiquent quels sont les éléments présents dans le composé et en quelles proportions. Le meilleur exemple, connu de tous, reste la formule chimique de l'eau, H_2O, qui indique un composé fait de deux atomes d'hydrogène et d'un atome d'oxygène. Les autres types de représentation de la structure des molécules possèdent chacun leurs avantages et leurs inconvénients et les chimistes utilisent des modèles différents selon qu'ils désirent illustrer tel ou tel aspect de la structure.

Les équations chimiques offrent un moyen simple d'écrire les changements qui ont lieu pendant les réactions chimiques, lorsqu'une substance est transformée en une ou plusieurs substances différentes. Le nombre d'atomes des réactifs, ou substances qui prennent part à la réaction, est indiqué dans le membre de gauche de l'équation. Le nombre d'atomes des produits apparaît dans le membre de droite. Puisque aucun atome n'est perdu ni créé durant une réaction chimique, les équations chimiques sont équilibrées de sorte que le nombre total d'atomes de chaque élément à gauche est égal au nombre total de ceux à droite.

Les réactions équilibrées fournissent beaucoup d'informations sur la composition et la formation des composés, mais elles n'indiquent pas la vitesse à laquelle ces réactions ont lieu. Certaines réactions ont lieu spontanément, alors que d'autres nécessitent un apport d'énergie pour les déclencher.

La quantité d'énergie nécessaire pour amorcer la rupture et la formation de liaisons chimiques, et ainsi initier la réaction, est appelée énergie d'activation. La vitesse à laquelle une réaction a lieu peut être affectée en changeant la température ou la pression auxquelles la réaction se passe. La réaction sera aussi modifiée par la présence d'un catalyseur, substance qui augmente la vitesse d'une réaction chimique, sans être consommée elle-même.

▲ Les noms communément utilisés peuvent prêter à confusion. Pour un géologue, la craie est une roche composée principalement de petits cristaux ; pour un enseignant, la craie est un outil qui sert à écrire au tableau. En fait, elles sont différentes, et un chimiste fait la distinction : la craie du géologue est du carbonate de calcium ($CaCO_3$) alors que celle de l'enseignant est du sulfate de calcium ($CaSO_4$).

► Les schémas de Lewis utilisent des points pour indiquer le nombre d'électrons de valence d'un atome, ce qui est très utile pour représenter les liaisons covalentes.

$CaCO_3$ *100 g* Carbonate de calcium + H_2SO_4 *98 g* Acide sulfurique → $CaSO_4$ *136 g* Sulfate de calcium + CO_2 *44 g* Dioxyde de carbone + H_2O 18g Eau

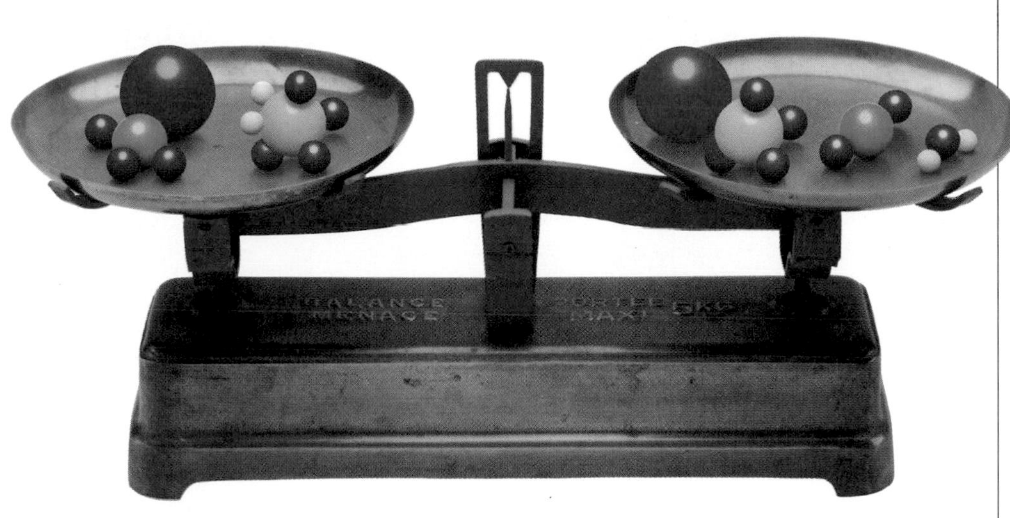

▲ Une équation chimique décrit très précisément la nature d'une réaction chimique. Pour l'exemple ci-dessus, on peut écrire les masses moléculaires relatives des réactifs (à gauche de l'équation) et des produits de réaction (à droite). Si l'on exprime les masses en grammes, l'équation nous indique que 100 grammes de carbonate de calcium réagissent avec 98 grammes d'acide sulfurique pour produire 136 grammes de sulfate de calcium, 44 grammes de dioxyde de carbone et 18 grammes d'eau. Cela confirme que l'équation est équilibrée : 198 grammes de réactifs donnent 198 grammes de produits finaux. De plus, on peut en déduire que lorsque de la craie – carbonate de calcium – est jetée dans de l'acide, il se produit une effervescence puisque des bulles de dioxyde de carbone se forment.

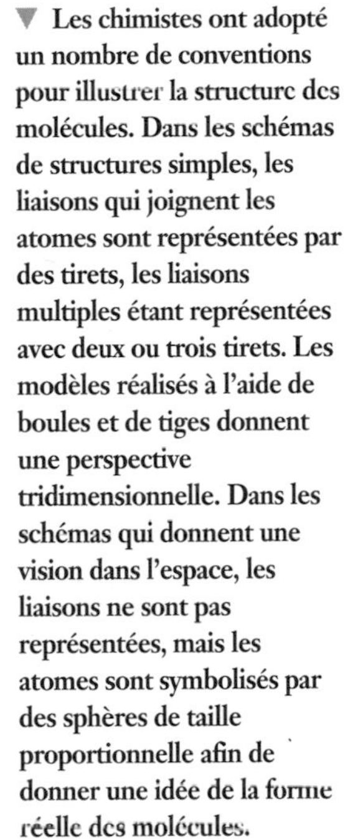

▼ Les chimistes ont adopté un nombre de conventions pour illustrer la structure des molécules. Dans les schémas de structures simples, les liaisons qui joignent les atomes sont représentées par des tirets, les liaisons multiples étant représentées avec deux ou trois tirets. Les modèles réalisés à l'aide de boules et de tiges donnent une perspective tridimensionnelle. Dans les schémas qui donnent une vision dans l'espace, les liaisons ne sont pas représentées, mais les atomes sont symbolisés par des sphères de taille proportionnelle afin de donner une idée de la forme réelle des molécules.

	Oxygène	Dioxyde de carbone	Eau	Ammoniac	Méthane	Benzène	Soufre
Formule	(O_2)	(CO_2)	(H_2O)	(NH_3)	(CH_4)	(C_6H_6)	(S_8)
Modèle compact							
Modèle éclaté							
Schéma	O═O	O═C═O	H, O, H	H, N, H, H	H, H—C—H, H	H, H, C═C, H—C, C—H, C—C, H, H	S—S, S, S, S, S, S—S
Modèle de Lewis	O::O	O::C::O	H:O:H	H, H:N:H	H, H:C:H, H	H, H, C::C, H:C, C:H, C:C, H, H	S S, S S, S S, S S

Acides, bases et sels

Les cachets pour digérer calment l'estomac grâce à la chimie des acides et des bases. Ils contiennent des bases qui réagissent et neutralisent une partie de l'acide présent dans l'estomac en réduisant sa concentration.

Les acides sont des composés qui contiennent de l'hydrogène et se dissolvent dans l'eau en libérant des ions hydrogène. Comme l'ion hydrogène est un atome d'hydrogène qui a perdu son électron et, par conséquent, qui est réduit à un proton, les acides sont également appelés donneurs de protons. Lorsqu'ils sont dissous dans l'eau, les acides agissent comme des électrolytes et deviennent conducteurs électriques. De nombreux acides sont fortement corrosifs et doivent être manipulés avec la plus grande précaution. Certains acides moins corrosifs comme le vinaigre et l'acide citrique donnent de la saveur aux aliments grâce à leur goût aigre et piquant.

MOTS CLÉS

ACIDE
ALCALIS
BASE
CATALYSEUR
CONCENTRATION
ION
PH
SEL
VITESSE DE RÉACTION

Les protons des acides sont facilement acceptés par les bases. Les bases sont de bons accepteurs de protons car elles contiennent souvent des ions oxydes (O^-) ou hydroxydes (OH^-). La plupart des bases ne peuvent être dissoutes dans l'eau. Celles qui peuvent l'être sont appelées alcalis. Les cachets pour digérer ou les produits pour déboucher les canalisations contiennent des bases d'usage courant. La soude caustique (hydroxyde de sodium, NaOH) et la chaux (oxyde de calcium, CaO) sont des bases industrielles.

Lorsque les acides et les bases sont mélangés, ils se combinent dans une réaction de neutralisation pour former un composé ionique appelé sel, et de l'eau. Par exemple, l'acide chlorhydrique (HCl) neutralise l'hydroxyde de sodium (NaOH) pour produire du sel de table (chlorure de sodium, NaCl) et de l'eau (H_2O).

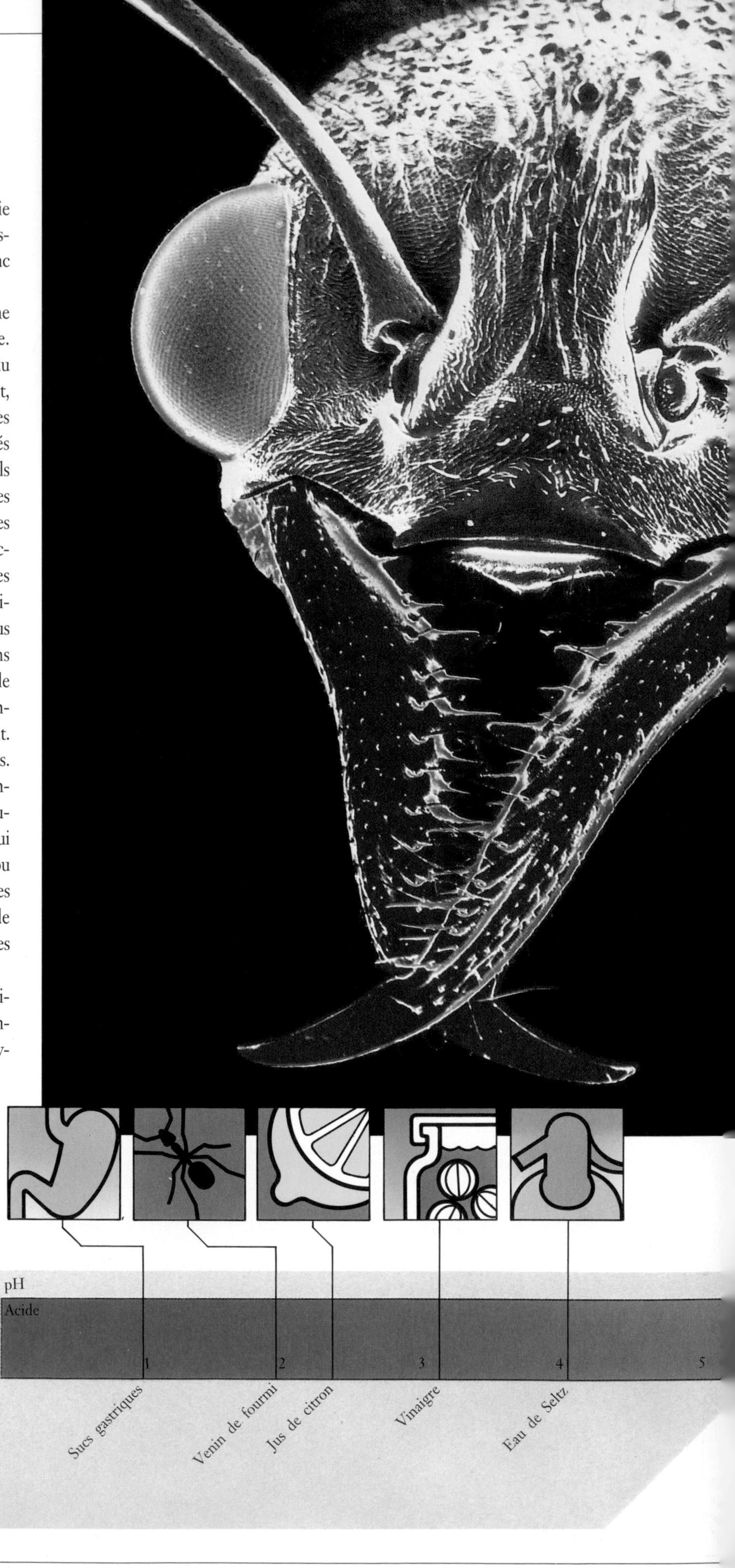

▶ On utilise le pH pour indiquer la force d'un acide ou d'une base. Les substances neutres telles que le lait ou l'eau pure ont une valeur de pH aux alentours de 7. Les acides ont un pH inférieur à 7. Le jus de citron (pH 2,2) et le vinaigre (pH 3) sont des acides familiers utilisés en cuisine. La piqûre des orties ou des fourmis est causée par l'acide formique (pH 1,5). L'acide des sucs gastriques, pH 1, est l'un des plus forts.

◀ **Le dard des fourmis contient de l'acide formique (HCOOH), la forme la plus simple et la plus forte des acides carboxyliques. Les acides citriques, lactiques, tartriques et acétiques sont d'autres types d'acides carboxyliques. Ces derniers ainsi que d'autres tels que les acides benzoïques et salicyliques existent également sous la forme de sels et d'esters : lorsqu'un acide est mélangé à une base soluble dans l'eau, il forme un sel et de l'eau. On obtient les acides carboxyliques par hydrolyse des esters et par oxydation des alcools primaires ou des aldéhydes.**

La concentration d'un acide ou d'une base varie avec la quantité d'eau présente dans la solution, mais sa force reste constante. Cette force est déterminée par l'aptitude qu'ils ont à se dissocier et à se scinder en ions. Les acides faibles et les bases faibles se dissocient seulement partiellement. Les acides et les bases fortes qui se dissocient totalement en ions sont les donneurs ou les accepteurs de protons les plus forts. On peut mesurer la force d'un acide ou d'une base grâce à la concentration en ions hydrogène de leur solution, concentration reliée au pH. Différentes valeurs de pH peuvent être déterminées à l'aide d'un indicateur, substance qui change de couleur avec le pH. Les indicateurs au tournesol permettent de distinguer les acides, qui virent au rouge, des bases, qui virent au bleu. Les indicateurs universels changent graduellement de couleur selon une échelle de pH.

▼ **Les composés alcalins ont un pH supérieur à 7. Les dentifrices sont légèrement alcalins afin de neutraliser les acides formés dans la bouche par l'action des bactéries. Les nettoyants ménagers contiennent souvent des substances alcalines agissant comme dégraissant.**

▲ **Certains artistes ou imprimeurs utilisent l'acide pour graver des traits fins dans le métal ou le verre afin de réaliser des planches. De la même façon, l'industrie utilise des acides pour graver de minuscules circuits imprimés, très précis, à la surface de plaques de verre ou des puces en silicium.**

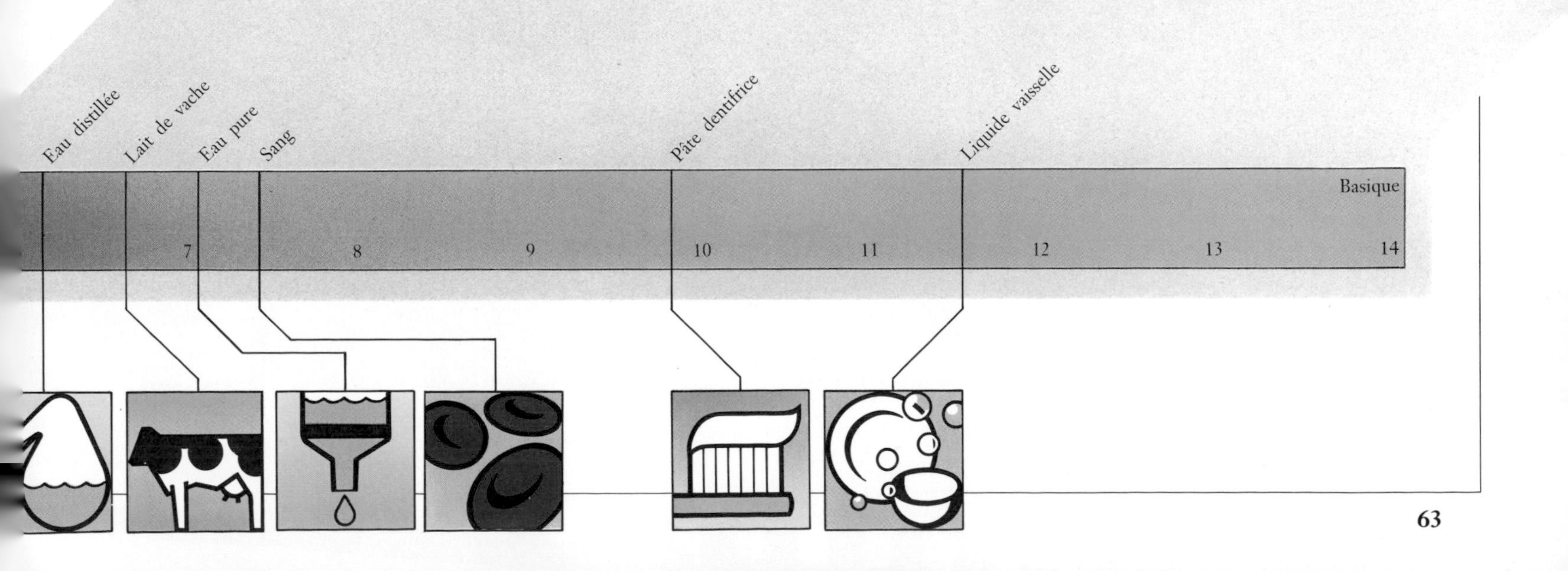

LES ÉCHANGES DE CHALEUR

Lors de toute réaction chimique, des liaisons sont cassées, créées ou réarrangées. Pendant ce processus, de l'énergie est soit absorbée, soit libérée sous forme de chaleur. Cela provient des échanges d'énergie qui ont lieu lorsque les liaisons se cassent ou se créent. Toutes les réactions requièrent un apport d'énergie, appelée énergie d'activation, pour étirer et casser les liaisons afin de démarrer la réaction. L'énergie de liaison correspond à la quantité d'énergie nécessaire à une liaison pour être cassée. Plus la liaison est forte, plus il est difficile de la rompre, et par conséquent plus importante est son énergie de liaison.

MOTS CLÉS

COMBUSTION
ÉNERGIE D'ACTIVATION
LIAISON
POINT D'ÉBULLITION
POINT DE FUSION
RÉACTION CHIMIQUE
RÉACTION ENDOTHERMIQUE
RÉACTION EXOTHERMIQUE
THERMOCHIMIE

Les réactions de respiration des tissus, de neutralisation et de combustion impliquent la formation de liaisons qui libèrent de l'énergie, par exemple sous forme de chaleur. Ce sont des réactions exothermiques. Les réactions telles que la photosynthèse (qui permet de transformer l'énergie solaire en nourriture pour les plantes) et l'électrolyse (processus utilisé pour plaquer ou purifier un métal) sont le résultat de liaisons rompues en absorbant de la lumière ou de l'énergie électrique. Celles-ci sont des réactions endothermiques. La cuisson d'un gâteau est également une réaction endothermique.

Les explosions sont le résultat spectaculaire de réactions exothermiques pour lesquelles la production d'énergie est plus rapide que sa dissipation. L'énergie libérée lors d'une réaction exothermique produit une augmentation de la température et de la vitesse de réaction. Si la réaction s'accélère suffisamment rapidement pour générer une onde de pression, une explosion a lieu. Les explosifs utilisés de nos jours mettent en jeu des réactions de combustion impliquant un oxydant et un carburant. Les explosifs anciens étaient très instables car le carburant et l'oxydant étaient combinés dans la même molécule. La nitroglycérine, utilisée comme explosif à partir du milieu du XVIIIe siècle, est tellement sensible qu'on ne peut la manipuler sans risque qu'en la combinant avec d'autres matériaux comme la dynamite. La dynamite fut inventée par l'ingénieur suédois Alfred Nobel lors d'une tentative pour trouver un moyen sûr de manipuler la nitroglycérine liquide après que son frère ait été tué par une explosion dans leur usine en 1864. Contrairement à la nitroglycérine, la dynamite requiert un détonateur pour pouvoir exploser. La nitroglycérine de la dynamite est absorbée dans un matériau stable tel que la pulpe de bois. Actuellement, le nitrate de sodium remplace une partie de la nitroglycérine dans la dynamite, la rendant encore moins dangereuse à manipuler. Le plastic, qui est une autre forme moderne d'explosif, contient de la nitrocellulose.

Dès 1874, l'écrivain de science-fiction Jules Verne prédit que l'eau pourrait être utilisée, un jour, comme carburant. En fait, les réactions entre l'oxygène et l'hydrogène – les deux composants de l'eau – peuvent être fortement exothermiques. Un mélange d'oxygène et d'hydrogène gazeux est très explosif, aussi se sert-on de la puissance fournie par l'énergie libérée durant la réaction exothermique qui a lieu lorsqu'on brûle de l'hydrogène dans de l'oxygène pour faire décoller des engins spatiaux tels que la navette américaine. A l'intérieur de la navette, au lieu de les brûler, l'hydrogène et l'oxygène sont combinés dans une cellule électrochimique pour fournir l'électricité nécessaire à l'équipement de l'engin ainsi que l'eau que les astronautes boiront durant le voyage.

On utilise l'oxygène liquide comme comburant dans certains moteurs de fusées. On peut aussi utiliser un autre oxydant gazeux comme le dioxyde d'azote ou de fluor, ou un liquide contenant l'oxygène en excès tel que le peroxyde d'hydrogène ou encore un solide comme le nitrate de potassium.

▶ Dans la réaction endothermique qui permet de faire cuire des œufs, la chaleur rompt les liaisons entre les protéines du blanc, leur permettant ainsi de se déployer en surface. Des réactions exothermiques prennent le relais lorsque les protéines forment de nouvelles liaisons entre elles (coagulation).

▶ Une explosion contrôlée abat un immeuble condamné. L'explosif utilisé pour une telle opération est généralement un explosif puissant qui est d'abord enflammé ; la mise à feu déclenche alors une explosion qui génère une onde de choc massive, provoquant l'écroulement de l'immeuble. La détonation se propage 1000 fois plus vite qu'une flamme.

▲ **La fusée française *Ariane V*, comme tout engin spatial, exploite une réaction exothermique pour son lancement. L'hydrogène, le carburant, brûle dans de l'oxygène, l'agent oxydant, pour produire des quantités énormes de chaleur et de lumière (une combustion est l'oxydation d'un combustible, c'est-à-dire sa combinaison avec de l'oxygène). La réaction exothermique est continue et dure tant qu'il y a alimentation en hydrogène et en oxygène. La réaction produit de l'eau qui, vu la chaleur dégagée, est émise sous forme d'un jet de gaz à haute pression, fournissant ainsi à la fusée la poussée nécessaire pour décoller.**

Combustion et combustibles

Les combustibles sont des composés qui emmagasinent de l'énergie chimique. Cette énergie est libérée sous forme de chaleur en créant ou en brisant des liaisons lorsque le combustible se décompose. En retour, la chaleur est transformée en travail ou en toute autre forme d'énergie. La nourriture est le combustible sur lequel les animaux comptent pour leur apporter l'énergie nécessaire à la vie. Les hydrocarbures tels que le pétrole, le gaz naturel ou le charbon sont des combustibles fournissant l'énergie permettant de chauffer les habitations, de faire tourner les moteurs et de fabriquer de l'électricité. Différents types de combustibles produisent des quantités d'énergie différentes.

MOTS CLÉS

COMBUSTION
COMBUSTION SPONTANÉE
ÉNERGIE CHIMIQUE
ÉNERGIE D'ACTIVATION
HYDROCARBURE
OXYDATION
RÉACTION ENDOTHERMIQUE
RÉACTION EXOTHERMIQUE

Au cours de la respiration, les organismes décomposent des combustibles tels que les aliments à l'aide d'oxygène pour former de l'eau (H_2O) et du dioxyde de carbone (CO_2). L'énergie libérée par ce processus aide l'organisme à se maintenir vivant et à se développer. De façon similaire, les combustibles tels que le pétrole, le gaz naturel et le charbon libèrent de l'énergie lorsqu'ils brûlent dans l'air ou dans l'oxygène, fournissant ainsi de la chaleur. Pendant la combustion des hydrocarbures, le carbone et l'hydrogène réagissent avec l'oxygène pour former après oxydation du dioxyde de carbone (CO_2) et de l'eau (H_2O).

La vitesse de combustion dépend de conditions telles que la concentration en oxygène. Cet oxygène ne représente qu'un cinquième de la composition de l'air (le reste étant essentiellement composé d'azote inerte), aussi les combustibles brûlent-ils plus vite dans l'oxygène pur. Le contrôle de la concentration de combustible est important pour maîtriser la combustion.

Exactement de la même façon qu'une allumette est nécessaire pour allumer une bougie, de l'énergie, généralement présente sous la forme de chaleur, est nécessaire pour faire démarrer une réaction de combustion. Cette énergie d'activation sert à rompre des liaisons, afin que de nouvelles liaisons se forment. Comme la combustion est une réaction exothermique, elle fournit sa propre énergie une fois que la réaction est en cours. Comme pour une bougie, la réaction s'arrête lorsque l'alimentation en combustible ou en oxygène vient à manquer.

La quantité d'énergie libérée par la combustion d'un combustible dépend du nombre de liaisons à rompre et à créer. Cela est généralement lié à la taille des molécules de combustible ainsi qu'au type des liaisons concernées. Pour cela, de plus grosses molécules d'hydrocarbures tels que l'hexane (C_6H_{14}), composant typique de l'essence, fournissent plus d'énergie que des combustibles comme le méthane (gaz naturel, CH_4). Les combustibles partiellement oxydés comme l'éthanol (C_2H_5OH), l'alcool des

► Des combustibles différents donnent des quantités différentes d'énergie libérée, donc de chaleur fournie. Ils ont également différents points d'ébullition et d'ignition. Toutes ces propriétés sont liées à leur structure moléculaire, en particulier le nombre d'atomes de carbone qu'ils contiennent. Par exemple, les molécules plus lourdes contenant plus d'atomes de carbone sont plus difficiles à enflammer. L'essence, qui possède entre 5 et 10 atomes de carbone dans sa structure, s'enflamme à toute température supérieure à –17 °C, caractéristique bien utile pour faire démarrer une voiture. Le fuel domestique, qui contient entre 20 et 30 atomes de carbone par molécule, est difficile à enflammer, mais une fois qu'il brûle il est capable de libérer une plus grande quantité de chaleur par kilogramme de combustible brûlé.

◄ **Les lampes à gaz procurent une source de lumière portable et bien pratique là où on ne peut disposer d'électricité. Ici, un chirurgien utilise une lampe à pétrole pour s'éclairer lors d'une opération réalisée dans des conditions difficiles sur un champ de bataille.**

▼ **Pour tous les combustibles, l'énergie est libérée en fabriquant et en cassant des liaisons. Lorsque des hydrocarbures brûlent dans l'oxygène, ils fournissent de la chaleur lors d'une réaction exothermique appelée combustion. Afin de faire démarrer cette réaction de combustion, de l'énergie est requise, généralement sous forme de chaleur, pour commencer à rompre des liaisons. La réaction fournit sa propre énergie une fois qu'elle est en cours. La vitesse de combustion dépend des concentrations relatives d'oxygène et de carburant. Pendant la combustion, le carbone et l'hydrogène des hydrocarbures réagissent avec l'oxygène et s'oxydent pour former du dioxyde de carbone (CO_2) et de l'eau (H_2O). Comme la réaction a toujours lieu à des températures élevées, l'eau est sous la forme de vapeur. Le dioxyde de carbone, cependant, est rejeté sous forme gazeuse dans l'atmosphère, où il contribuera à l'effet de serre.**

◄ **L'énergie libérée pendant la combustion provient de la création de liaisons avec l'oxygène. La quantité d'énergie fournie par un type de combustible est liée à la taille des molécules du combustible ainsi qu'au nombre et au type des liaisons impliquées. Une plus grosse molécule d'hydrocarbure tel que le pentane (C_5H_{12}), composant typique de l'essence, fournit plus d'énergie que le méthane, ou gaz naturel (CH_4), parce qu'elle contient plus de liaisons à rompre et à reformer avec l'oxygène. Des carburants tels que le méthanol (CH_3OH) et l'éthanol (C_2H_5OH) sont moins énergétiques car ils contiennent déjà les liaisons O-H dans leur structure moléculaire.**

boissons alcoolisées, remplacent le pétrole dans certains pays. Ceux-ci sont encore moins énergétiques car ils contiennent déjà la liaison O-H dans leur structure. Comme l'énergie fournie durant une combustion provient de la création de liaisons avec l'oxygène, les combustibles qui contiennent déjà de l'oxygène fournissent donc moins d'énergie lorsqu'ils brûlent. Une solution actuellement testée dans quelques pays consiste à mélanger un alcool (méthanol ou éthanol) avec de l'essence conventionnelle.

La puissance n'est pas le seul facteur à considérer dans le choix d'un carburant. L'utilisation de carburants pour automobile contenant de l'alcool peut aider à réduire la pollution atmosphérique parce que leur combustion est plus complète que celle des hydrocarbures et libère des quantités moindres de monoxyde de carbone (CO), de dioxyde de soufre (SO_2) et d'oxydes d'azote (NO_x). Ce sont en effet ces composés qui réagissent avec l'eau de l'atmosphère pour former des pluies acides et contribuent aux brouillards photochimiques au niveau du sol. Le plus ancien de tous les combustibles, le charbon, est le pire des polluants car son principal produit de combustion est le dioxyde de carbone qui est un gaz à effet de serre.

MAÎTRISER LE FEU

C'est en étudiant la nature des réactions chimiques qui se développent dans les incendies que l'on pourra les contrôler, ou tout au moins les prévenir.

Un feu requiert un combustible, de l'oxygène et de la chaleur. Ces trois paramètres sont souvent désignés comme le triangle du feu. Comme toutes les réactions exothermiques, les feux ont besoin d'énergie pour se déclencher. Un combustible liquide commence seulement à brûler lorsqu'il atteint la température la plus basse (point d'ignition) à partir de laquelle il se forme suffisamment de vapeur pour qu'il s'enflamme. Une fois le combustible enflammé, le feu produit lui-même la chaleur nécessaire pour entretenir la réaction. Mais si le combustible ou l'oxygène vient à manquer, le feu s'arrête.

MOTS CLÉS

DIOXYDE DE CARBONE
EXTINCTEUR
POINT ÉCLAIR
RÉACTION EXOTHERMIQUE
TEMPÉRATURE D'INFLAMMATION

Les extincteurs ont été conçus pour éteindre les incendies en s'attaquant à l'un au moins des sommets du triangle du feu. Il existe de nombreux types d'extincteurs. La nature chimique et physique du combustible, ainsi que l'ampleur du feu, sont des paramètres importants à considérer pour décider lequel choisir.

On peut éteindre de nombreux types d'incendies avec de l'eau. Il s'agit alors de refroidir le feu et donc de briser le pôle chaleur du triangle. Cependant, on ne peut utiliser l'eau sur des feux électriques. D'autre part, un jet d'eau dirigé sur un feu de carburant ne peut que disperser le carburant et par conséquent étendre l'incendie. Certaines méthodes de lutte contre le feu tentent de s'attaquer à deux pôles du triangle en même temps en combinant l'usage de l'eau, qui refroidit le feu, et de mousse qui forme une couverture isolante vis-à-vis de l'oxygène.

Dans les extincteurs à eau, c'est du dioxyde de carbone (CO_2) qui sert à propulser l'eau. En plus, le CO_2 est lui-même un excellent produit extincteur pour toutes sortes de feux confinés. Dans les extincteurs au dioxyde de carbone, le CO_2 liquide sous pression est expulsé sous forme d'un gaz plus lourd que l'air agissant comme une couverture inerte isolant le feu de l'oxygène de l'air.

Les extincteurs secs à poudre, souvent utilisés pour éteindre les petits incendies d'origine électrique, agissent également en empêchant l'apport d'oxygène, tout en refroidissant le feu. Pour ce type d'extincteur, une poudre sèche, principalement composée d'hydrogénocarbonate de sodium (ou bicarbonate de sodium, $NaHCO_3$), se décompose à la chaleur pour former du CO_2. Comme n'importe quel extincteur au CO_2, le CO_2 gazeux agit en appauvrissant le feu en oxygène, et comme la réaction est contrôlée par la chaleur du feu, le CO_2 est produit exactement là où il est nécessaire. Quant à la poudre, elle sert essentiellement à couvrir et refroidir le feu en réduisant l'apport d'air.

Certains types d'extincteurs chimiques peuvent étouffer un feu de façon plus importante encore grâce à l'utilisation d'hydrocarbures halogénés tels que le tétrachlorure de carbone (CCl_4). Étant au moins trois fois plus denses que le CO_2, ils constituent une véritable couverture de vapeur très efficace pour stopper l'apport en oxygène. Cependant il faut les utiliser avec précaution car le CCl_4 se décompose en un gaz très toxique, le phosgène ($COCl_2$). Aussi est-il interdit d'utiliser les extincteurs au CCl_4 dans certains endroits.

Les extincteurs sont très utiles en première urgence pour circonscrire de petits incendies avant qu'ils ne deviennent dangereux. Mais pour des feux plus importants, l'arrosage localisé des flammes à l'aide de produits chimiques n'est généralement pas suffisant. Divers organismes donnent des cours de prévention des incendies ainsi que des conseils pour utiliser correctement et efficacement les extincteurs.

▲ Un vêtement de pompier doit offrir une protection efficace contre les flammes, la chaleur et l'eau. On utilise une fibre synthétique aramide qui est résistante, possède d'excellentes qualités isolantes, un point de fusion élevé et brûle difficilement. Cependant, comme elle est chère, elle est souvent remplacée par des substituants ignifugés en laine ou en coton. Lorsqu'ils sont filés et tissés très serré, ces matériaux naturels empêchent la combustion en réduisant l'apport d'oxygène à la flamme.

◀ Feu de forêt en Australie, en 1994. De grandes étendues de végétation sont ainsi menacées par le feu après une longue saison sèche, et le vent peut le propager sur des centaines de kilomètres. De tels incendies catastrophiques sont courants sous les climats secs. Le feu dû à des causes naturelles est aussi dangereux que celui dû à un accident tel qu'une explosion.

▶ Un feu de forêt doit être attaqué à tous les niveaux, en arrosant les flammes d'eau au sol à l'aide de tuyaux, mais aussi depuis le ciel, et en créant des coupe-feu à l'aide de bulldozers. On peut l'asperger de produits chimiques par voie aérienne.

Les extincteurs

Tous les extincteurs servent à rompre le triangle du feu, mais chacun à sa façon. On utilise plutôt les extincteurs au CO_2 (1) contre les feux provoqués par des liquides inflammables ou des courts-circuits. Le gaz vaporisé étouffe les flammes en se substituant à l'oxygène de l'air. Les extincteurs secs à poudre (2) sont sans risque pour les feux de liquides ou de solides et les incidents électriques. Leur but est d'étouffer et de refroidir le feu. Pour les extincteurs humides (3), le CO_2 (produit par l'action d'acide sulfurique sur du carbonate de sodium) propulse l'eau sur les flammes. Il est important de bien utiliser chaque extincteur pour circonscrire uniquement le type de feu pour lequel il a été conçu.

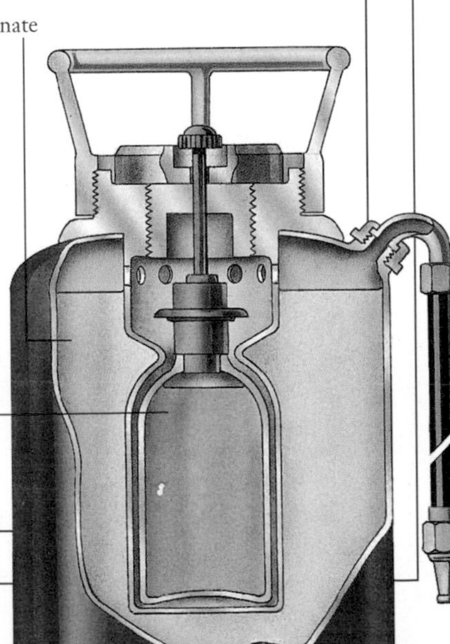

UN ENVIRONNEMENT PLUS PROPRE

Lorsque les plantes et les bactéries transforment l'azote en composés solubles, la productivité du sol s'en trouve améliorée. Mais quand les automobiles « fixent » l'azote, on parle alors de pollution de l'air. Les gaz d'échappement des voitures se mêlent au soufre et autres polluants émis par les cheminées des usines et des centrales électriques. Les pluies acides et la pollution chimique atmosphérique sont le résultat de ces rejets.

Les constituants chimiques polluants comme les oxydes de carbone, de soufre et d'azote sont les produits dérivés de processus utilisés dans l'industrie chimique. Les oxydes d'azote, accompagnés d'oxydes de soufre, émis par les centrales électriques fonctionnant au charbon, sont la cause majeure des pluies acides. D'autres émissions peuvent provoquer des problèmes pour les voies respiratoires ou la peau chez les populations vivant près des usines. Pour diminuer ces émissions, les concepteurs d'usine doivent en premier lieu développer de nouveaux processus qui ne causent pas d'émissions, ou inventer des moyens pour purifier les rejets de gaz dans l'atmosphère. C'est cette seconde solution de nettoyage qui est choisie le plus souvent.

Dans les cheminées d'usine, la méthode le plus souvent utilisée pour neutraliser les gaz acides tels que le dioxyde de soufre (SO_2) est la désulfuration des rejets gazeux. Cette technique utilise des tours de lavage constituées de compartiments installés à l'intérieur de la cheminée et dans lesquels un alcali, du calcaire, réagit avec le dioxyde de soufre pour l'éliminer sous forme de gypse qui peut aussi être récupéré.

Les voitures, les camions et les autobus sont, de loin, une plus grande source de polluants. Les gaz d'échappement sont responsables de la plupart des rejets de monoxyde de carbone (CO) dans l'air. Ils émettent également des oxydes d'azote, ainsi que des hydrocarbures non brûlés. Lorsque les oxydes d'azote réagissent avec ces hydrocarbures, de l'oxygène et de la vapeur d'eau sous la lumière solaire, il se forme de l'ozone près du sol. Dans la haute atmosphère, l'ozone protège la Terre des radiations ultraviolettes nuisibles, mais au niveau du sol il détruit de nombreuses molécules biologiques et est responsable des smogs photochimiques si irritants pour les yeux.

MOTS CLÉS

- ACIDE
- DÉSULFURATION
- DIOXYDE DE SOUFRE
- OXYDES D'AZOTE
- OZONE
- PLUIE ACIDE
- POT CATALYTIQUE
- SMOG
- TOUR DE LAVAGE

La pollution par les gaz d'échappement est causée par la combustion incomplète des carburants due à un manque d'oxygène. Les ingénieurs de l'automobile expérimentent actuellement des moteurs à « combustion appauvrie » qui fonctionnent avec un rapport de mélange air/carburant supérieur aux moteurs normaux, afin de brûler complètement le carburant.

Cependant le moyen le plus efficace de réduire les émissions de gaz d'échappement est d'installer un convertisseur catalytique entre le moteur et le pot d'échappement. Il favorise des réactions chimiques qui oxydent le monoxyde de carbone et les hydrocarbures non brûlés en dioxyde de carbone (CO_2) et en eau tout en réduisant les oxydes d'azote en azote. Dans le convertisseur, un catalyseur (du platine et du rhodium en poudre) est étalé sur un support en céramique. Dans certains pots catalytiques, le convertisseur consiste en un lit tassé de petites sphères poreuses en céramique dont la paroi externe est recouverte par le métal catalyseur. Les catalyseurs ne fonctionnent qu'avec de l'essence sans plomb.

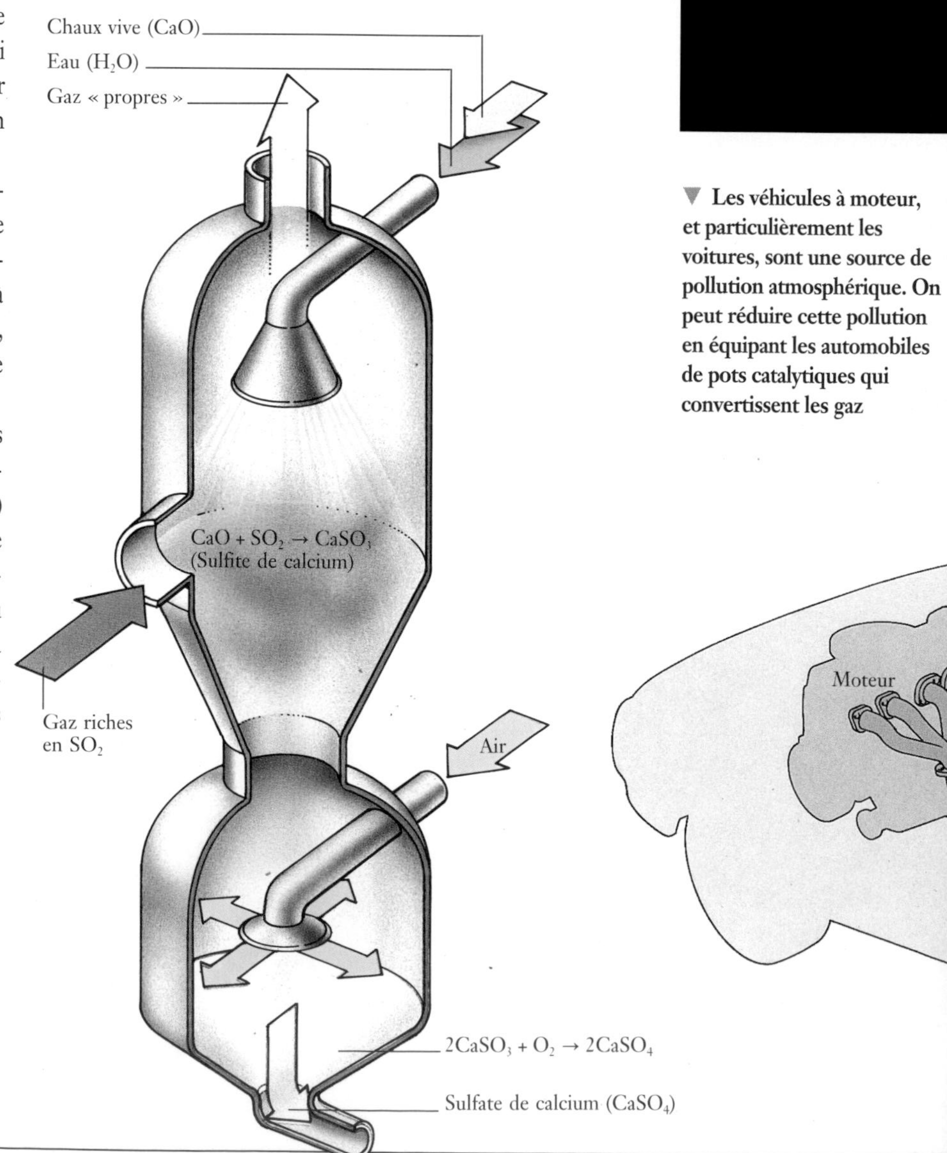

▶ Les tours de lavage servent à purifier les rejets d'usines du soufre qu'ils contiennent. La réaction ne nécessite aucun apport d'énergie mais se sert de chaux (oxyde de calcium, CaO), un alcali obtenu en chauffant du calcaire ($CaCO_3$) pour produire CaO et CO_2. Dans la tour de lavage, les gaz acides SO_2 réagissent avec l'oxygène de l'air pour former du sulfate de calcium solide ($CaSO_4$), ou gypse. Les gaz désulfurés sont émis dans l'atmosphère. Le gypse est récupéré et utilisé pour la fabrication du plâtre.

▼ Les véhicules à moteur, et particulièrement les voitures, sont une source de pollution atmosphérique. On peut réduire cette pollution en équipant les automobiles de pots catalytiques qui convertissent les gaz

◄ Les fumées des usines peuvent causer de graves problèmes de respiration et de peau. Ces rejets sont également responsables des pluies acides qui causent d'importants dommages aux plantes, aux animaux et même aux bâtiments loin de ces émissions.

▼ Le smog photochimique (combinaison d'un brouillard et de fumée toxique, de suie et d'ozone) et le monoxyde de carbone (émis dans les gaz d'échappement des voitures et des camions) à Mexico, une des villes les plus polluées au monde.

nuisibles comme les oxydes d'azote (NO_x), le monoxyde de carbone (CO) et les hydrocarbures (C_xH_x) en azote (N_2), en dioxyde de carbone (CO_2) et en eau (H_2O), qui sont tous présents dans l'air.

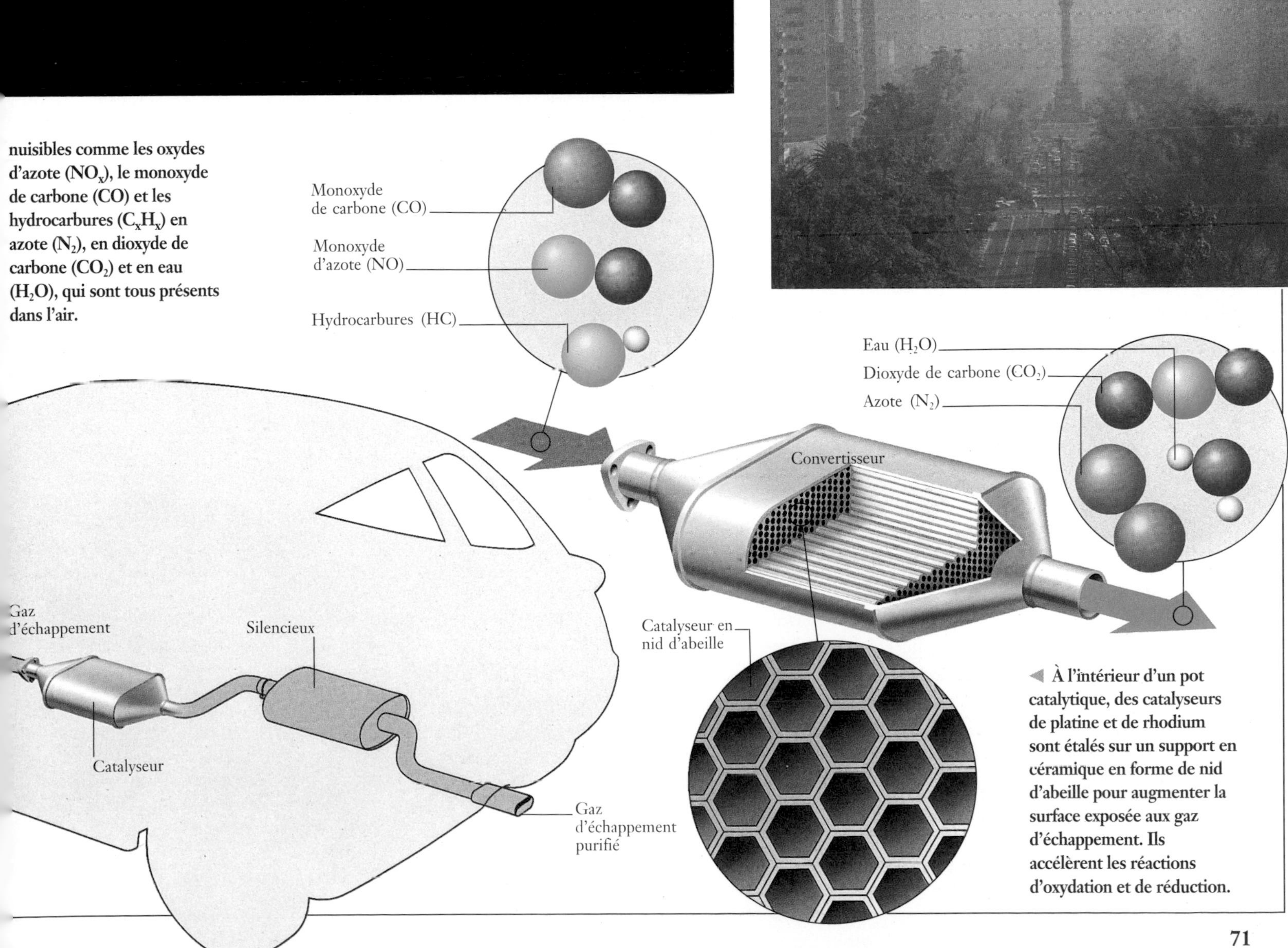

◄ **À l'intérieur d'un pot catalytique, des catalyseurs de platine et de rhodium sont étalés sur un support en céramique en forme de nid d'abeille pour augmenter la surface exposée aux gaz d'échappement. Ils accélèrent les réactions d'oxydation et de réduction.**

ÉLECTRICITÉ ET CHIMIE

Le gain et la perte d'électrons constituent un des processus clé des liaisons chimiques - et la base de l'électrochimie, dans laquelle on utilise des potentiels électriques pour mener des réactions chimiques.

L'électrochimie offre de nombreux avantages aux chimistes de l'industrie. D'abord, on l'utilise pour produire bon nombre de produits meilleur marché, et ce avec moins de dommages à l'environnement, grâce au potentiel électrique des réactifs qui fournit l'énergie nécessaire pour conduire les réactions électrochimiques. Par conséquent, des réactions peuvent fonctionner avec succès à des températures plus basses, et les coûts énergétiques en sont diminués. De plus, du fait que seul le transfert direct d'électrons est impliqué, on peut réaliser de nombreux processus d'oxydation/réduction sans avoir recours à des produits chimiques très forts. Les électrons sont fournis directement à la réaction chimique en passant par des électrodes plongées dans la solution réactive.

MOTS CLÉS

- ANODE
- CATHODE
- ÉLECTROLYSE
- ÉLECTROLYTE
- ÉLECTROPLACAGE
- ION
- OXYDATION
- PROCÉDÉ HALL-HÉROULT
- RÉACTION REDOX

Les réactions électrochimiques ont lieu dans des cellules électrochimiques reliées à un générateur. Celles-ci contiennent un électrolyte, une électrode positive (anode) qui accepte les électrons, et une électrode négative (cathode) qui donne des électrons. L'électrolyte est un composé ionique, tel qu'un acide, une base ou un sel, qui se dissout dans l'eau pour libérer des ions et leur permettre de se déplacer dans la solution. Les électrolytes sont conducteurs de l'électricité lorsqu'ils sont fondus ou dissous, mais pas forcément quand ils sont solides. Une cellule électrochimique fonctionne de façon opposée à une pile. Dans une pile l'électricité est produite par une réaction chimique : c'est le déplacement des ions à travers l'électrolyte d'un type d'électrode métallique à l'autre. En faisant varier la nature des métaux utilisés, il est possible d'obtenir différents voltages. Dans une cellule électrochimique, l'électricité est utilisée pour développer une réaction chimique.

L'électrochimie est utilisée dans un large domaine de processus industriels. De nombreux produits chimiques importants tels que l'hydroxyde de sodium et le chlore sont fabriqués dans des cellules électrochimiques. L'électrolyse, le procédé qui a lieu lorsqu'un électrolyte conduit l'électricité, est également utilisée pour extraire des métaux réactifs, pour raffiner des métaux et anodiser l'aluminium afin de rendre sa surface plus résistante.

Dans l'électroplacage, on utilise l'électrolyse pour recouvrir les métaux. L'électrolyse est aussi une méthode utile pour purifier les métaux tels que le cuivre. Dans ce cas, du cuivre non purifié sert d'anode et un feuillet de cuivre pur sert de cathode. L'électrolyte est une solution de sulfate de cuivre (II) acidifiée ($CuSO_4$). Pendant l'électrolyse, l'anode se dissout et les ions de cuivre se déposent sur la cathode pour former du cuivre pur.

▼ Les ordinateurs et les équipements électroniques contiennent suffisamment d'or et de métaux précieux pour rentabiliser leur recyclage. Le procédé de récupération s'apparente à de l'électroplaquage mais l'opération est inversée. Dans l'électroplaquage, l'objet à recouvrir de métal est une cathode, alors que pour récupérer les métaux, on applique à l'objet à recycler un potentiel d'anode. Le métal extrait de cette anode se dépose en même temps sur la cathode formée du même métal.

Les chimistes commencent maintenant à exploiter l'électrochimie de façon nouvelle. Comme les modifications chimiques dans la cellule électrochimique impliquent le déplacement d'ions qui peut être facilement suivi en mesurant le courant électrique, il est prouvé que les cellules électrochimiques constituent un outil utile pour contrôler les réactions. En médecine, on utilise les cellules électrochimiques comme des appareils de contrôle biologique, ou biocapteurs, en les adaptant, afin de contrôler une réaction biologique spécifique. Par exemple, on a développé un minuscule capteur de glucose pour les diabétiques. Il contrôle les taux de glucose en mesurant le changement de différence de potentiel qui se produit lorsque le glucose réagit avec une enzyme spécifique.

On est également en train d'explorer l'électrochimie comme nouveau procédé de destruction des déchets organiques. Une oxydation est nécessaire pour rompre les molécules organiques des déchets et les transformer en eau et en dioxyde de carbone inoffensifs. Aujourd'hui l'oxydation est souvent réalisée en brûlant le déchet dans un incinérateur. Les chimistes recherchent le moyen d'utiliser des ions métalliques fortement oxydants, générés électrochimiquement, pour réaliser cette oxydation à température moins élevée, diminuant ainsi le risque de relâcher des gaz toxiques dans l'atmosphère, comme le fait une combustion.

▲ Dans une usine de chlore, ces centaines de cellules au mercure fournissent, grâce à l'électrolyse de l'eau salée, de l'hydroxyde de sodium (NaOH), du chlore et de l'hydrogène gazeux. La méthode utilise des anodes de graphite et un bain de mercure liquide comme cathode ; l'électrolyte est de l'eau salée à 25 pour cent. Le chlore gazeux est formé aux anodes. Les atomes de sodium se déchargent à la cathode, où ils se dissolvent dans le mercure pour former un amalgame. Cet amalgame passe dans une autre cellule sur du carbone activé où il est mélangé à de l'eau pour éliminer le sodium. Le mercure retourne dans la cellule d'origine, alors que le sodium réagit avec l'eau pour produire une solution d'hydroxyde de sodium et de l'hydrogène gazeux.

▲ On utilise l'aluminium et ses alliages pour de nombreux usages, classiques ou exotiques. L'aluminium est un composant familier des boîtes de conserve, des emballages alimentaires et de la batterie de cuisine. On peut aussi l'utiliser en sculpture.

▼ Lorsqu'un courant électrique passe entre les électrodes, les ions positifs d'aluminium sont attirés par la cathode chargée négativement où ils forment de l'aluminium fondu qui peut s'écouler. Le procédé consomme une grande quantité d'électricité, si bien qu'il n'est économique que si l'électricité est bon marché. Les feldspaths, l'argile et beaucoup d'autres minéraux contiennent aussi de l'aluminium.

▼ L'aluminium, un des éléments les plus abondants de la croûte terrestre, est généralement extrait à partir de son principal minerai, la bauxite, à l'aide du procédé électrolytique de Hall-Héroult. Dans ce procédé, le minerai est dissous (à une température de 1000 °C) dans de la cryolite fondue, sel de fluorure d'aluminium naturel qui agit comme un électrolyte. On se sert du carbone à la fois comme anodes et comme cathodes. L'électrolyse est réalisée dans un réservoir spécial revêtu de carbone qui agit comme cathode.

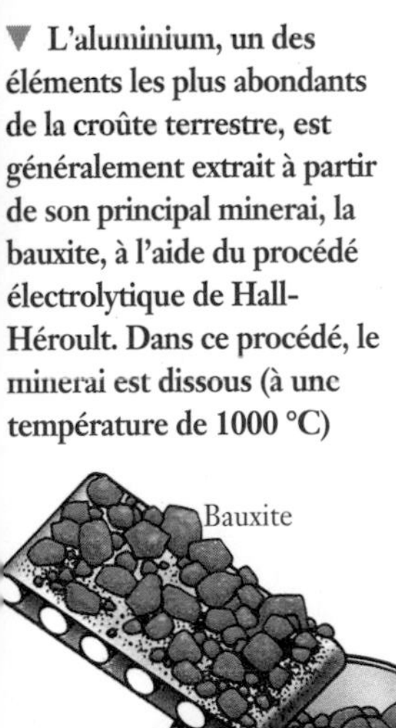

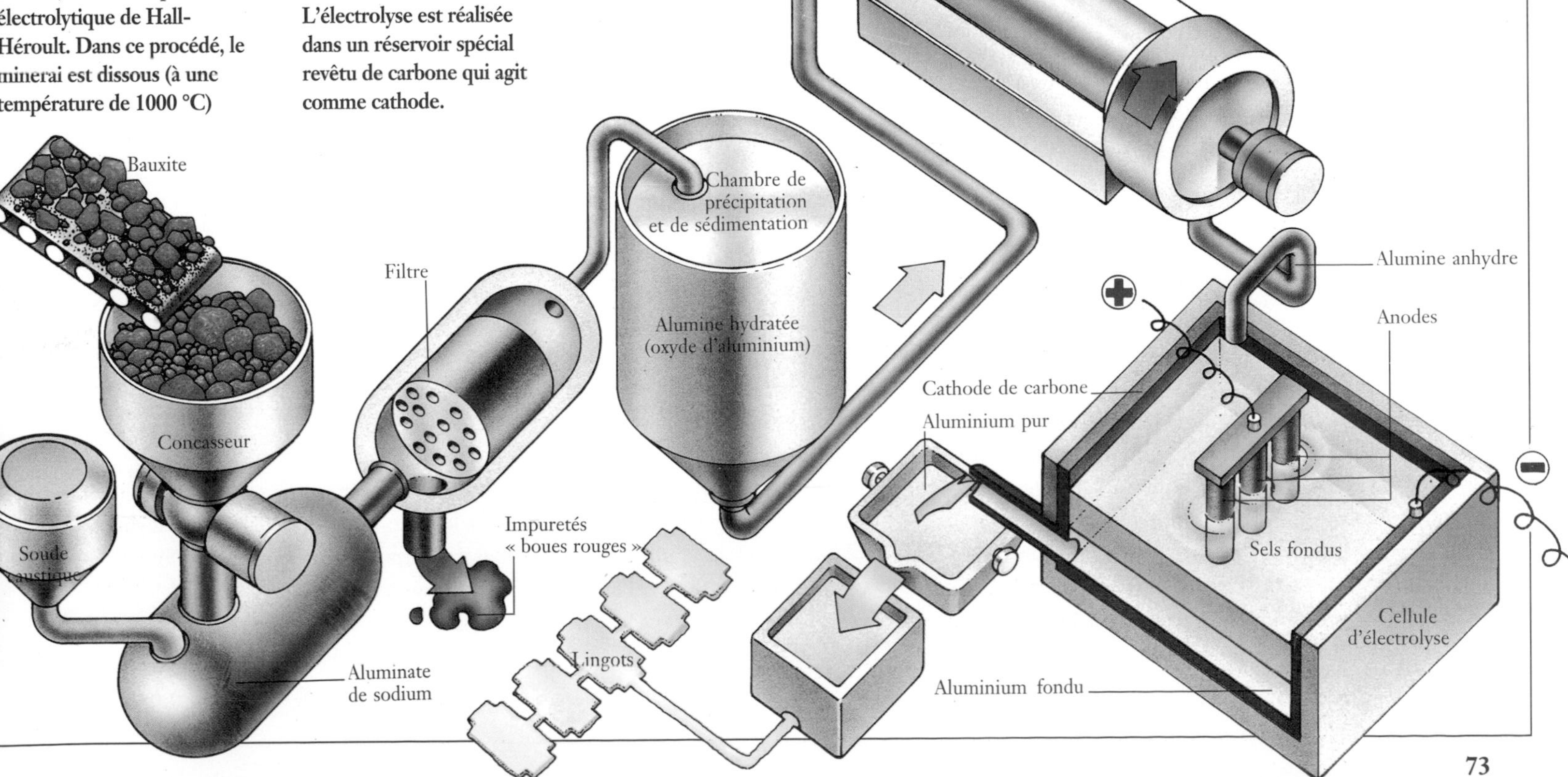

L'INDUSTRIE CHIMIQUE

L'industrie chimique a pour but de transformer de façon économique et efficace des matériaux bruts aussi communs que le pétrole, le gaz, le charbon, les minéraux, l'air et l'eau en produits chimiques utilisables pour la fabrication d'autres produits. Dans une usine chimique, les réactifs (constituant le stock d'approvisionnement) sont combinés sous des conditions appropriées pour élaborer le produit désiré. Mais de simples réactions chimiques permettant de transformer une substance en une autre ne sont pas suffisantes. Il est important de trouver les moyens de réaliser des réactions offrant le meilleur rendement et d'augmenter leur vitesse, laquelle est mesurée en termes de changement de concentration d'un réactif ou d'un produit en fonction du temps. Cela est parfois rendu possible en menant les réactions à des températures ou à des pressions plus élevées, en augmentant la concentration des réactifs, ou en utilisant des catalyseurs qui permettent aux réactifs de réagir plus facilement ensemble à des températures plus basses. Le but est d'obtenir le rendement optimum défini par le pourcentage de la quantité du produit final par rapport à la quantité utilisée dans le stock d'approvisionnement pour le produire.

MOTS CLÉS

CATALYSEUR
RÉACTIF
RÉACTION EXOTHERMIQUE
RECYCLAGE
VITESSE DE RÉACTION

Cependant, le rendement optimum n'est pas nécessairement le rendement maximum qui peut être produit. Lorsqu'ils conçoivent une usine, les ingénieurs chimistes doivent considérer les coûts de maintenance des pressions et des températures élevées nécessaires pour maximaliser la vitesse de réaction de certains produits, et le fait que des réactions exothermiques rapides peuvent être très difficiles à contrôler. Dirigeants d'usine et ingénieurs chimistes doivent mettre sur la balance la sécurité et les coûts énergétiques au moment de choisir les conditions de réaction.

Les ingénieurs chimistes doivent aussi déterminer quel type de traitement utiliser. Dans un processus par lots, les matériaux bruts sont mis dans un récipient et peuvent réagir. Lorsque la réaction est terminée, le produit est retiré et un nouvel approvisionnement arrive pour faire le lot suivant. Dans un processus continu, le stock d'approvisionnement est constamment renouvelé et réagit pour donner le produit final en débit continu.

Les processus par lots sont réservés aux réactions lentes qui produisent des quantités relativement faibles de produits. Les produits pharmaceutiques et cosmétiques sont typiquement fabriqués selon ce procédé. On les utilise également pour fabriquer les produits pour lesquels il y a un risque d'explosion ou pour des processus de fermentation lorsqu'il existe un risque de contamination.

Les processus en continu représentent un moyen efficace de production en grand volume. Par exemple, des produits chimiques industriels importants comme l'ammoniac et le chlore sont fabriqués par cette méthode. Cependant, ces processus nécessitent des usines spécialement conçues pour cela et donc coûteuses à installer.

Les déchets constituent un produit inévitable dans toutes les industries chimiques. Dans le passé, les fabricants ont peu réfléchi sur les moyens d'éliminer leurs déchets, ce qui a rendu les industries chimiques tristement célèbres pour la pollution et la contamination qu'elles ont créées. Maintenant les attitudes sont en train de changer, et la gestion des rejets est un point important à considérer dans la conception des usines.

Autrefois, les industriels tendaient à favoriser la solution de dilution qui consiste à rejeter les déchets dans l'atmosphère ou dans les rivières, les lacs ou les océans avec l'espoir qu'ils seraient suffisamment dilués pour devenir inoffensifs. Aujourd'hui, les déchets sont parfois stockés dans des bassins ou sur des terrains réservés à cet effet. Cependant, les rejets peuvent contaminer le sol ou se répandre dans l'eau souterraine ou les rivières. Les fabriquants de l'industrie chimique développent des méthodes de traitement chimique et mécanique des déchets afin de répondre aux exigences plus sévères des lois sur la protection de l'environnement.

▲ Le procédé Haber est une réaction continue utilisée pour fabriquer de l'ammoniac (NH_3) à l'échelle industrielle. Une usine en produit en moyenne 1200 tonnes par jour.

► Dans le procédé Haber, l'azote (N_2) est combiné à de l'hydrogène (H_2) pour faire de l'ammoniac (NH_3). Le procédé original utilisait l'hydrogène de l'eau (H_2O), mais l'hydrogène est maintenant obtenu en faisant réagir de la vapeur avec du gaz naturel (méthane, CH_4). Dans le procédé, l'azote qui provient de l'air est mélangé à l'hydrogène et les gaz chauffés sont pressurisés et passés sur un catalyseur.

◄ Le procédé moderne de brassage est un exemple de procédé par lots qui se perpétue de façon similaire depuis des milliers d'années. Il permet de couper net tout risque de contamination par un microbe non désiré. Généralement, les procédés par lots sont adaptés à la production de quantités relativement faibles de produits issus de réactions lentes.

▼ L'ammoniac est surtout utilisé comme engrais agricole, fournissant aux plantes l'azote nécessaire pour bien pousser. L'azote peut être apporté sous la forme de NH_3 en injectant de l'ammoniac directement dans le sol, ou en le transformant en engrais nitraté qui peut ensuite être répandu à l'aide d'un tracteur, comme ici.

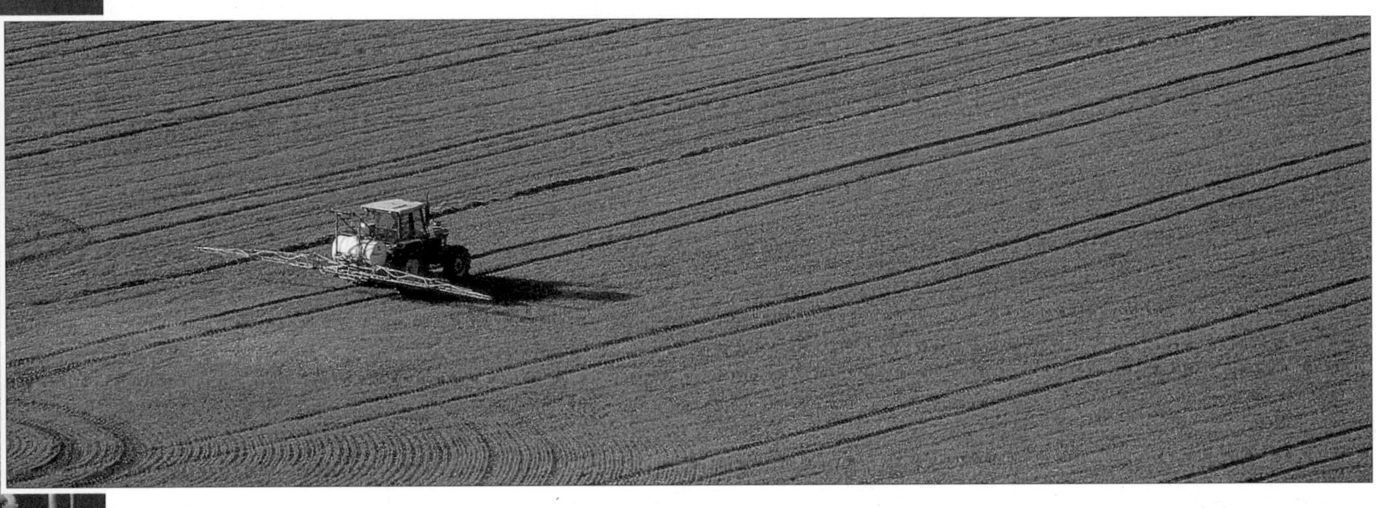

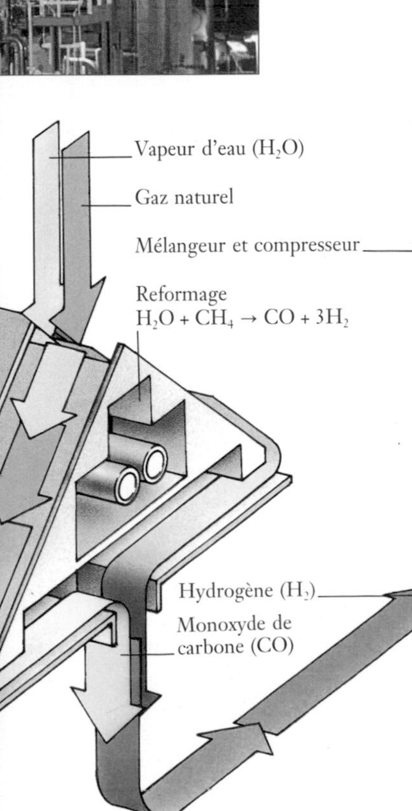

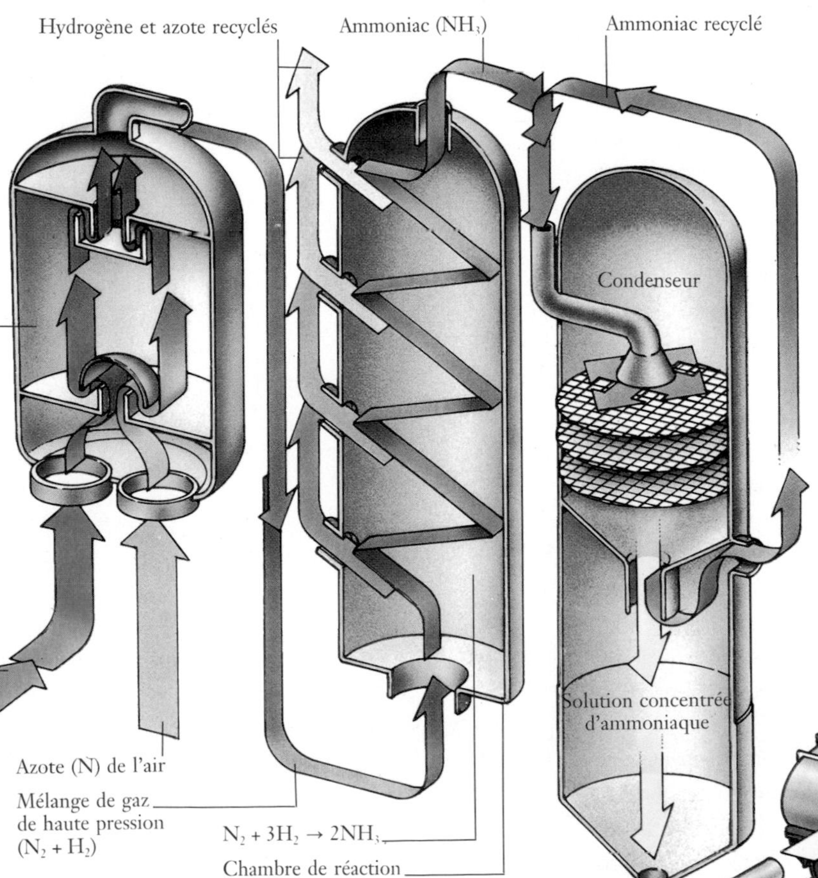

◄ La pression et un catalyseur abaissent l'énergie d'activation et rendent possible la réalisation d'une réaction à des températures plus basses. L'hydrogène et l'azote ne réagissent pas entièrement au cours du processus – le réactif qui ne réagit pas retourne dans le conteneur de la réaction. La réaction est réversible, et, lorsqu'il est chauffé, l'ammoniac se redécompose en azote et en hydrogène. Par conséquent, l'ammoniac doit être retiré au fur et à mesure qu'il se forme, et la réaction doit avoir lieu à des températures et des pressions soigneusement contrôlées d'environ 400 °C et 250 atmosphères pour que l'ammoniac se forme plus vite qu'il ne se décompose.

La synthèse des acides et des bases

Certains économistes pensent que la quantité d'acide sulfurique produite par une nation constitue un bon indicateur de sa santé économique. Que cela soit vrai ou non, il n'y a aucun doute que la fabrication des acides et des bases, utilisés dans un large domaine de procédés industriels, est une des activités les plus importantes de l'industrie chimique.

L'acide sulfurique (H_2SO_4) est probablement le produit leader de l'industrie chimique, et la plupart du soufre produit dans le monde sert à sa fabrication. Aux États-Unis, par exemple, on produit presque deux fois plus d'acide sulfurique que de tout autre produit chimique.

L'acide sulfurique est un des acides les plus forts, et il entre dans une large gamme d'applications dans pratiquement tous les procédés de fabrication. On l'utilise communément pour la production de teintures, de peintures, de pulpe de papier, d'explosifs, de batteries automobiles et d'engrais. On l'utilise également pour faire des détergents et dans le raffinage du pétrole et des métaux. C'est un excellent agent déshydratant, et il dissout de nombreux métaux pour former une grande variété de composés industriels.

L'acide sulfurique est fabriqué par le procédé dit de contact. Du soufre est d'abord brûlé dans de l'air sec pour former du dioxyde de soufre gazeux (SO_2). À chaud, le SO_2 réagit avec un excès d'oxygène à une température voisine de 450 °C et en présence d'un catalyseur d'oxyde de vanadium (V_2O_5) pour former du trioxyde de soufre (SO_3). L'acide sulfurique pourrait alors se former par réaction du SO_3 avec de l'eau, mais cette réaction est très violente et forme un brouillard de gouttelettes d'acide sulfurique qui est difficile à absorber. On préfère donc dissoudre le SO_3 dans une solution d'acide sulfurique concentrée à 98 pour cent dans laquelle il réagit moins violemment avec la petite quantité d'eau présente et ne forme pas de brouillard. Le produit qui en résulte est de l'oléum ($H_2S_2O_7$) utilisé dans certains procédés industriels. Pour faire de l'acide sulfurique, l'oléum est dilué dans de l'eau pour former de l'acide sulfurique concentré. Une autre façon de procéder consiste, au fur et à mesure que le SO_3 est ajouté à l'acide sulfurique concentré, à soutirer l'acide de façon continue, et à ajouter de l'eau pour garder sa concentration aux alentours de 98 pour cent.

MOTS CLÉS

ACIDE
ACIDE SULFURIQUE
BASE
ÉLECTROLYSE
HYDROXYDE DE SODIUM
SOUFRE

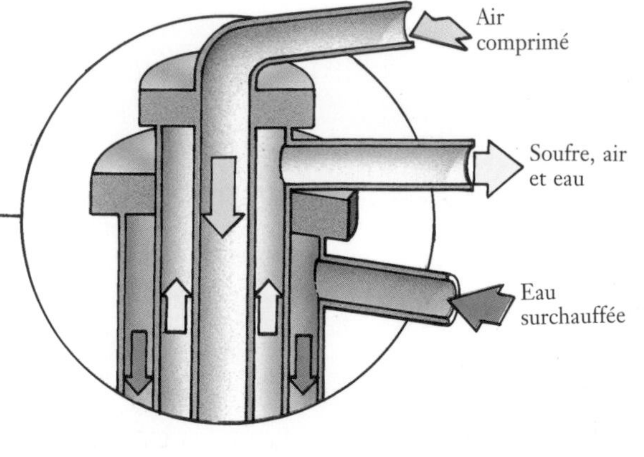

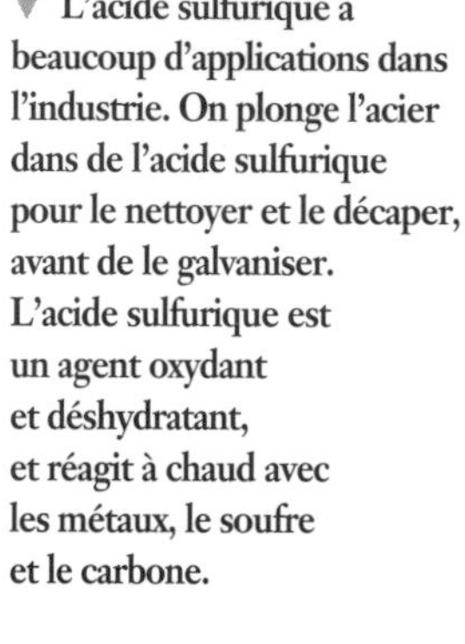

▲ **Le soufre peut être produit de façon commerciale par extraction à partir du pétrole brut et du gaz naturel. Cependant, dans certaines régions du monde, le soufre peut se trouver à l'état naturel dans le sous-sol, associé à des couches de calcite ($CaCO_3$). Cette forme de soufre est extraite à l'aide du procédé Frasch.**

► **Pour extraire le soufre, de l'eau surchauffée est injectée sous pression dans le tuyau extérieur et de l'air comprimé est injecté dans le tuyau intérieur. L'eau chaude fait fondre le soufre qui remonte à la surface dans le tuyau intermédiaire.**

▼ **L'acide sulfurique a beaucoup d'applications dans l'industrie. On plonge l'acier dans de l'acide sulfurique pour le nettoyer et le décaper, avant de le galvaniser. L'acide sulfurique est un agent oxydant et déshydratant, et réagit à chaud avec les métaux, le soufre et le carbone.**

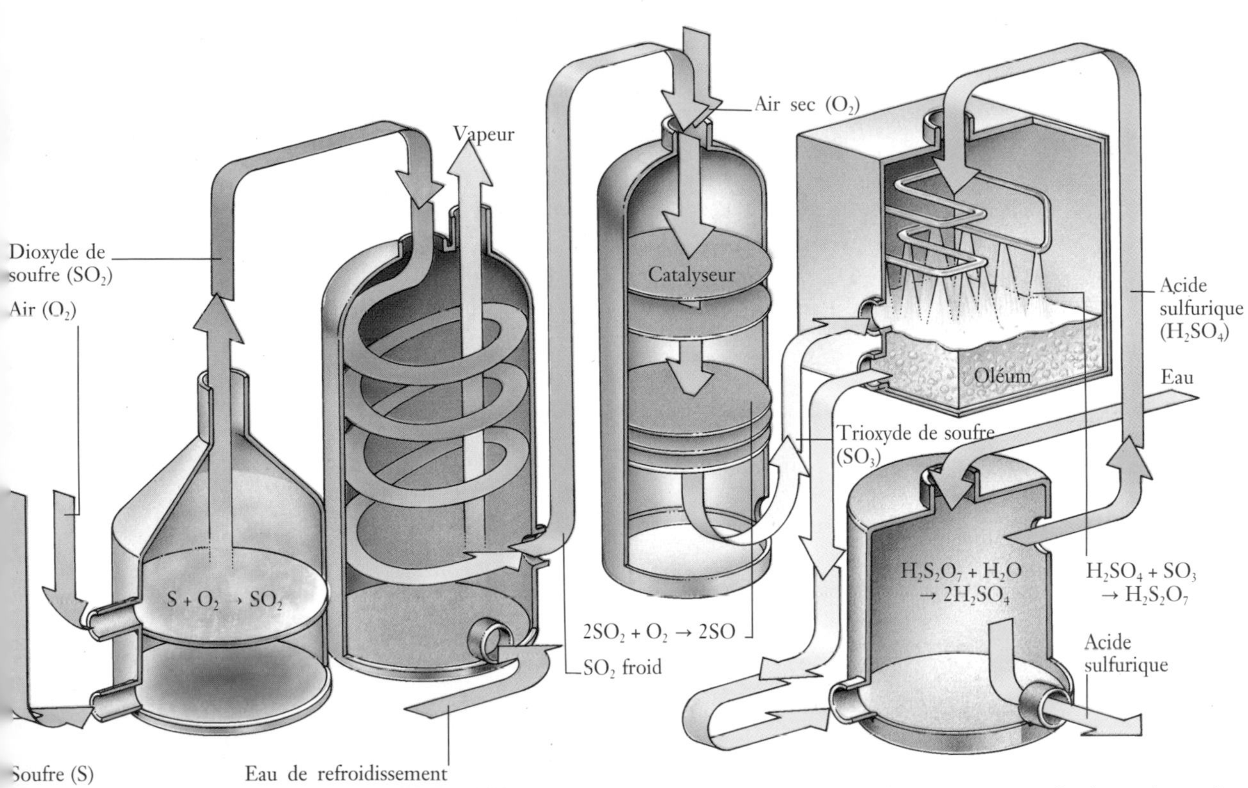

◀ On utilise le procédé de contact pour fabriquer l'acide sulfurique (H_2SO_4). En brûlant du soufre sec, il se forme d'abord du dioxyde de soufre gazeux (SO_2). À une température voisine de 450 °C, le gaz chaud s'oxyde pour former du trioxyde de soufre (SO_3) en présence d'un catalyseur d'oxyde de vanadium ou de platine. Il est ensuite dissous dans de l'acide sulfurique concentré pour former de l'oléum ($H_2S_2O_7$), un liquide huileux épais. Celui-ci peut être dilué dans l'eau pour former une solution d'acide sulfurique à 98 pour cent moins épaisse.

Parmi les bases, la soude caustique (hydroxyde de sodium, NaOH) est une des plus importantes. On l'utilise largement dans des procédés allant de la fabrication du savon, du papier, des détergents et d'autres produits chimiques, à la production de rayonne et de fibres d'acétate.

La soude caustique est produite dans les usines de chlore par électrolyse d'une solution concentrée de chlorure de sodium, ou sel de table, dans de l'eau contenant environ 25 pour cent en masse de NaCl. Pour des raisons économiques, les usines doivent être situées près d'une source importante de sel et d'une source d'électricité à bon marché, car elles consomment beaucoup d'énergie électrique. Cette énergie est équivalente à la quantité produite par une grosse centrale électrique moderne, ou encore aux besoins d'une grande ville.

Lors de ce procédé, l'électricité traverse l'eau salée dans une cellule électrolytique qui comprend un diaphragme poreux pour séparer les compartiments de l'anode et de la cathode et empêcher leurs produits de se combiner. À la cathode, c'est l'eau elle-même qui réagit en se dissociant en hydrogène gazeux et en ions hydroxydes. Au cours de la réaction, il se forme un mélange de NaCl et de NaOH. Cette solution est ensuite concentrée dans d'énormes évaporateurs où le NaCl cristallise et est récupéré par filtration.

Durant ce procédé, du chlore gazeux se forme à l'anode où il est refroidi pour condenser une grande partie de l'eau et lavé à l'acide sulfurique pour en faire un produit commercialisable tel quel. On l'utilise beaucoup dans la production du plastique de polychlorure de vinyle (PVC). L'hydrogène est un autre produit de la réaction. L'hydrogène gazeux peut être commercialisé pour l'hydrogénation des graisses ou, en le combinant au chlore, pour fabriquer de l'acide chlorhydrique.

DES PRODUITS CHIMIQUES UTILES

Le sel de table ou chlorure de sodium (NaCl) constitue un point de départ essentiel pour la production de bon nombre de produits chimiques industriels. On ne l'utilise pas seulement dans la production de soude caustique (hydroxyde de sodium, NaOH), mais aussi dans celle du carbonate de sodium (Na_2CO_3), également appelé cristaux de soude ou soude du commerce, un autre alcali important

Le carbonate de sodium a de nombreuses applications. On l'utilise pour son pouvoir alcalin dans les chaudières afin d'empêcher la corrosion, comme adoucisseur d'eau, et comme ingrédient des savons, détergents et autres agents nettoyants, ainsi que dans les révélateurs photographiques. Le carbonate de sodium est également utilisé dans le traitement de l'acier, pour l'émaillage, les textiles, les teintures, la nourriture et les boissons, ainsi que dans le traitement des huiles, des graisses, des cires et des sucres. C'est aussi un composant important dans la fabrication commerciale du verre.

MOTS CLÉS

AMMONIAC
CARBONATE DE SODIUM
HYDROGÉNOCARBONATE DE SODIUM
HYDROXYDE DE SODIUM
PROCÉDÉ HABER
PROCÉDÉ SOLVAY
SEL
SEL DE TABLE

Dans certaines régions du monde, on obtient du carbonate de sodium grâce à l'exploitation et à la purification du natron, un minéral évaporitique déposé lors de l'évaporation d'anciennes mers ou d'anciens lacs, et qui contient du carbonate et de l'hydrogénocarbonate (bicarbonate) de sodium mêlé à quelques impuretés. Là où on ne trouve pas de natron, on peut fabriquer un carbonate de sodium synthétique grâce au procédé Solvay.

La réaction globale impliquée dans le procédé Solvay met en jeu la combinaison de chlorure de sodium et de carbonate de calcium pour produire du carbonate de sodium et du chlorure de calcium. Le procédé comprend un certain nombre d'étapes intermédiaires et nécessite l'apport d'ammoniac, qui est généralement obtenu par le procédé Haber, pour éviter à la réaction inverse, en principe plus favorable, d'avoir lieu.

Pendant le procédé Solvay, un certain nombre de produits intermédiaires, qui peuvent être fort utiles, sont également produits. Le seul sous-produit formé qui n'est pas conservé est le chlorure de calcium ($CaCl_2$), mais on peut toutefois l'utiliser comme fluide accumulateur d'énergie dans les systèmes de chauffage solaire.

Les produits intermédiaires les plus largement utilisés sont le chlorure d'ammonium, qui est souvent recyclé dans le réacteur pour fournir plus d'ammoniac, et l'hydrogénocarbonate de sodium ($NaHCO_3$), qu'on appelle également bicarbonate de soude ou bicarbonate de sodium. $NaHCO_3$ est largement utilisé comme levure chimique en pâtisserie, comme agent antiacide dans les médicaments contre l'indigestion, et comme alcali dans les extincteurs à poudre sèche. On peut aussi le chauffer pour produire une cendre claire qui, lorsqu'elle est traitée à l'eau, produit des cristaux de carbonate de sodium.

On fabrique le verre en chauffant du sable (SiO_2), du calcaire ($CaCO_3$), du carbonate de sodium, des débris de verre cassé et de petites quantités d'oxydes métalliques. Les oxydes métalliques abaissent le point de fusion et affectent d'autres caractéristiques du verre comme sa couleur. On ajoute de l'oxyde de cobalt pour obtenir un verre bleuté ; le manganèse donne une couleur pourpre ; le cuivre donne un verre soit rougeâtre soit bleu-vert ; et le chrome donne une couleur verte.

L'ajout d'oxydes peut également servir à donner d'autres caractéristiques au verre. L'oxyde de plomb donne au verre un indice de réfraction élevé et le rend étincelant grâce à une réflexion interne de la lumière très importante, idéale pour le cristal taillé. Le verre borosilicaté (Pyrex®), qui est résistant à la fois à la chaleur et à la plupart des attaques acides, est obtenu en ajoutant 10 à 15 pour cent d'oxyde de bore (B_2O_3). Les verres de lunettes photosensibles, qui s'assombrissent à la lumière et perdent leur couleur dans l'obscurité, sont faits en incorporant dans le verre du chlorure d'argent (AgCl), l'agent actif des films photographiques.

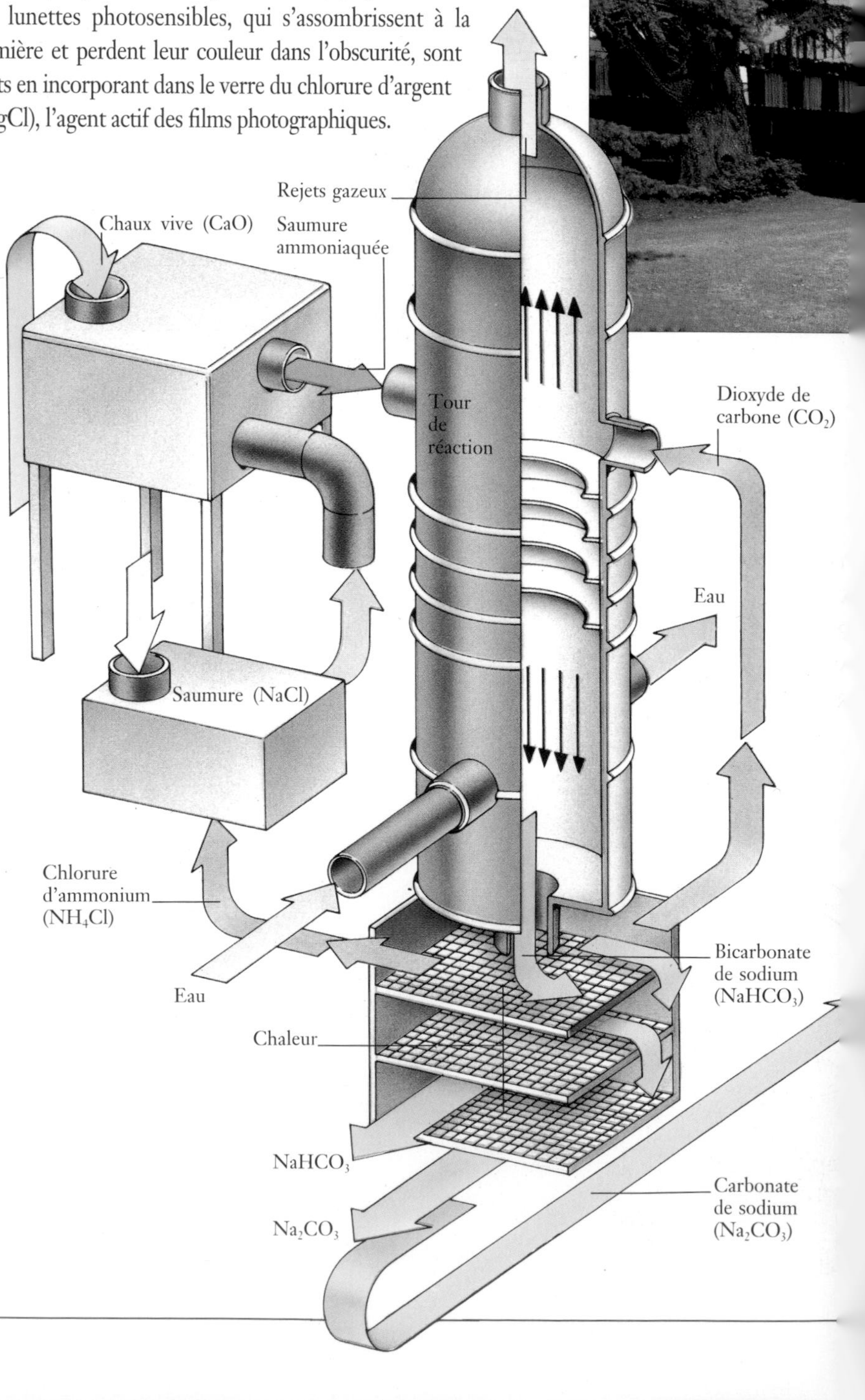

◄ Dans les constructions modernes, le verre est de plus en plus utilisé comme revêtement. Un revêtement en verre laisse entrer énormément de lumière naturelle, mais peut aussi être traité pour réfléchir les rayons du Soleil, évitant ainsi une surchauffe.

▼ On peut rendre le verre résistant à la chaleur et aux attaques de presque tous les produits chimiques, sauf de l'acide fluorhydrique (HF), en ajoutant de petites quantités d'oxyde de bore. Les récipients en verre borosilicaté sont si résistants qu'ils sont souvent utilisés dans l'industrie chimique.

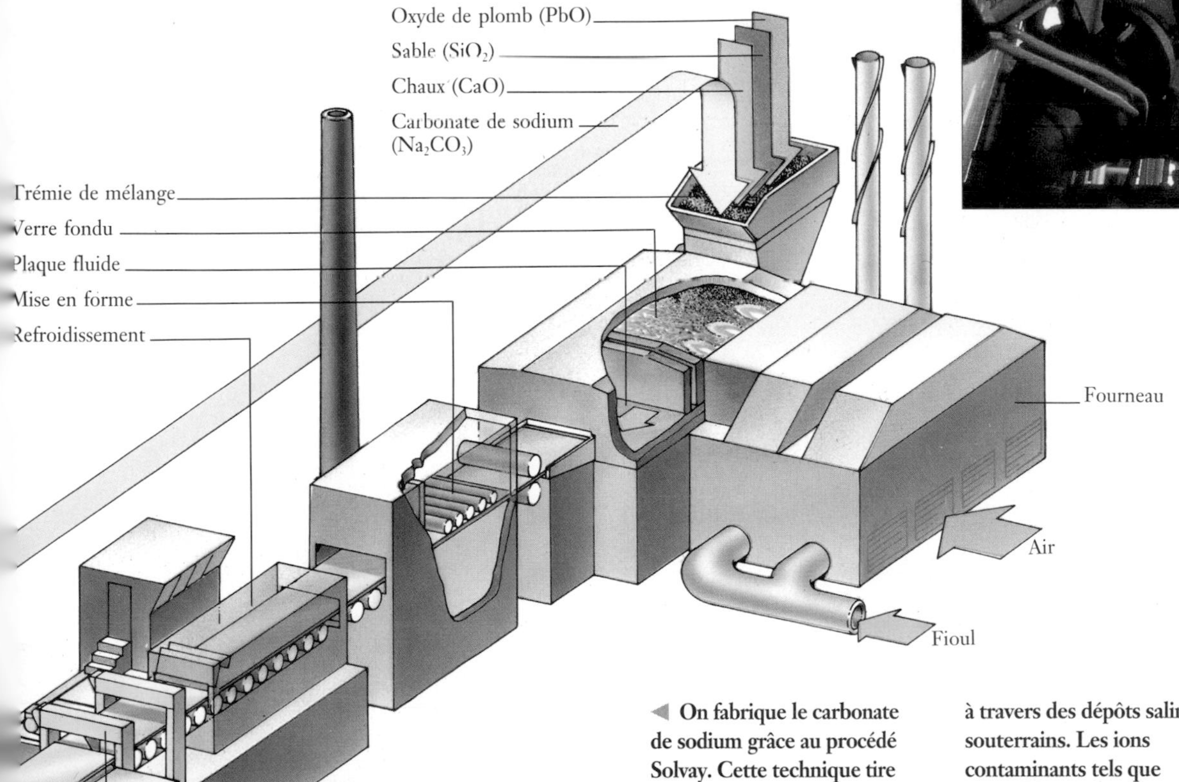

◄ On fabrique le carbonate de sodium grâce au procédé Solvay. Cette technique tire avantage de la réaction globale $2NaCl + CaCO_3 \rightarrow Na_2CO_3 + CaCl_2$.
Une solution d'eau salée est formée en injectant de l'eau à travers des dépôts salins souterrains. Les ions contaminants tels que calcium et magnésium sont éliminés par précipitation à l'aide d'hydroxyde de sodium (NaOH) ou de carbonate de sodium (Na_2CO_3), et l'eau salée est saturée avec de l'ammoniac gazeux et du dioxyde de carbone obtenus en grillant du calcaire. L'eau salée est injectée dans de hautes tours. À l'intérieur, des lames assurent un mélange efficace du gaz avec l'eau salée. L'ammoniac et le dioxyde de carbone réagissent pour former l'hydrogénocarbonate d'ammonium (NH_4HCO_3), qui réagit avec NaCl pour former l'hydrogénocarbonate de sodium (bicarbonate de sodium, $NaHCO_3$). Celui-ci précipite, puis est transformé en carbonate de sodium (Na_2CO_3) par chauffage pour éliminer le dioxyde de carbone et l'eau.

SAVONS ET DÉTERGENTS

Les produits de nettoyage ont fait partie des premiers produits chimiques commercialisés. À l'origine, les savons étaient fabriqués en faisant bouillir de la graisse animale et de la lessive, cet alcali obtenu par lessivage de la cendre de bois. Aujourd'hui, la soude caustique (hydroxyde de sodium, NaOH) a été substituée à la lessive, et l'huile végétale remplace la graisse animale, mais la chimie de base reste la même.

On utilise les détergents à la place du savon dans de nombreux cas. Les détergents ne réagissent pas avec les composés du calcium et du magnésium que l'on trouve dans les eaux dures, évitant ainsi la formation de mousse lors de leur utilisation. Outre le fait que la mousse soit sale, elle gaspille aussi le savon car celui-ci ne mousse pas tant qu'il n'a pas réagi avec toutes les substances contenues dans l'eau.

Les savons et les détergents sont produits à partir d'une réaction chimique appelée saponification. Un ester – composé formé par réaction d'un acide sur un alcool – réagit avec de la soude caustique pour produire du savon et l'alcool original. Comme par le passé, la plupart des savons sont toujours fabriqués à l'aide d'huiles et de graisses naturelles, tandis que les détergents sont produits à partir d'hydrocarbures extraits du pétrole.

Le savon est un mélange de sels d'acides carboxyliques à longues chaînes – acides organiques qui possèdent à une

MOTS CLÉS

DÉTERGENT
ENZYME
ESTER
HYDROCARBURE
HYDROPHILE
HYDROPHOBE
MOUILLABILITÉ
MOUSSE
PHOSPHATE
SAPONIFICATION
SAVON

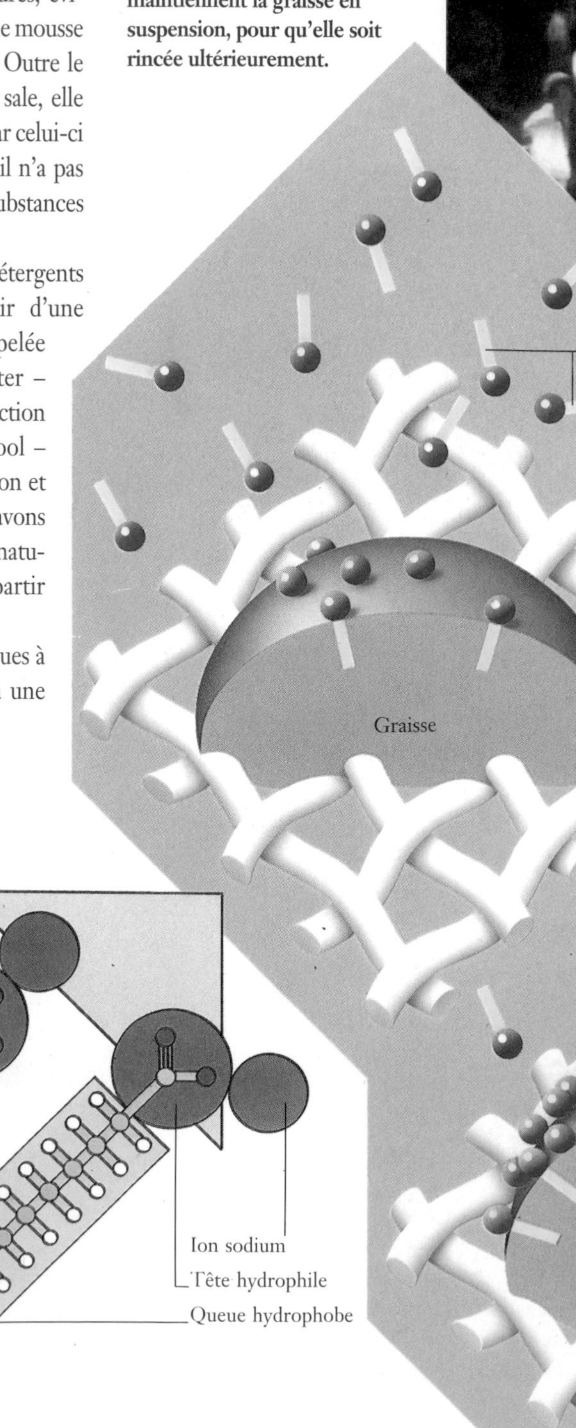

▼ **Les savons et les détergents agissent de trois façons différentes pour nettoyer. En premier, ils améliorent le mouillage de l'eau en abaissant la tension de surface à l'interface entre l'eau et l'objet à nettoyer. Deuxièmement, ils rendent possible la dissolution de molécules de graisse dans l'eau. Troisièmement, ils maintiennent la graisse en suspension, pour qu'elle soit rincée ultérieurement.**

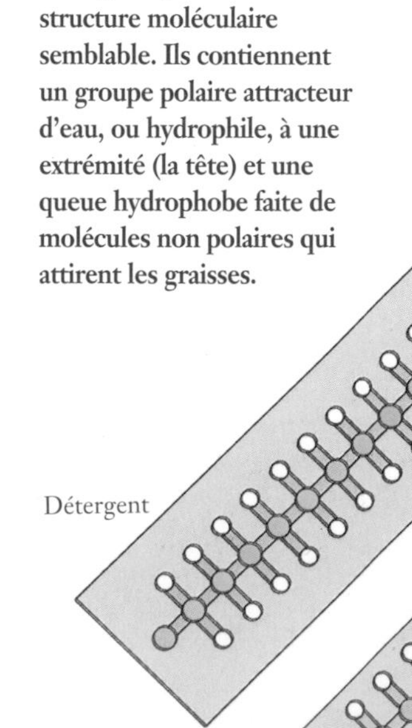

► **Les savons et les détergents possèdent une structure moléculaire semblable. Ils contiennent un groupe polaire attracteur d'eau, ou hydrophile, à une extrémité (la tête) et une queue hydrophobe faite de molécules non polaires qui attirent les graisses.**

◀ Sous les lumières ultraviolettes d'une discothèque, les tissus lavés avec des détergents contenant des azurants brillent dans le noir. Ces éclaircissants optiques sont des substances fluorescentes dont les molécules absorbent la lumière à une longueur d'onde et la réémettent à une autre.

▲ On peut nettoyer les plumes d'un oiseau marin couvert de pétrole après une marée noire à l'aide d'un détergent. Le détergent sépare l'huile en fines gouttelettes qui peuvent être rincées à l'eau. En grande quantité, il disperse les nappes de pétrole à la surface de la mer.

◀ Les molécules de détergent branchent leurs queues hydrophobes sur les gouttelettes de graisse attachées au tissu. Éventuellement, elles entourent les gouttelettes pour former des micelles sphériques qui surnagent au-dessus du tissu et peuvent être éliminées au rinçage. Le détergent agit également comme émulsifiant et entraîne la graisse dans la solution.

extrémité (la tête) un groupe carboxyl polaire (-COOH), hydrophile, ou soluble dans l'eau, et à l'autre extrémité (la queue) un groupe non-polaire attracteur de graisse et hydrophobe, ou non soluble dans l'eau. En termes chimiques, les savons sont définis comme des sels de sodium d'acides gras à chaînes longues, de formule générale $RCOO^-Na^+$, dans laquelle R est une chaîne longue d'un hydrocarbure hydrophobe.

Comme les savons, les molécules de détergent possèdent une queue non polaire plutôt longue et une tête polaire. Mais dans les détergents, également appelés surfactifs synthétiques, les queues non polaires sont produites par une série de réactions chimiques sur les hydrocarbures. Pour un détergent typique, on lie quatre molécules de propène (propylène, CH_3-CH=CH_2) à un noyau benzénique par l'intermédiaire de la double liaison, puis on fait réagir avec un acide sulfovinique pour former un sulfonate d'akylbenzène à chaînes ramifiées. En modifiant sa composition chimique, les propriétés d'un détergent peuvent être réalisées sur mesure en fonction des différentes applications. Les détergents modernes qui servent à laver le linge contiennent des stabilisateurs d'écume, des adoucisseurs d'eau agissant contre l'activité des ions calcium et magnésium dans l'eau dure, et des agents organiques, tels que la cellulose et le carboxyméthyl de sodium, qui maintiennent la saleté en suspension. Ceux-ci travaillent en augmentant la charge négative dans les tissus qui ensuite repoussent les particules de saleté chargées négativement. Certaines lessives contiennent des « éclaircissants optiques » (azurants). Il s'agit de molécules fluorescentes qui, absorbant la lumière à une certaine longueur d'onde et la réémettant à une autre, donnent un aspect bleuté. Les azurants estompent les teintes jaunâtres d'un tissu, restituent le mélange de couleurs comme ce qui serait normalement réfléchi par un textile blanc et, comme le dit la publicité, rendent le blanc « plus blanc que blanc ». Les détergents de lessives biologiques contiennent également des enzymes, catalyseurs biologiques qui détruisent et « digèrent » les substances telles que les protéines, le sang ou la sueur.

Lorsqu'il est utilisé comme shampooing, un détergent doit être conçu pour agir différemment. Les shampooings doivent enlever la graisse et la saleté mais en même temps laisser la fine pellicule de sébum naturel car si le shampooing enlève trop de sébum, les cheveux deviennent secs. Les shampooings pour cheveux gras sont conçus pour enlever davantage de sébum, tandis que ceux pour cheveux secs en enlèvent moins. Les shampooings pour cheveux secs contiennent souvent des substances grasses pour suppléer le sébum naturel du cuir chevelu.

L'acidité d'un détergent est aussi importante. Les shampooings doivent être conçus pour être neutres (avec un pH autour de 7), car un ajout de composés alcalins, qui ont un pH plus élevé, rend les mèches facilement cassantes, et irrite la surface externe du cheveu en le faisant paraître terne et rêche.

LA CHIMIE ORGANIQUE

3

Il y a des millions d'années, les composés du carbone formaient dans l'atmosphère autour de la Terre une couverture isolante qui piégeait la chaleur du Soleil. Petit à petit, cela a permis à la Terre de se réchauffer suffisamment pour que la vie se développe. Le carbone reste essentiel à la vie sur Terre bien qu'il représente moins de 1 pour cent de la masse de la planète : les composés du carbone sont à la base de toutes les molécules du vivant. La biochimie, la chimie des organismes vivants, s'intéresse essentiellement aux composés du carbone.

Le carbone circule au travers des plantes, des animaux, du sol et de l'atmosphère au cours d'un processus que l'on nomme cycle du carbone. Mais le carbone retourne aussi à l'environnement lorsque de la biomasse telle que le bois ou des carburants fossiles (pétrole, gaz ou charbon constitués de matériaux organiques contenant du carbone âgé de millions d'années) brûle en dégageant de l'énergie. Les carburants à base de carbone représentent 75 pour cent de l'énergie utilisée sur la planète aujourd'hui.

Le carbone existe sous des formes variées car chacun de ses atomes peut former quatre liaisons covalentes. Les molécules organiques (appelées ainsi car les chimistes pensaient autrefois qu'on ne trouvait ces composés que dans les organismes vivants) sont faites d'atomes de carbone liés entre eux par des liaisons covalentes simples, doubles ou triples. Le domaine couvert par ces composés formés d'atomes de carbone liés ensemble forme la base de la chimie organique.

Les carburants à base de carbone, comme le pétrole et le gaz, représentent 75 pour cent de l'énergie que nous utilisons. Mais avant de pouvoir utiliser ces hydrocarbures, le pétrole brut doit être séparé en différentes fractions en fonction des poids moléculaires. Cela est réalisé dans des raffineries qui fonctionnent jour et nuit. Environ 86 pour cent du pétrole brut qui est extrait sert de carburant, soit pour le chauffage, soit pour produire de l'électricité, soit pour alimenter les véhicules à moteur. Les 14 pour cent restants entrent dans la fabrication d'autres produits chimiques et constituent la matière première des plastiques.

LES HYDROCARBURES

Toutes les molécules organiques sont constituées d'atomes de carbone qui forment chacun quatre liaisons covalentes au total. Les liaisons peuvent être simples, doubles ou triples, mais toujours au nombre de quatre. Cette caractéristique permet aux molécules à base de carbone de former avec d'autres atomes de longues chaînes linéaires ou ramifiées ou même des cycles.

Les possibilités de combinaisons différentes avec des atomes de carbone sont presque sans limites, en particulier parce que les composés organiques peuvent former des isomères - molécules qui ont la même formule chimique mais possèdent des structures différentes. Des isomères différents ont des propriétés physiques – et parfois aussi chimiques – différentes.

Pour saisir la signification de toutes ces différences, les organiciens regroupent les molécules organiques contenant des atomes de carbone liés de la même façon en familles appelées séries homologues. Tous les membres d'une même série possèdent la même formule moléculaire générale et des propriétés chimiques semblables. Cependant, leurs propriétés physiques telles que leur point de fusion, leur point d'ébullition et leur densité sont modifiées en fonction du nombre d'atomes de carbone.

MOTS CLÉS

ALCANES
ALCÈNES
ALCYNE
COMPOSÉ INSATURÉ
COMPOSÉ SATURÉ
CRAQUAGE
HYDROCARBURE
ISOMÉRISME
LIAISON COVALENTE
LIAISON DOUBLE
LIAISON SIMPLE
LIAISON TRIPLE
SÉRIE HOMOLOGUE

Le groupe de composés carbonés le plus simple est constitué par les hydrocarbures aliphatiques qui contiennent seulement des atomes d'hydrogène et de carbone arrangés en chaînes linéaires ou ramifiées. Ce groupe comprend les alcanes, les alcènes et les alcynes. Mais derrière leur formule plutôt simple se cache un grand nombre de variétés.

Les alcanes (autrefois appelés paraffines) sont constitués d'atomes d'hydrogène et de carbone liés ensemble par une liaison simple. La formule générale de la série des alcanes s'écrit C_nH_{2n+2} où n représente le nombre d'atomes de carbone. La série commence avec le méthane (CH_4). Chaque composé suivant de la série possède un atome de carbone et deux atomes d'hydrogène de plus que le précédent. Les quelques composés suivants, tous gazeux, sont l'éthane (C_2H_6), le propane (C_3H_8) et le butane (C_4H_{10}). À partir du pentane (C_5H_{12}), les alcanes sont liquides. Les derniers membres de la série ont plutôt l'aspect de solides cireux.

Les alcanes sont des carburants importants. Ils brûlent proprement en dégageant beaucoup d'énergie. Les alcanes plus gros tels que l'octane (C_8H_{18}) fournissent plus d'énergie par molécule que les plus petits comme le méthane car ils contiennent plus de liaisons à rompre.

Les alcanes sont constitués de molécules saturées car il est

► Les alcynes (*à droite*) constituent les molécules d'hydrocarbure les plus réactives. Elles contiennent des liaisons triples carbone-carbone relativement instables qui libèrent donc beaucoup d'énergie en brûlant. L'éthyne (ou acétylène, C_2H_2) brûle si intensément qu'il peut même brûler sous l'eau. Les alcènes (*au centre*) possèdent une double liaison entre deux de leurs atomes de carbone. Du fait qu'ils sont insaturés, ils sont plus réactifs que les alcanes. Les alcènes représentent une composante importante dans la fabrication des plastiques et des polymères, et peuvent également servir de carburant si on les brûle dans un excès d'oxygène. Les alcanes (*extrême droite*) sont constitués d'atomes d'hydrogène et de carbone liés par des liaisons simples. Les alcanes tels que le gaz de pétrole liquéfié (G.P.L.) et le méthane sont des carburants utiles car ils brûlent proprement en présence d'oxygène et libèrent une grande quantité d'énergie.

◀ Le gaz naturel fournit de l'énergie propre pour des usages industriels et domestiques. La plus grande partie du gaz naturel en Europe est principalement composée de méthane (l'alcane CH_4). Ailleurs, le gaz naturel contient des alcanes plus lourds tels que l'éthane (C_2H_6) et le propane (C_3H_8). Lorsqu'on brûle du méthane dans l'air, il se forme du dioxyde de carbone et de l'eau, et il se dégage de la chaleur à un taux d'environ 30 kilojoules par litre de méthane brûlé. Une quantité d'air suffisante est nécessaire pour s'assurer que le méthane brûle avec une flamme propre, et pour éviter la formation d'un gaz mortel, le monoxyde de carbone (CO).

◀ Les sacs en polyéthylène et le polystyrène (styromousse, ici en plaques pour la construction de routes) sont fabriqués à base d'éthène (ou éthylène, C_2H_4), produit par craquage du naphta et du kérosène à partir du pétrole brut. C'est l'élément de base des produits de nettoyage à sec et des antigels.

impossible de leur ajouter d'autres atomes. Les molécules saturées ne sont pas très réactives mais les alcanes peuvent participer à des réactions de substitution dans lesquelles d'autres atomes prennent la place d'un ou de plusieurs atomes d'hydrogène.

Les alcènes (appelés autrefois oléfines) sont des hydrocarbures de formule générale C_nH_{2n} ayant une liaison double entre deux de leurs atomes de carbone. Les alcènes sont insaturés, et par conséquent sont plus réactifs que les alcanes. Typiquement, ils participent à des réactions d'addition durant lesquelles la double liaison entre les atomes de carbone est rompue et d'autres atomes viennent s'y greffer. Les alcènes peuvent s'hydrater pour former des carbohydrates appelés alcools. Au cours de cette réaction, l'eau réagit avec un alcène en présence d'acide sulfurique qui agit comme catalyseur pour former une molécule de carbone à liaison simple et contenant un groupe –OH.

La plus petite molécule d'alcène, l'éthène (ou éthylène, C_2H_4), est probablement une des plus connues. Elle est produite de façon industrielle au cours du raffinage du pétrole brut et constitue l'élément de base de nombreux plastiques familiers tels que les sacs en polyéthène (ou polyéthylène).

Les hydrocarbures les plus réactifs sont les alcynes (jadis appelés acétylènes). Ils contiennent une liaison triple carbone-carbone relativement instable qui libère beaucoup d'énergie lorsqu'elle est cassée. La plus petite molécule de la série, l'éthyne (ou acétylène, C_2H_2) est utilisée pour souder au chalumeau car elle brûle avec une flamme intense suffisamment chaude pour faire fondre les métaux.

Les composés carbone-hydrogène

Les composés qui contiennent de l'hydrogène et du carbone fournissent près des trois quarts de l'énergie nécessaire sur la planète, et représentent la forme la plus commune de l'énergie utilisée aujourd'hui. À l'origine, l'énergie contenue dans les hydrocarbures provient du Soleil et fut piégée, il y a des millions d'années, par les plantes au cours de la photosynthèse. Elle a été transformée en énergie chimique par les plantes, et est maintenant conservée dans les liaisons chimiques qui maintiennent les molécules des hydrocarbures fossilisés comme le pétrole, le gaz ou le charbon.

MOTS CLÉS

- CARBURANT
- DISTILLATION FRACTIONNÉE
- GAZ
- HYDROCARBURE
- PÉTROLE
- PHOTOSYNTHÈSE
- RAFFINAGE
- ZÉOLITHE

Les carburants fossiles sont le résultat de millions d'années de chaleur et de pression sur les restes de plantes et d'animaux morts. Après leur mort, les plantes et les animaux se retrouvèrent ensevelis sous une couche de limon ou de vase qui les préserva de l'oxygène et du pourrissement. La matière organique fut alors décomposée par des bactéries anaérobiques (qui se développent en l'absence d'oxygène) et fut recouverte petit à petit par des sédiments. Au fur et à mesure de l'enfouissement des dépôts, la pression et la température augmentaient. Pendant des millions d'années ce matériau fut doucement « cuit » et transformé en longues chaînes complexes d'hydrogène et de carbone.

Le type d'hydrocarbure qui se forme durant cette lente transformation dépend en partie de la chimie du matériau organique d'origine, et en partie aussi des conditions de température et de pression sous lesquelles il s'est déposé. La formation du charbon est généralement le résultat de l'enfouissement de plantes de marais primitifs et donne un mélange d'hydrocarbures complexes ayant une forte teneur en carbone.

Le pétrole et le gaz sont plus typiquement générés par la décomposition et l'enfouissement de minuscules animaux marins tels que le plancton, bien que du gaz puisse aussi être généré pendant l'enfouissement des marécages à charbon. Le pétrole contient moins de carbone et plus d'hydrogène que le charbon. Le pétrole brut, pompé au travers des pores de roches souterraines enfouies très profondément, est un mélange de nombreuses et différentes sortes de molécules d'hydrocarbures. Si la plupart du pétrole brut est transformé en carburants, environ 10 pour cent approvisionnent l'industrie chimique en matière première. Avant de pouvoir l'utiliser, on sépare les différentes molécules d'hydrocarbures par raffinage.

Dans une raffinerie, le pétrole brut est séparé en différentes fractions - groupes d'hydrocarbures ayant des points d'ébullition différents (en fonction du nombre d'atomes de carbone qu'ils contiennent). La séparation a lieu dans une colonne de distillation fractionnée, ou tour de fractionnement.

Durant l'opération de raffinage, on introduit à la base de la tour le pétrole brut chauffé à une température d'environ 350 °C. Tandis qu'il bout, les vapeurs d'huile remontent dans la colonne et refroidissent progressivement en s'élevant. Les différentes fractions condensant à des températures différentes se retrouvent à différentes hauteurs de la colonne. Elles sont d'abord séparées puis distillées à nouveau afin de les purifier. Les hydrocarbures légers qui contiennent de 1 à 4 atomes de carbone, et l'essence qui contient entre 5 et 10 atomes de carbone, condensent en premier en haut de la colonne. Les résidus lourds tels que le bitume, qui contiennent plus de 25 atomes de carbone, se retrouvent en bas de la colonne.

Pour aider à séparer des molécules spécifiques d'hydrocarbures, on utilise parfois des minéraux complexes appelés zéolithes dans le processus de raffinage. Les zéolithes sont bien indiquées pour cet usage car leur structure cristalline contient des pores de tailles spécifiques dans lesquels on peut déposer des cations (ions chargés positivement). On peut facilement modifier les zéolithes en remplaçant certains atomes de leur structure cristalline par d'autres éléments. Cela permet aux chimistes de concevoir des zéolithes qui travaillent comme des tamis moléculaires très efficaces dans des buts précis, en séparant des types spécifiques de molécules en fonction de leur taille et de leur forme. Sinon, on utilise les zéolithes comme catalyseurs pour des molécules de taille déterminée.

▲ **Dans la plupart des pays occidentaux, le gaz est transporté le long de pipelines. Les pipelines sont généralement enterrés pour plus de sécurité et de commodité, sauf dans des régions froides comme en Alaska, à cause du permafrost.**

► **Les carburants fossiles (pétrole, gaz et charbon) se sont formés à partir des restes de plantes et d'animaux enfouis sous des sédiments pendant des millions d'années, dans un environnement sans oxygène.**

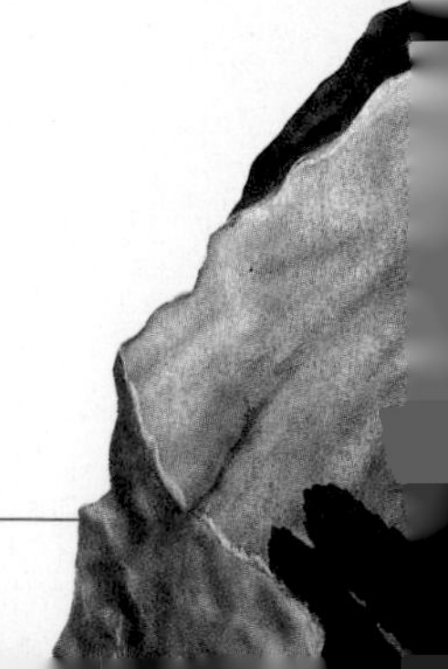

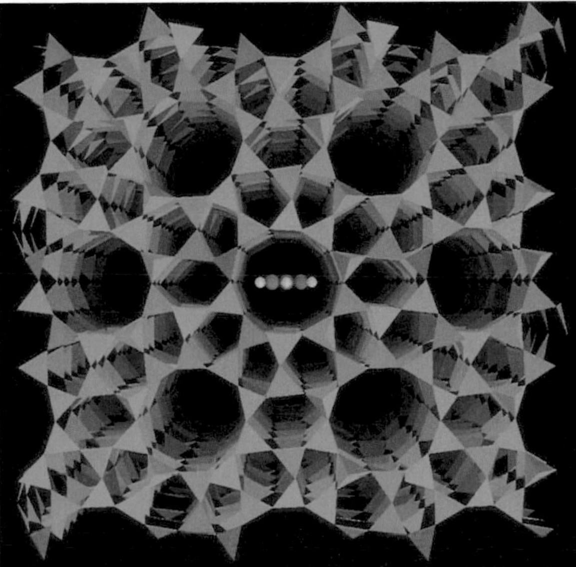

◀ Les zéolithes font partie de la famille des alumino-silicates, des minéraux complexes. On les utilise parfois comme pièges moléculaires pour séparer entre eux différents hydrocarbures. Bien qu'on en trouve dans des formations volcaniques naturelles, on fabrique en laboratoire celles qui sont utilisées dans les raffineries, pour leur donner précisément les caractéristiques de porosité recherchées.

◀ Les raffineries de pétrole comprennent une haute tour de fractionnement, des réservoirs de stockage et une unité de craquage où la chaleur transforme les grosses molécules de pétrole en molécules plus petites pour faire de l'essence ou des plastiques.

▶ Au cours du processus de fractionnement, le pétrole brut chauffé à environ 350 °C est introduit à la base de la colonne. La vapeur d'huile remonte et se refroidit. Différentes fractions condensent à différentes hauteurs de la colonne, où on peut les séparer. Les fractions légères comprennent le gaz de pétrole qui condense à 20 °C et qu'on utilise en bouteilles, l'essence (qui condense à environ 70 °C) et le naphta utilisé dans l'industrie chimique (aux environs de 140 °C). Les fractions du milieu (190 °C à 320 °C) comprennent le kérosène et la paraffine, les carburants diesel et le fioul. Les fractions lourdes, telles que les huiles lubrifiantes et le bitume (asphalte), condensent à plus de 350 °C.

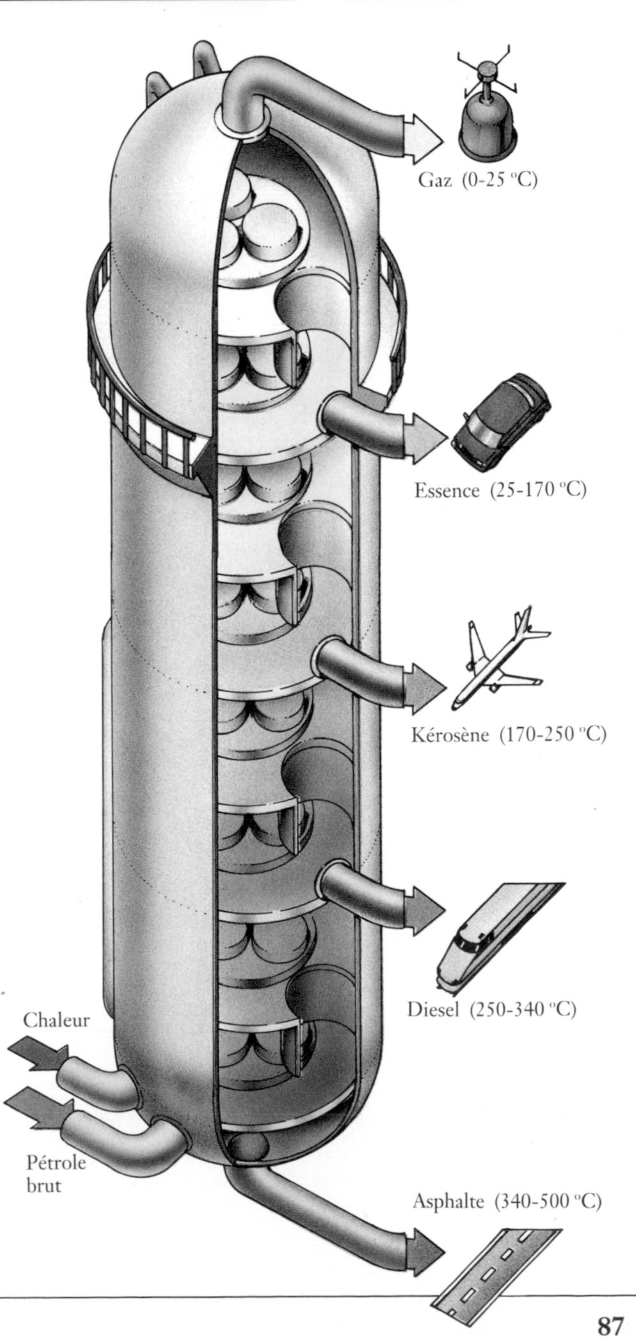

CARBONE, HYDROGÈNE ET OXYGÈNE

Un verre de vin, une pomme de terre et un morceau de sucre contiennent tous des composés du carbone, de l'hydrogène et de l'oxygène. Dans le vin, c'est l'alcool ; dans les pommes de terre, l'amidon ; et le sucre est un hydrate de carbone, le saccharose. Les hydrates de carbone, comme les hydrocarbures, sont souvent de grosses molécules. Mais contrairement aux hydrocarbures, ils contiennent aussi de l'oxygène généralement dans un rapport de deux atomes d'hydrogène pour un atome d'oxygène. Différents groupes fonctionnels (groupes d'atomes attachés à la chaîne hydrocarbonée) leur donnent les propriétés qui les caractérisent.

MOTS CLÉS

ALCOOL
ALDÉHYDE
AMIDON
ESTER
ÉTHANOL
HYDRATE DE CARBONE

Les alcools (qui possèdent le groupement hydroxyle –OH comme groupe fonctionnel) ne sont pas seulement utilisés pour leur effet enivrant. On se sert aussi de l'éthanol (l'alcool éthylique des boissons alcoolisées, C_2H_5OH) dans l'industrie comme solvant des peintures, des teintures et des parfums, en médecine comme antiseptique, et comme solvant pour de nombreux médicaments. Dans certains pays, il est aussi utilisé comme carburant car il produit beaucoup d'énergie sans libérer de polluants soufrés ou d'oxydes d'azote.

L'éthanol est lui-même le produit d'une réaction impliquant le sucre, un autre hydrate de carbone. Pendant des milliers d'années, l'éthanol fut produit par fermentation du sucre dans la levure. Tous les sucres contiennent l'unité de base $C_6H_{12}O_6$, mais comme ils varient par l'arrangement de leurs atomes dans la molécule, les différents sucres possèdent des propriétés diverses. Durant la fermentation, des enzymes de la levure agissent comme catalyseur pour transformer le sucre en éthanol et en dioxyde de carbone. À des fins industrielles, on peut également faire de l'éthanol en combinant un hydrocarbure, l'éthène (un alcène, C_2H_4) avec de la vapeur d'eau

◄ **Les parfumeurs ont l'art d'associer les odeurs caractéristiques d'hydrates de carbone appelés esters, formés en condensant un acide avec un alcool. Les cires et les graisses sont différentes formes d'esters.**

► **Le sucrose ($C_{12}H_{22}O_{11}$) est un hydrate de carbone produit par la canne à sucre et la betterave sucrière. Il se transforme en fructose et glucose qui ont la même formule mais des structures différentes.**

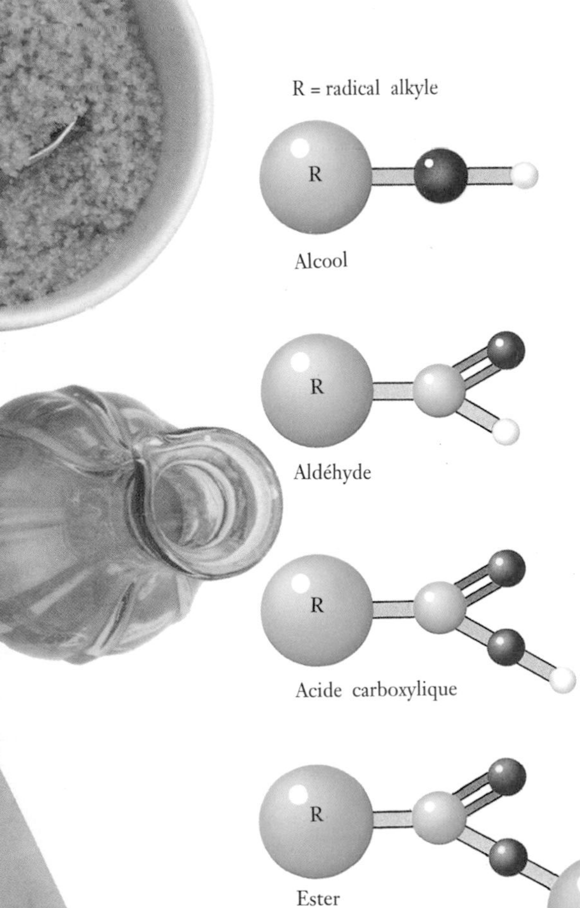

◀ Des variations dans la formule produisent des substances aussi différentes que du sucre, du vinaigre, des pommes de terre, du plastique, ou le parfum d'une fleur. L'acide citrique, qui donne aux citrons et aux oranges leur goût acide, est un acide carboxylique comme l'acide éthanoïque (acétique) du vinaigre. Les acides carboxyliques contiennent un groupe carboxyle (–COOH) comme les esters utilisés pour donner un goût artificiel et qui donnent aux fleurs leur doux parfum. L'éthanol, l'alcool enivrant que l'on trouve dans le vin, contient un groupement hydroxyle (–OH). Les aldéhydes, qui contiennent un groupement carbonyle (–C=O), sont un ingrédient de nombreux plastiques, y compris la Bakélite, plastique thermodurcissable, qui est une résine fabriquée à partir du phénol et du méthanal.

(H_2O) pour provoquer une réaction d'addition au cours de laquelle un groupe fonctionnel –OH est fixé.

On fabrique des aldéhydes en oxydant un alcool (en lui ôtant ses atomes d'hydrogène). Pour les aldéhydes, le groupement fonctionnel est le groupe carbonyle –C=O, dans lequel un atome de carbone est lié par une double liaison à un atome d'oxygène. Le groupement carbonyle est généralement lié à deux atomes d'hydrogène ou à un atome d'hydrogène et un radical hydrocarboné. Les radicaux, représentés par la lettre R, sont des groupes d'atomes qui s'attachent à différents composés comme s'ils étaient un seul élément, et dont la structure interne reste inchangée durant les réactions chimiques.

On peut facilement oxyder les aldéhydes et souvent les utiliser comme agents réducteurs. Le formaldéhyde (méthanal, HCHO), un des aldéhydes les plus familiers, est un agent de conservation et un composant important des plastiques. On utilise l'urée et les résines mélaminées (formaldéhydes) dans les peintures et les laques, comme adhésifs, pour donner de la rigidité aux produits en papier, et pour rendre les tissus infroissables.

Un alcool réagit avec les acides organiques (qui contiennent un groupe carboxyle –COOH) pour former de l'eau et des esters, composés qui donnent aux fleurs leur doux parfum et sont à la base des goûts fruités dits « naturels » utilisés dans l'industrie alimentaire. Les esters sont également des solvants importants, largement utilisés dans les industries cosmétiques et pharmaceutiques. Les graisses sont des esters ayant un poids moléculaire plus élevé que les autres et qui jouent le rôle de réservoir à nourriture pour certaines plantes et certains animaux.

Les composés aromatiques

Dans les molécules aliphatiques organiques, chaque atome de carbone possède la particularité de former quatre liaisons covalentes avec les autres atomes. Cela permet aux composés aliphatiques de former des chaînes linéaires ou ramifiées. Mais dans les composés aromatiques, le carbone a la possibilité de former de solides liaisons avec lui-même. De ce fait, les atomes de carbone peuvent former des anneaux aussi bien dans des chaînes linéaires que ramifiées. Parce que certaines essences naturelles qui contiennent des anneaux de carbone ont une odeur agréable, on appelle « aromatiques » les composés possédant de tels anneaux.

MOTS CLÉS

ALIPHATIQUES
AROMATIQUE
GROUPE HYDROXYLE
HORMONE
LIAISON CARBONE-CARBONE
NOYAU BENZÉNIQUE
PHÉNOL
POLYSTYRÈNE
STÉROÏDE

Le benzène (C_6H_6), le plus simple et l'un des aromatiques les plus importants, constitue une exception. Son odeur est âcre et désagréable et il a été montré qu'il pouvait être responsable de cancers, en particulier chez les jeunes enfants. Aussi ne doit-on le manipuler qu'avec précaution. Le benzène est à la base de nombreux composés, mais les chimistes n'ont découvert que très récemment la nature de la liaison de cette molécule relativement commune. La molécule consiste en six atomes de carbone joints en un anneau hexagonal, avec un atome d'hydrogène lié à chaque carbone. Les électrons impliqués dans les liaisons carbone-carbone sont dits délocalisés car ils ne sont associés à aucun atome de carbone en particulier. En conséquence, le comportement chimique du benzène est surprenant. Par exemple, bien qu'il soit très fortement insaturé (on peut lui rajouter des atomes par réaction chimique), le benzène est beaucoup moins réactif que prévu et possède des propriétés caractéristiques. Vu la nature des liaisons, le benzène tend à subir des réactions qui préservent la stabilité de l'anneau.

Néanmoins, les noyaux benzéniques constituent la base d'un grand nombre de composés aromatiques car il est possible de remplacer un ou plusieurs atomes d'hydrogène de l'anneau par d'autres atomes ou groupes d'atomes. Beaucoup de produits dérivés du benzène ont ainsi été développés, incluant des produits chimiques utilisés dans les matières plastiques, les colorants (phénylamine ou aniline, benzène dans lequel s'est substitué un groupe $-NH_2$ sur l'anneau), caoutchouc, résines, parfums (nitrobenzène, benzène sur lequel s'est substitué un groupe $-NO_2$), conservateurs (acide benzoïque, benzène possédant un groupe –COOH), et des arômes artificiels (benzaldéhyde, benzène contenant un groupe –CHO). La substitution par un groupe hydroxile (–OH) sur le benzène produit le phénol, un désinfectant autrefois appelé acide carbolique.

Le benzène est également une molécule importante pour la production des plastiques et des polymères. Par exemple, on utilise le phénol dans la fabrication de la Bakélite, plastique thermodurcissable. Le benzène ajouté à l'éthène (alcène, C_2H_4) permet de former du phényl éthylène (styrène), l'élément de base du polystyrène. Ce polymère synthétique important est constitué de noyaux benzéniques distribués le long d'une chaîne d'atomes de carbone.

Il existe trois sortes différentes de polystyrène : une forme amorphe dans laquelle l'arrangement des anneaux benzéniques est aléatoire, et deux formes cristallines, une avec des anneaux de benzène sur un seul côté d'une chaîne et l'autre dans laquelle ils alternent de chaque côté. On utilise le polystyrène pour faire des objets moulés et des isolants électriques. Comme il est clair et qu'il peut être facilement coloré, on l'utilise souvent comme composant optique.

Les cycles benzéniques peuvent aussi se joindre pour donner des systèmes d'anneaux fusionnés qui, comme le benzène lui-même, peuvent participer à des réactions d'addition et de substitution pour former une large variété de composés. Dans ces systèmes, la délocalisation des électrons s'étend sur l'ensemble des anneaux. Le naphtalène, qui consiste en deux anneaux benzéniques soudés, est un tel composé. On l'utilise dans les plastiques, les résines, les polyesters, les insecticides et les boules de naphtaline.

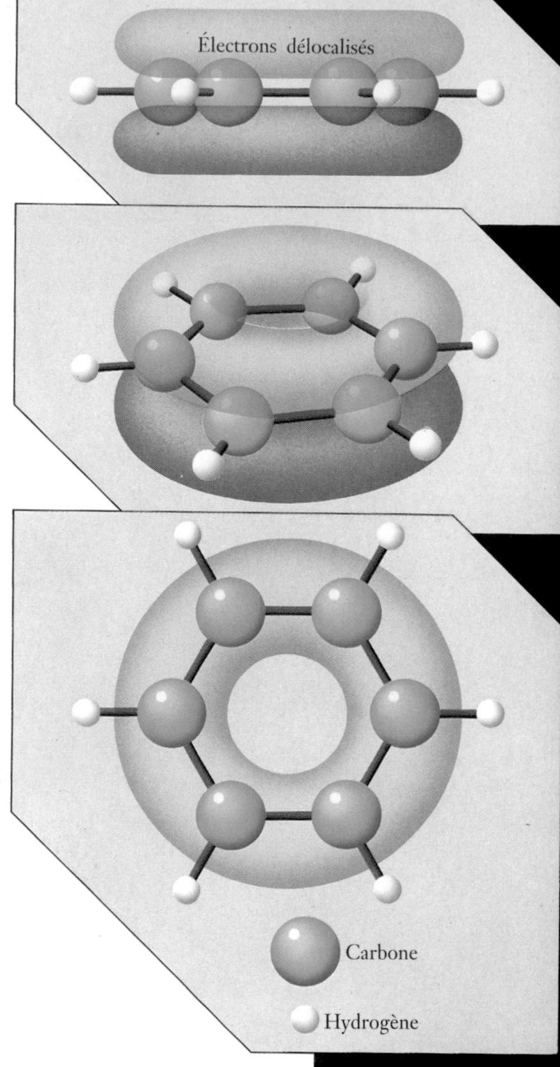

▶ **Les liaisons carbone-carbone du benzène sont uniques (ce ne sont ni des doubles liaisons ni des liaisons simples). Le noyau benzénique est un hexagone plat composé de six liaisons C-C de même longueur. Cette longueur est inférieure à celle d'une simple liaison C-C, mais supérieure à celle d'une liaison double C=C. Dans le benzène, certains électrons impliqués dans la liaison sont dits délocalisés. Ils ne sont associés à aucun des atomes de carbone en particulier, mais sont partagés par l'ensemble des six atomes de l'anneau. Toutes les liaisons C-C possèdent une densité électronique uniforme. Un anneau benzénique est présenté ci-contre selon trois perspectives différentes : de profil, incliné et du dessus. Le nuage d'électrons délocalisés est clairement visible. Du fait de la nature unique des liaisons dans le noyau benzénique, la chimie du benzène offre de nombreuses surprises.**

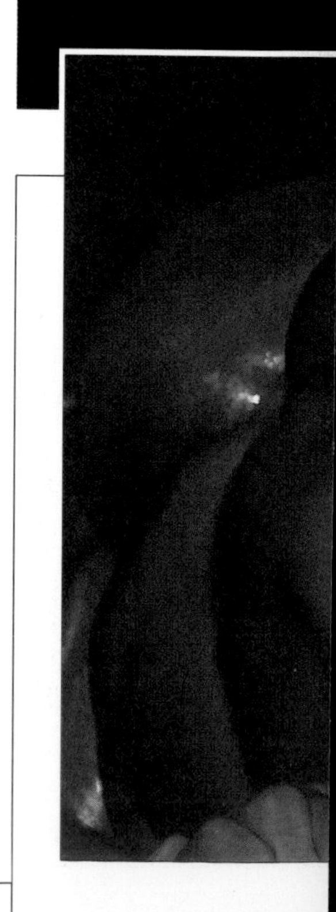

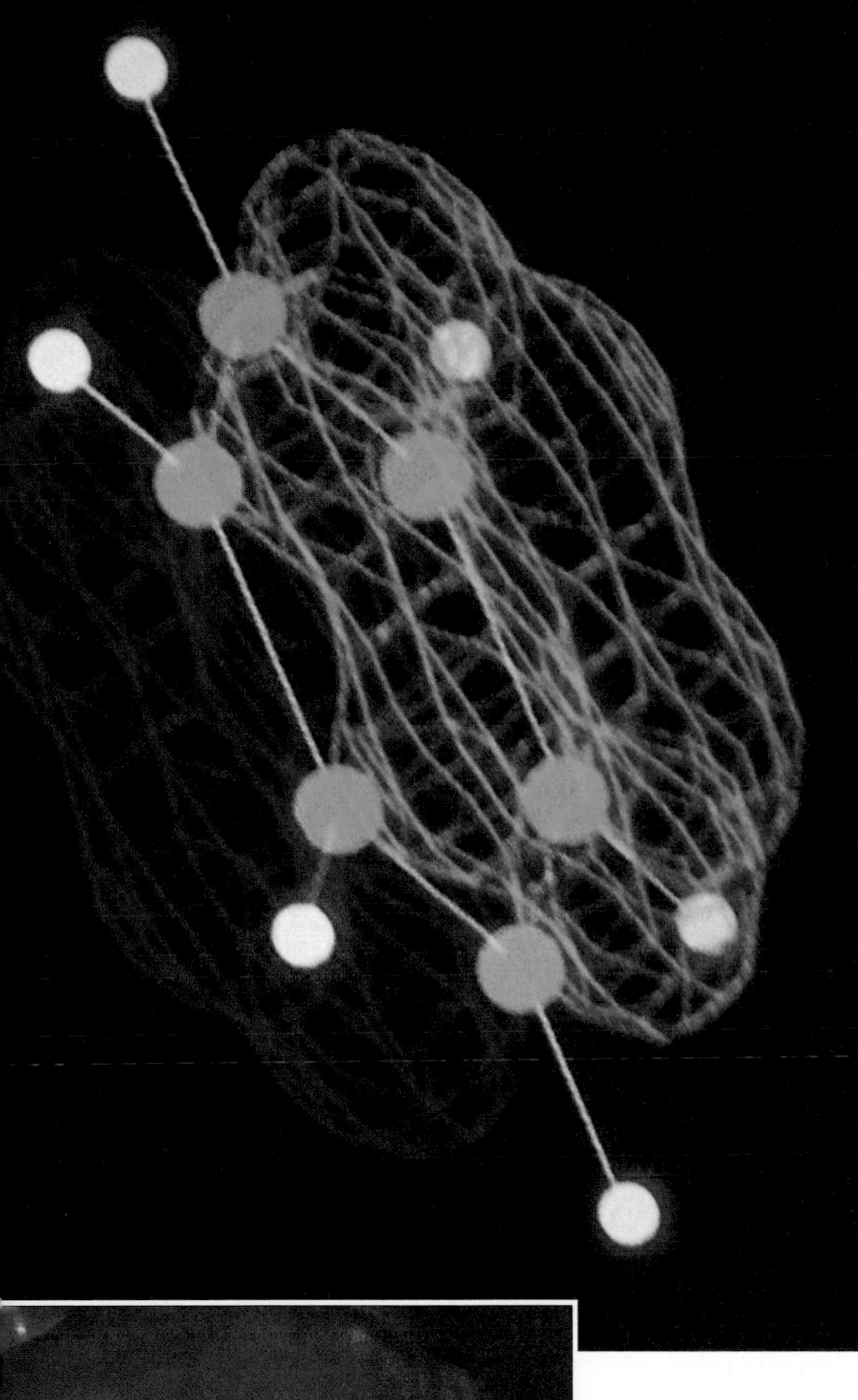

▶ Il existe de nombreuses façons de représenter la structure du benzène. Elles comprennent un simple hexagone (1) un hexagone comprenant des liaisons sur lesquelles on peut attacher des substituants (2) ; un hexagone possédant une alternance de simples et de doubles liaisons (3) (selon le modèle proposé par le chimiste allemand Auguste Kékulé en 1856) ; et un hexagone contenant un cercle (4). On peut combiner les noyaux benzéniques pour former d'autres composés. Par exemple, deux anneaux de benzène fusionnés forment le naphtalène, un composé important utilisé dans la fabrication de plastiques, de résines et de polymères. L'anthracène, un composant du goudron, est fait de trois noyaux benzéniques assemblés en ligne. Trois anneaux de benzène assemblés en patte de chien forment le phénanthrène, un composé entrant dans la composition des stéroïdes hormonaux.

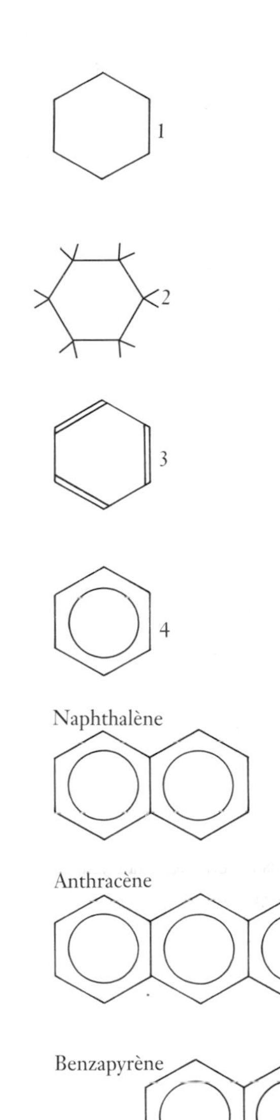

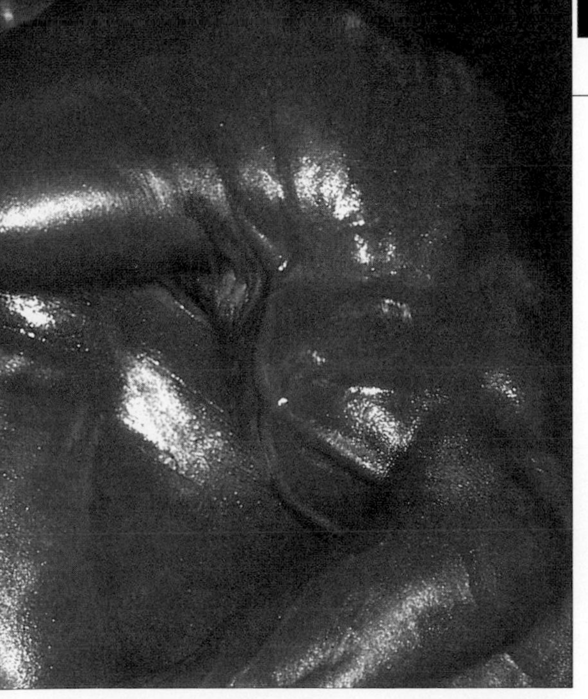

STÉROÏDES ET CARBONES EN CYCLES

Les stéroïdes (hormones illégalement utilisées par certains athlètes) sont des composés organiques dont la molécule centrale contient quatre anneaux d'atomes de carbone (stérol), avec parfois des chaînes secondaires qui y sont rattachées. Les stéroïdes comprennent une grande variété de composés : les hormones sexuelles humaines et les sels de bile ; les alcaloïdes végétaux tels que la caféine et la nicotine ; et l'hormone ecydsone, qui contrôle la mue des insectes. Tous les stéroïdes hormonaux sont basés sur le cholestérol architecturé autour d'un motif polycyclique comportant 3 cycles à 6 et un cycle à 5 imbriqués. Les hormones sexuelles mâle (testostérone) et femelle (progestérone) ont des structures très voisines et ne diffèrent que par le remplacement d'une fonction alcool (–OH) par un groupement carbonyle (–CO–CH_3) greffé sur le cycle à 5.

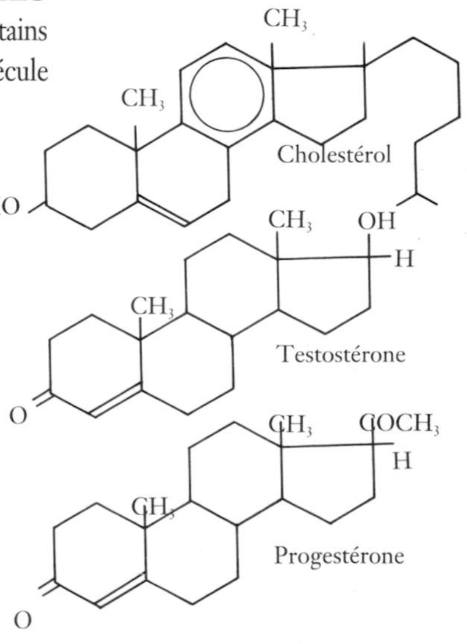

L'ÉLABORATION DES HYDROCARBURES

Ajouter ou enlever des atomes d'hydrogène peut provoquer une grosse différence dans la préparation d'huiles et de graisses comestibles. À température ambiante, les huiles sont liquides alors que les graisses sont solides. La différence physique entre une huile comestible comme l'huile d'olive ou l'huile de tournesol, et une graisse solide comme la margarine, réside en grande partie dans le nombre d'atomes d'hydrogène qu'elles contiennent. Les huiles et les graisses comestibles possèdent une structure chimique semblable. Elles sont constituées de longues chaînes d'atomes de carbone incluant des atomes d'hydrogène. Les huiles cependant sont plus insaturées que les graisses, c'est-à-dire qu'elles ont une proportion plus grande de doubles liaisons carbone-carbone et par conséquent moins d'atomes d'hydrogène. Comme tous les composés insaturés, les huiles sont plus réactives.

MOTS CLÉS

ACIDE GRAS
COMPOSÉ INSATURÉ
COMPOSÉ SATURÉ
ÉMULSIFIANT
GRAISSE
HUILE
HYDROGÉNATION
LIAISON DOUBLE
LIAISON SIMPLE

Les doubles liaisons C=C sont plus rigides que des liaisons simples et donnent aux huiles un point de fusion plus bas. C'est pourquoi les huiles sont liquides à température ambiante. D'autre part, les graisses sont dites saturées : tous leurs atomes de carbone sont impliqués dans quatre liaisons simples qui donnent plus de liberté de mouvement à la molécule et permettent plus d'interactions entre deux molécules voisines. En conséquence, elles possèdent un point de fusion plus élevé, et sont solides à température ambiante.

On appelle hydrogénation l'ajout d'hydrogène à des huiles pour les transformer en graisses. L'huile est d'abord chauffée à 150 °C et on ajoute un catalyseur de nickel en poudre. L'hydrogène qui barbotte dans l'huile cause la rupture des doubles liaisons C=C dans la chaîne de carbone en s'y additionnant. C'est une réaction d'addition et les atomes de carbone forment des nouvelles liaisons simples avec l'hydrogène.

Plus on utilise d'hydrogène, plus on casse de doubles liaisons. Pour produire une graisse dure, possédant un point de fusion relativement élevé, l'hydrogène est ajouté jusqu'à ce que l'huile soit complètement saturée et qu'il ne reste plus de doubles liaisons à casser.

Les graisses insaturées, telles que les margarines onctueuses, sont dites « riches en polyinsaturés » (composés de graisses et d'huiles qui contiennent de nombreuses liaisons doubles). On peut facilement les étaler et de nombreux médecins pensent qu'elles sont plus saines que les graisses saturées qui peuvent provoquer des bouchons dans les vaisseaux sanguins et conduire à des maladies cardio-vasculaires.

La margarine est une émulsion qui contient des gouttelettes

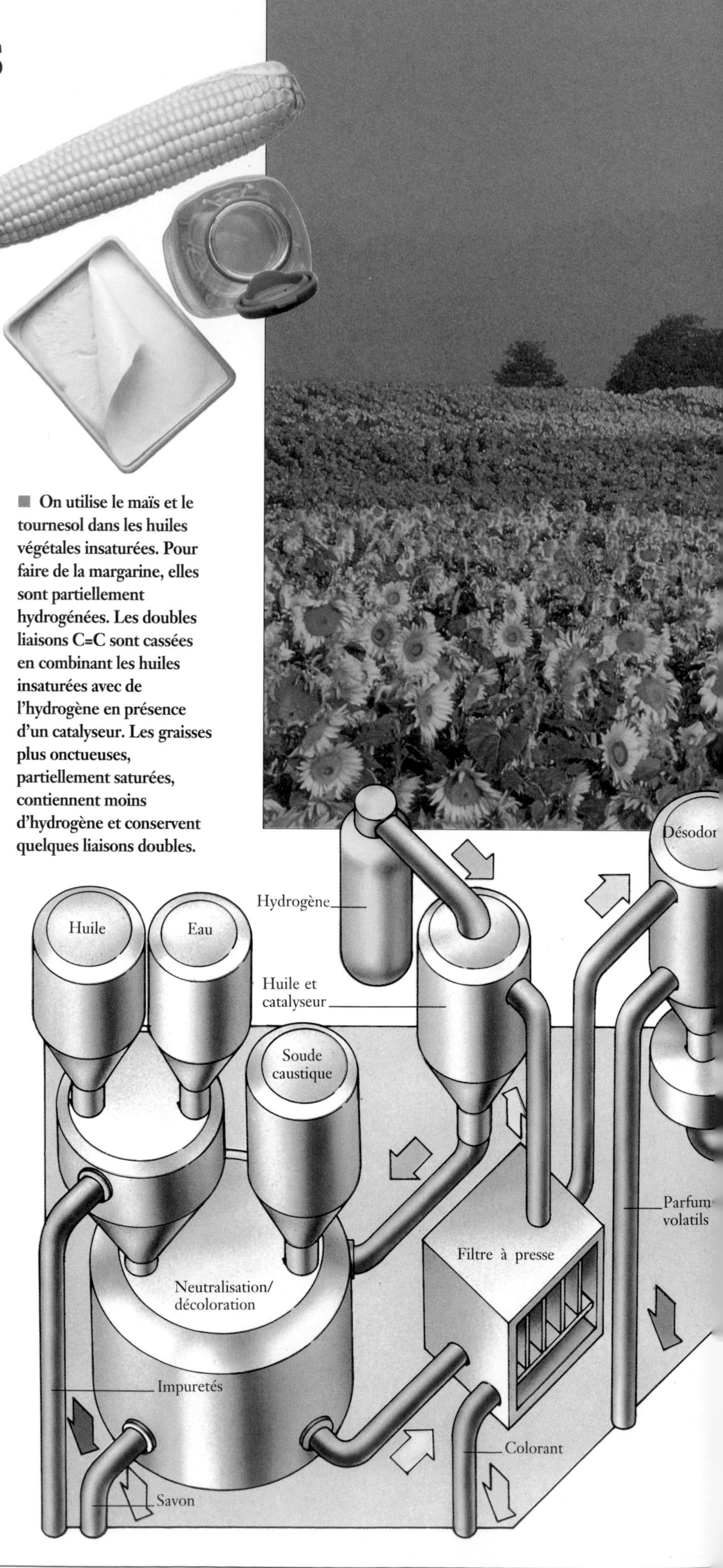

On utilise le maïs et le tournesol dans les huiles végétales insaturées. Pour faire de la margarine, elles sont partiellement hydrogénées. Les doubles liaisons C=C sont cassées en combinant les huiles insaturées avec de l'hydrogène en présence d'un catalyseur. Les graisses plus onctueuses, partiellement saturées, contiennent moins d'hydrogène et conservent quelques liaisons doubles.

d'eau, de lait écrémé et d'eau salée suspendues dans de l'huile et de la graisse. Les pâtes à tartiner sans margarine et avec peu de graisse contiennent une plus grande proportion d'eau. On utilise un émulsifiant pour mélanger l'huile et l'eau dans tous les types de margarine. Dans les versions allégées, on doit ajouter de bons émulsifiants et stabilisants. Ce sont des solides lactés, la protéine du lait caséine, des protéines ou des gommes végétales.

Les huiles comestibles ne sont pas les seules substances qui peuvent être hydrogénées. Le charbon peut l'être par un processus appelé liquéfaction. On obtient un carburant liquide qui peut être raffiné pour produire de l'essence, des huiles de moteur, du fioul, des carburants pour l'aviation, des huiles lourdes et des produits pétrochimiques. Lorsque le charbon est liquéfié, le rapport du nombre des atomes d'hydrogène sur celui des atomes de carbone a fortement augmenté. Dans le processus de liquéfaction directe, appelé procédé Bergius, du charbon pulvérisé est mis en suspension dans un mélange liquide d'hydrocarbures. La suspension est ensuite hydrogénée en la chauffant et en l'exposant à de l'hydrogène gazeux sous pression. Les liquides produits par ce procédé sont d'abord séparés de la cendre puis distillés pour obtenir différentes fractions d'hydrocarbures.

Dans le procédé Fisher-Tropsch, on chauffe à 200 °C de l'hydrogène et du monoxyde de carbone (provenant par exemple de l'oxydation du charbon) sur un catalyseur de cobalt ou de nickel. Cela produit un mélange d'hydrocarbures qui peuvent être séparés en différents carburants par distillation. Des alcools et des cétones sont également produits lors de l'hydrogénation.

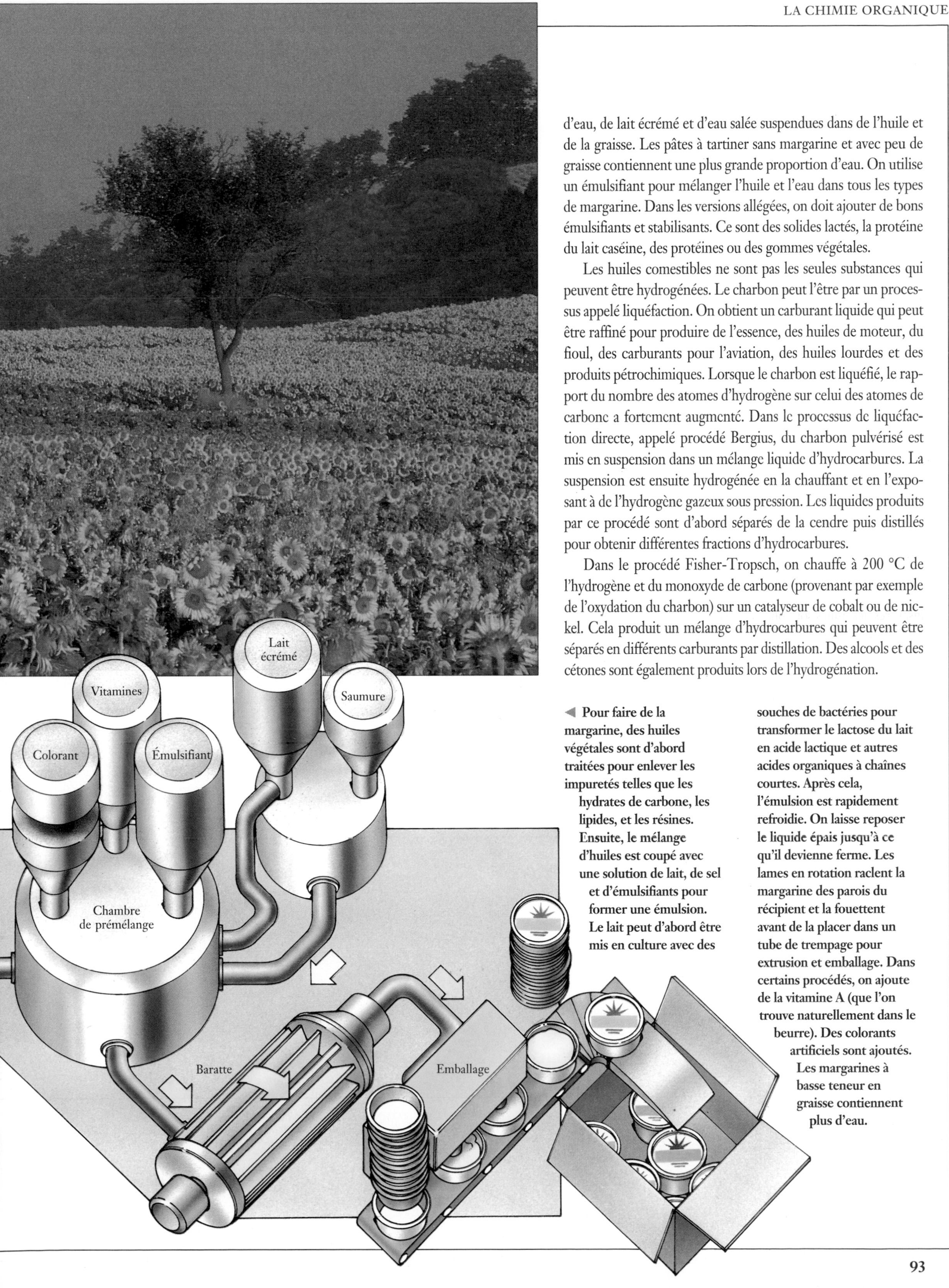

◄ Pour faire de la margarine, des huiles végétales sont d'abord traitées pour enlever les impuretés telles que les hydrates de carbone, les lipides, et les résines. Ensuite, le mélange d'huiles est coupé avec une solution de lait, de sel et d'émulsifiants pour former une émulsion. Le lait peut d'abord être mis en culture avec des souches de bactéries pour transformer le lactose du lait en acide lactique et autres acides organiques à chaînes courtes. Après cela, l'émulsion est rapidement refroidie. On laisse reposer le liquide épais jusqu'à ce qu'il devienne ferme. Les lames en rotation raclent la margarine des parois du récipient et la fouettent avant de la placer dans un tube de trempage pour extrusion et emballage. Dans certains procédés, on ajoute de la vitamine A (que l'on trouve naturellement dans le beurre). Des colorants artificiels sont ajoutés. Les margarines à basse teneur en graisse contiennent plus d'eau.

LES POLYMÈRES ET LES MATIÈRES PLASTIQUES

Tous les organismes vivants contiennent des polymères : les protéines, les hydrates de carbone, le bois et les gommes naturelles sont des polymères. Cependant, les chimistes ont appris à copier et à manipuler avec succès ce que la nature a inventé. On sait aujourd'hui fabriquer un grand nombre de polymères synthétiques dont les propriétés sont spécifiquement adaptées à nos besoins.

Les polymères sont de grosses molécules organiques composées généralement d'atomes de carbone et d'hydrogène, souvent associés à des atomes d'azote et d'oxygène. Ils sont constitués par l'enchaînement de petites unités identiques appelées monomères. Quelques polymères, appelés homopolymères, ne contiennent qu'une sorte de monomère alors que d'autres, appelés copolymères, sont constitués de plusieurs sortes de monomères différents. Au cours de la polymérisation, les monomères s'accrochent ensemble pour former de longues chaînes pouvant comporter jusqu'à plusieurs milliers de maillons. Ces chaînes peuvent être linéaires ou bien ramifiées. Souvent, il y a plus de 50 000 atomes de carbone dans un polymère.

Un polymère reflète la somme de ses constituants, c'est donc la nature de ceux-ci (les groupes d'atomes qu'il contient) qui en détermine les propriétés. Les molécules de la chaîne sont liées les unes aux autres à la fois longitudinalement et transversalement : ces forces intermoléculaires donnent aux plastiques et aux fibres synthétiques leurs caractéristiques respectives.

Les matières plastiques ont longtemps été associées à de la marchandise de piètre qualité. Actuellement, les polymères de haute technologie sont au contraire des produits très performants que l'on choisit pour leur solidité et leur aptitude à répondre exactement à la demande. L'emploi des plastiques a révolutionné la pratique de nombreux sports où l'emploi de plastiques légers et résistants s'est substitué à des matériaux naturels moins performants. Le parapentiste ci-contre a confié sa vie à des plastiques et des polymères de qualité supérieure. Sa voile est faite en Nylon, une fibre polymère très solide, un autre polymère est utilisé pour les cordes et un casque en plastique résistant et rigide lui protège efficacement la tête.

Les polymères naturels

La chimie imite la nature et les chimistes des polymères ont appris autant par l'observation des matériaux naturels qu'au cours d'expériences en tubes à essai. On trouve partout des polymères naturels et plus particulièrement dans les arbres.

La sève de l'hévéa est le matériau de base de l'une des plus vieilles industries du polymère : le caoutchouc. Le caoutchouc naturel, ou latex, chimiquement appelé « polyisoprène », est un polymère constitué de 1 000 à 5 000 monomères d'isoprène, hydrocarbure insaturé (C_5H_8) extrait de la sève de l'hévéa. L'isoprène contient deux doubles liaisons séparées par une liaison simple. Au cours de la polymérisation, les liaisons doubles sont brisées et se réarrangent en liant les monomères entre eux de manière à former une longue chaîne enroulée. C'est la nature de cette chaîne qui procure au caoutchouc ses propriétés uniques.

MOTS CLÉS

AMIDON
CAOUTCHOUC
CELLULOSE
HYDROPHOBE
MATÉRIAU COMPOSITE
POLYMÈRE

L'élasticité du caoutchouc provient du fait que lorsqu'on l'étire, les chaînes emmêlées se déroulent mais tendent à revenir à leur état initial sous l'action de forces intermoléculaires. L'emmêlement des chaînes est aussi ce qui donne au caoutchouc sa cohésion interne et l'empêche de se briser ou de tomber en miettes lorsqu'il est étiré. Le fait que le caoutchouc soit constitué d'un enchevêtrement dense de chaînes d'hydrocarbures hydrophobes lui donne une bonne résistance à l'eau.

Le caoutchouc naturel est ramolli par la chaleur et durci par le froid sans perdre ses propriétés chimiques. On l'utilise aussi dans certains ciments et adhésifs, ou encore sous la forme de chatterton pour attacher des câbles ou isoler des appareils électriques. Cependant, à cause de son point de fusion relativement bas, il ramollit à la chaleur.

On utilise la vulcanisation afin de s'affranchir de ce point de fusion trop bas et rendre le caoutchouc suffisamment dur pour l'utiliser dans les pneus ou ailleurs. Pendant la vulcanisation, les longues chaînes de polyisoprène sont fermement attachées les unes aux autres par des liaisons (réticulations) utilisant un atome de soufre, appelé « pont sulfure ». Cette réticulation rend le caoutchouc naturel plus résistant à la chaleur, mais le transforme en un matériau qui, une fois moulé, ne peut plus être modifié sans détruire ses propriétés chimiques.

Une autre conséquence est que le caoutchouc vulcanisé a une durée de vie relativement courte, parce que les ponts sulfure réagissent bien avec l'oxygène de l'air. Ainsi, le caoutchouc naturel ne représente que 40 pour cent des besoins mondiaux, et est remplacé par des substituts synthétiques dérivés du pétrole comme le caoutchouc nitrile ou le chloroprène. Ces substituts artificiels ont un point de fusion plus élevé et sont bien moins affectés par les solvants organiques.

La cellulose et l'amidon sont d'autres polymères naturels d'importance apportés par les végétaux. Tous les deux sont

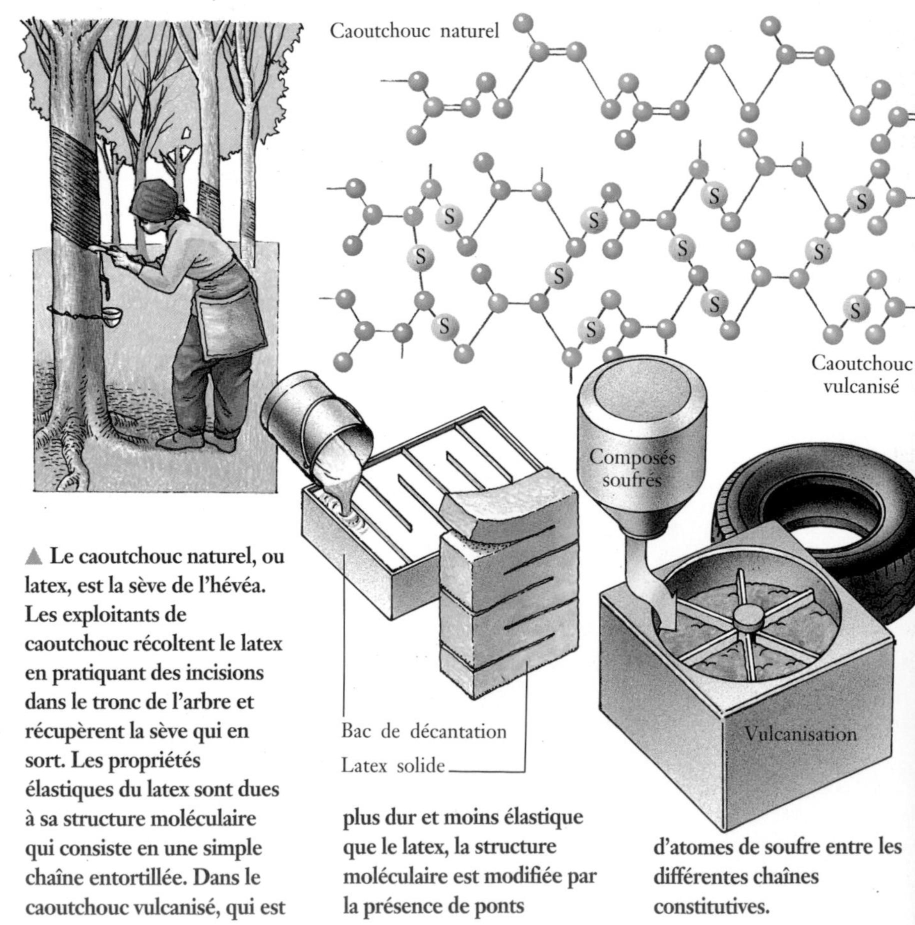

▲ **Le caoutchouc naturel, ou latex, est la sève de l'hévéa. Les exploitants de caoutchouc récoltent le latex en pratiquant des incisions dans le tronc de l'arbre et récupèrent la sève qui en sort. Les propriétés élastiques du latex sont dues à sa structure moléculaire qui consiste en une simple chaîne entortillée. Dans le caoutchouc vulcanisé, qui est plus dur et moins élastique que le latex, la structure moléculaire est modifiée par la présence de ponts d'atomes de soufre entre les différentes chaînes constitutives.**

◀ **Le coton récolté ici est constitué de fibres de cellulose, ingrédient principal de la plupart des cellules végétales. L'orientation alternée des monomères glucose dans la fibre de cellulose lui confère une grande solidité.**

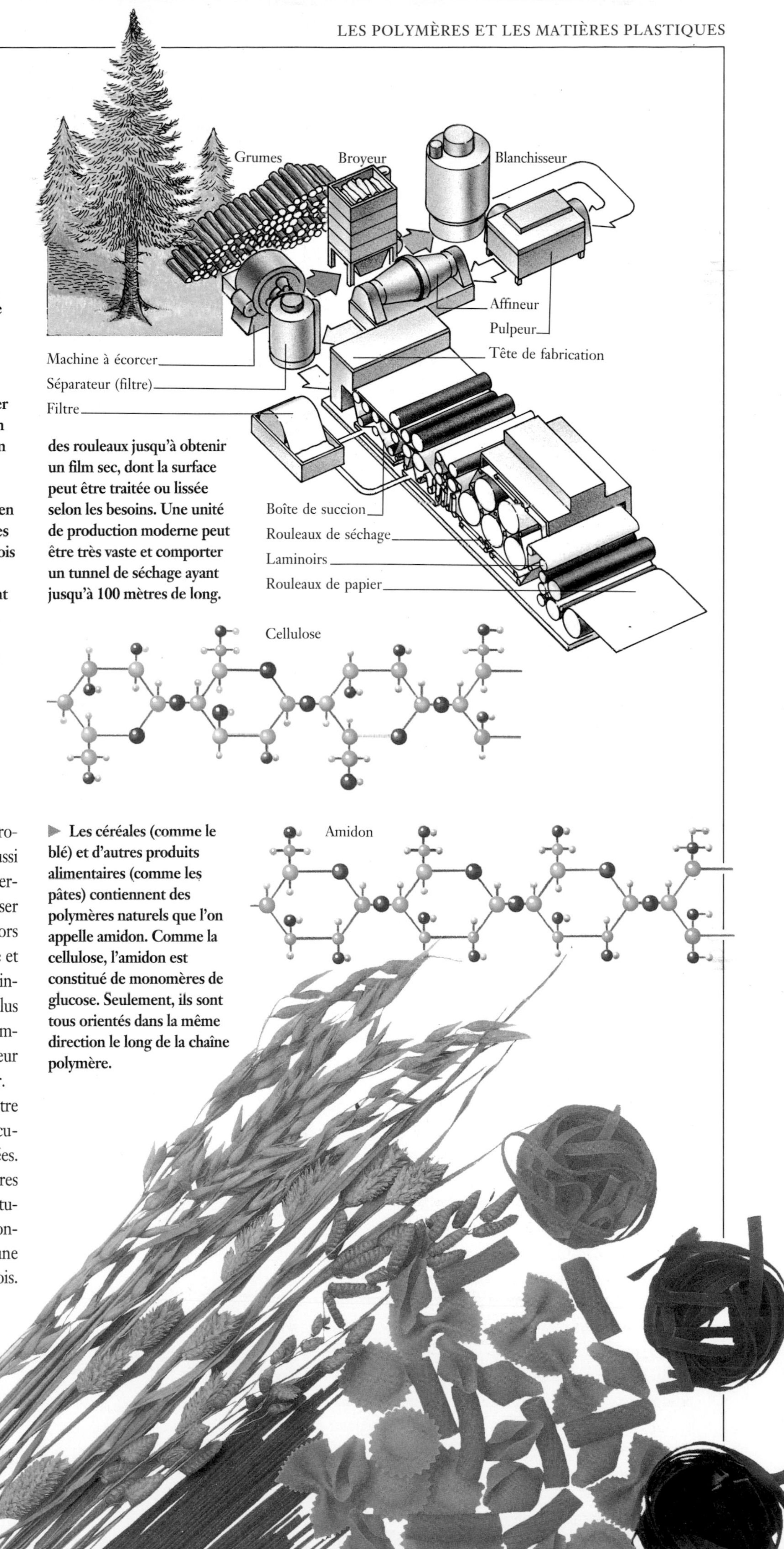

▶ **On utilise la fibre de cellulose pour faire du papier et des textiles. La fabrication du papier est assez simple en soi, mais des exigences de qualité et de contrôle de pollution l'ont transformée en une opération complexe. Des grumes de bois écorcé, parfois mélangées à des déchets de coton ou d'autres fibres, sont mâchurées mécaniquement et chimiquement pour être transformées en pulpe, puis blanchies pour former une pâte. Ce mélange est alors versé sur un fin tamis pour former de grandes feuilles plates. On en retire l'eau en pressant cette feuille entre des rouleaux jusqu'à obtenir un film sec, dont la surface peut être traitée ou lissée selon les besoins. Une unité de production moderne peut être très vaste et comporter un tunnel de séchage ayant jusqu'à 100 mètres de long.**

constitués à partir de monomères de glucose, sucre simple produit de la photosynthèse des plantes. L'amidon est utilisé aussi bien par les animaux que par les végétaux pour stocker leur énergie. En cas de besoin, l'amidon se laisse facilement décomposer en ses molécules de glucose constitutives. Elles peuvent alors être oxydées en donnant de l'énergie, du dioxyde de carbone et de l'eau. La cellulose est le polymère de base de la structure principale des plantes. C'est l'une des substances organiques les plus abondantes à la surface de la terre, et il est difficile de la décomposer : les herbivores qui la consomment possèdent dans leur système digestif des bactéries spécialisées pour la décomposer.

Les chimistes savent combiner un polymère avec un autre matériau pour produire un composite aux propriétés particulières, souvent pour des applications technologiques avancées. La fibre de verre est un composite dans lequel de minces fibres en verre sont collées ensemble par une résine polyester insaturée. La nature utilise aussi ce procédé : le composite le plus abondant dans la nature est une fibre de cellulose renforçant une résine phénylique, mieux connu sous son nom commun, le bois.

▶ **Les céréales (comme le blé) et d'autres produits alimentaires (comme les pâtes) contiennent des polymères naturels que l'on appelle amidon. Comme la cellulose, l'amidon est constitué de monomères de glucose. Seulement, ils sont tous orientés dans la même direction le long de la chaîne polymère.**

LES POLYMÈRES SYNTHÉTIQUES

C'est l'imitation de la nature qui a été l'objectif principal des premiers chimistes en polymères, et leur science était tournée vers la découverte de matériaux synthétiques aux propriétés similaires à ceux présents dans le milieu naturel. Aujourd'hui, les chimistes travaillant sur les polymères utilisent leurs connaissances pour créer sur commande les molécules aux propriétés recherchées. Au début, on s'est concentré sur le développement d'alternatives aux matériaux naturels qui soient meilleur marché et plus facilement disponibles. Il en a été ainsi pour le bois synthétique et la gomme utilisés en construction, le coton et la soie synthétique, et les résines synthétiques incorporées dans les peintures et les vernis.

MOTS CLÉS

- CAOUTCHOUC
- CAOUTCHOUC SYNTHÉTIQUE
- CELLULOSE
- CRAQUAGE
- ÉTHYLÈNE
- HYDROCARBURE
- PLASTIQUE
- POLYMÉRISATION
- RAYONNE

Quelques-uns des premiers polymères commerciaux ont été fabriqués à partir de polymères naturels comme la cellulose. La cellulose est le principal constituant des cellules végétales comme celles du bois et du coton. C'est aussi la base de la première fibre synthétique fabriquée : la rayonne ou soie artificielle.

Dans la rayonne, les fibres de protéines constitutives de la soie naturelle (qui lui donnent son apparence brillante), sont remplacées par des fibres synthétiques. On les obtient en traitant à l'acide du coton ou la cellulose de la pulpe de bois. Dans ses premières formes, la cellulose, principalement dérivée de fibres de coton purifiées, était traitée par de l'acide nitrique et donnait la nitrocellulose que l'on pouvait filer. Cependant, à cause de son caractère dangereusement inflammable et même parfois explosif, ce matériau n'était pas adapté à la confection de vêtements.

Aujourd'hui, la rayonne est beaucoup plus sûre car on l'obtient avec de l'acide acétique (acétate de cellulose). On l'extrude à travers des filières pour en former des fibres, puis des fils que l'on tisse pour produire la « rayonne acétate ».

Les caoutchoucs synthétiques ont été développés pour tirer avantage de certaines des propriétés les plus intéressantes du latex, comme son élasticité ou sa résistance à l'eau, tout en évitant ses inconvénients comme son point de fusion bas et sa mauvaise tenue à l'air. Pour fabriquer du caoutchouc synthétique, les chimistes ont remplacé les monomères d'isoprène par d'autres hydrocarbures tirés du pétrole brut.

On fabrique le caoutchouc synthétique par polymérisation en émulsion ou en solution. En émulsion, la réaction se produit dans l'eau en présence d'un catalyseur, et on obtient une émulsion de caoutchouc. En solution, la réaction a lieu dans un solvant organique.

Aujourd'hui, ce sont 60 pour cent du caoutchouc qui sont produits par synthèse chimique. En choisissant les monomères avec soin, on peut produire du caoutchouc synthétique aux propriétés spécifiques adaptées à des situations particulières, et avec une solidité et une durabilité très améliorées. L'un des caoutchoucs les plus fabriqués est un copolymère de butadiène (C_4H_6) et de styrène (C_8H_8), largement utilisé dans les pneus de voiture. Le Néoprène, qui résiste aux huiles et à l'ozone, est obtenu par polymérisation du chloroprène (C_4H_5Cl).

Les hydrocarbures sont aussi un matériau de base clé pour faire des plastiques. À peu près 4 pour cent du pétrole brut sert à la production de plastiques. Le pétrole brut contient une grande variété d'hydrocarbures possédant des nombres variés d'atomes de carbone et d'hydrogène. La fraction appelée « naphta », (8 à 12 atomes de carbone) est la plus importante pour la production de plastiques, car on peut la craquer, c'est-à-dire briser ses molécules en molécules plus petites, en la faisant passer dans des tubes chauffés à 800 °C en présence de vapeur d'eau. L'un des produits du craquage du naphta est l'éthylène (C_2H_4) qui est la molécule la plus utilisée dans la production des matières plastiques.

► L'éthylène (éthène, C_2H_4) est à la base d'une large gamme de matières plastiques et de polymères. Le butadiène, la molécule du caoutchouc synthétique, ressemble à deux molécules d'éthylène assemblées. Si on remplace l'un des atomes d'hydrogène de l'éthylène par un atome de chlore, on obtient le chlorure de vinyle (chloroéthène $CHCl = CH_2$), qui polymérise en polychlorure de vinyle (PVC), le plus connu des plastiques.

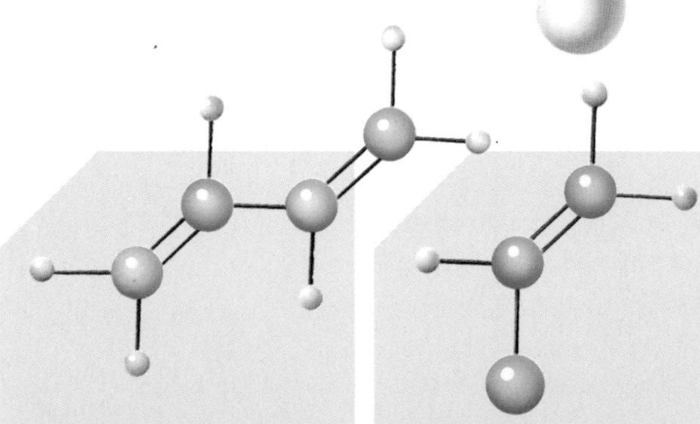

Le butadiène (CH2=CH-CH=CH2) est le monomère de base des caoutchoucs synthétiques, les polybutadiènes. On peut les vulcaniser comme le latex naturel, pour en faire des pneus.

Le chlorure de vinyle (CH2=CHCl) polymérise en polychlorure de vinyle, utilisé dans l'isolation des fils électriques, les vêtements imperméables et l'habillage intérieur des automobiles.

Le styrène (phényléthène, CH2=CH-C6H5) polymérise en polystyrène, thermoplastique utilisé pour les stylos à bille, les jouets, etc. Dans sa forme expansée, on en fait des gobelets jetables.

◀ Les caoutchoucs synthétiques, comme le polybutadiène obtenu après déshydrogénation du butane ou du butène, sont des matériaux fiables. Ici, des pneus tendres fabriqués à partir d'une gomme synthétique molle permettent à ce coureur d'obtenir une adhérence suffisante sur une piste sèche.

▼ On obtient la rayonne, la Cellophane et les éponges de viscose à partir de cellulose régénérée. La solution de viscose est ici mélangée à des sels et des fibres appropriés, qu'on acidifie en présence d'eau, ce qui donne après rinçage une éponge. Pour obtenir les fibres de rayonne, on comprime la solution de viscose à travers une filière. Pour la Cellophane, on extrude la viscose à travers une fente.

▼ Le développement des procédés de fabrication de la rayonne, ou soie artificielle, a été l'un des premiers succès de l'industrie des polymères. La rayonne, la Cellophane et les éponges de cellulose sont toutes fabriquées à partir de cellulose régénérée et dérivée du bois ou du coton. On commence par traiter la cellulose avec de la soude (NaOH) en la triturant puis en la laissant reposer. On y fait ensuite réagir du sulfure de carbone (CS_2) et de la soude (NaOH) pour former une solution de viscose.

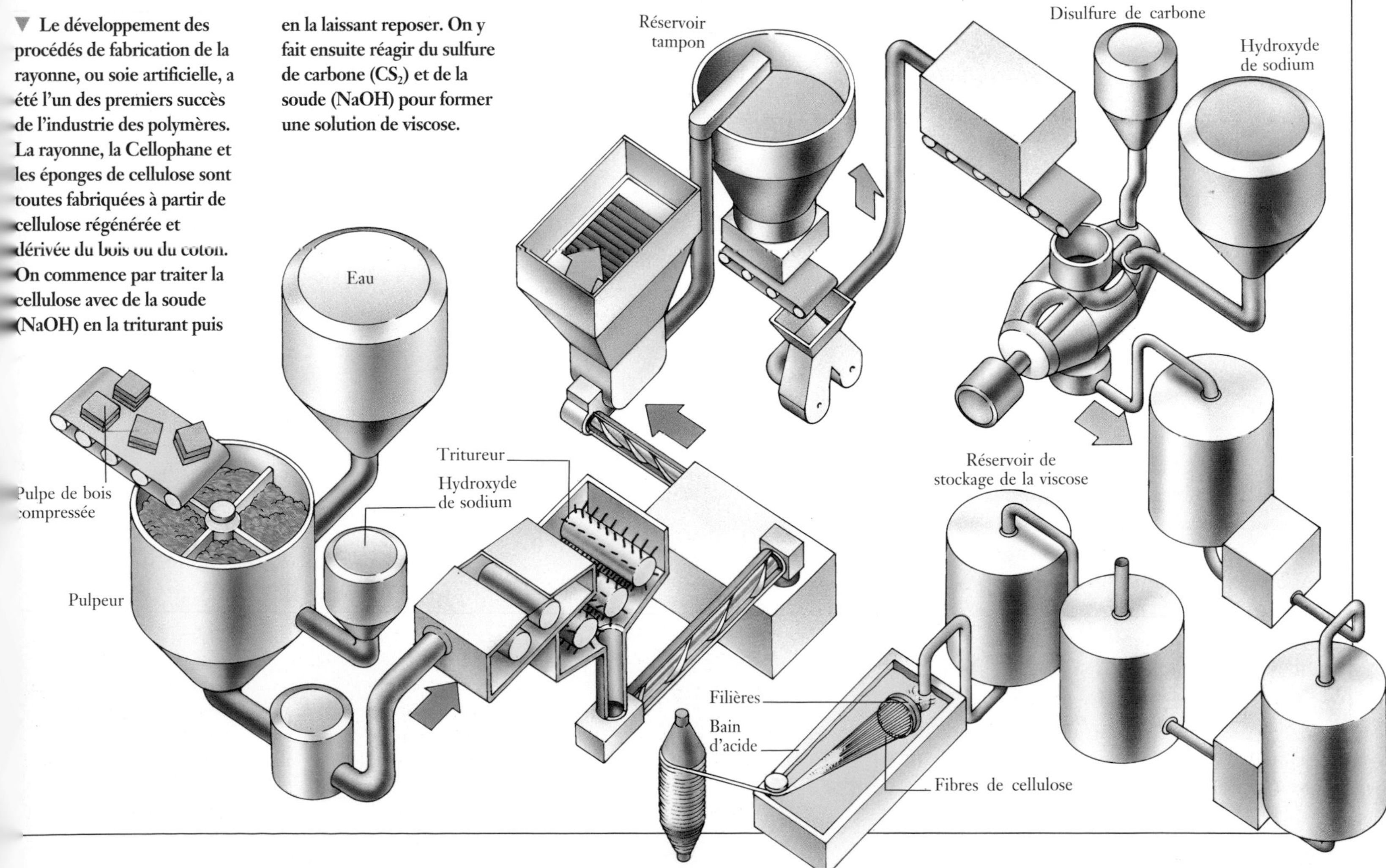

LES DIFFÉRENTES SORTES DE PLASTIQUES

On trouve les plastiques sous toutes les formes possibles, et avec une large gamme de propriétés physiques. Quelques-uns, comme la Bakélite, sont durs et non fusibles. D'autres, comme le polyéthylène, peuvent être étirés en films fins et flexibles. L'un des grands avantages des plastiques est qu'ils peuvent être synthétisés directement en fonction des propriétés qu'on leur réclame.

Les propriétés physiques des plastiques sont intimement liées à la structure moléculaire de leurs chaînes de polymères et à la nature des forces qui les relient entre elles. Les thermoplastiques, comme le polyéthylène, le polystyrène, le polychlorure de vinyle (PVC) ou le Nylon, fondent lorsqu'on les chauffe car ils sont constitués de longues chaînes enchevêtrées faiblement liées entre elles par des forces électrostatiques de type dipôle-dipôle ou encore des liaisons hydrogène. La chaleur vient à bout de ces forces facilement, permettant ainsi à ces chaînes de glisser les unes par rapport aux autres. Il y a alors ramollissement du plastique. C'est pourquoi les thermoplastiques sont facilement flexibles, ductiles, mous à la chaleur, et fondent sans se décomposer à des températures moyennes.

MOTS CLÉS

- LIAISON COVALENTE
- MÉLAMINE
- NYLON
- PLASTIQUES THERMODURCISSABLES
- POLYCHLORURE DE VINYLE
- POLYÉTHYLÈNE
- POLYSTYRÈNE
- THERMOPLASTIQUES

Par opposition, les polymères thermodurcissables, comme la Bakélite ou d'autres résines du méthanal (formaldéhyde) telles la mélamine et la résine formol-urée, sont faits de chaînes réticulées : de solides liaisons covalentes relient les chaînes entre elles pour former un réseau tridimensionnel aléatoire rigide. Le résultat est que les différentes chaînes ne peuvent plus se mouvoir les unes par rapport aux autres lorsqu'elles sont chauffées, étirées ou comprimées. On crée des liaisons covalentes entre les chaînes des polymères thermodurcissables généralement par chauffage, après les avoir formées. Une fois que ces liaisons se sont établies, le plastique devient dur et rigide, et ne peut plus être ni refondu, ni ramolli, car il brûle avant de fondre.

La longueur des chaînes et leurs ramifications modifient aussi les propriétés physiques des plastiques. Des chaînes plus longues donnent un matériau plus solide, car elles se mêlent plus facilement entre elles tout en ayant plus de points de contact avec leurs voisines. Ainsi, les forces de cohésion des chaînes entre elles sont plus fortes, et lorsque l'une d'elles bouge, elle entraîne toutes ses voisines avec elle, ce qui procure au plastique une meilleure solidité. Les chaînes linéaires s'assemblent intimement, pour former un polymère dense, peu flexible, ramollissant à des températures relativement élevées. À l'inverse, les polymères constitués de chaînes ramifiées qui ne peuvent pas bien s'emmêler donnent des matériaux moins denses qui peuvent être vitreux et transparents.

La nature des liaisons à l'intérieur même des chaînes est une autre variable importante. Généralement, les polymères sont des isolants électriques, mais on a développé à partir de 1976 des polymères conducteurs. Ils possèdent une alternance de simples et de doubles liaisons carbone-carbone dans leurs chaînes et deviennent conducteurs lorsqu'ils sont « dopés » ou traités par des produits chimiques apportant ou enlevant des électrons en réduisant ou en oxydant en partie ces chaînes.

Des fabricants japonais utilisent déjà ces polymères conducteurs dans de petites piles bouton pour les appareils photo ou pour des prothèses auditives. Aujourd'hui, des chercheurs travaillent au développement de polymères spéciaux et de mélanges de polymères conducteurs et non conducteurs qui pourront être utilisés comme un plastique ordinaire mais présentant des propriétés électriques spécifiques. On pourra par exemple en faire des blindages électromagnétiques, des électrodes, des encres et des peintures conductrices, des fibres et des revêtements de sol.

▼ **Le polyéthylène *(en bas)* et le Nylon *(ci-dessous)* sont deux des chaînes polymères droites les plus communes. Le polyéthylène, utilisé par exemple dans les sacs plastique, est constitué de chaînes comprenant uniquement des atomes de carbone et d'hydrogène alors que le Nylon possède aussi des atomes d'oxygène et d'azote. Les liaisons maintenant les chaînes entre elles sont facilement rompues par une élévation de température.**

Nylon 66

▶ **Le pétrole, le gaz naturel, la roche calcaire, le sel et la fluorine sont les principales matières premières pour la production des monomères, molécules qui servent à l'élaboration des polymères et des plastiques. On en contrôle les propriétés physiques en modifiant la nature et l'arrangement de leurs monomères constitutifs. Il existe deux sortes de matières plastiques : les thermodurcissables, comme la Bakélite, qui ne peuvent plus être ramollis une fois refroidis, et les thermoplastiques, comme le polyéthylène ou le polystyrène, qui peuvent être ramollis et mis en forme par un simple chauffage.**

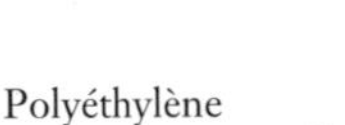

Polyéthylène

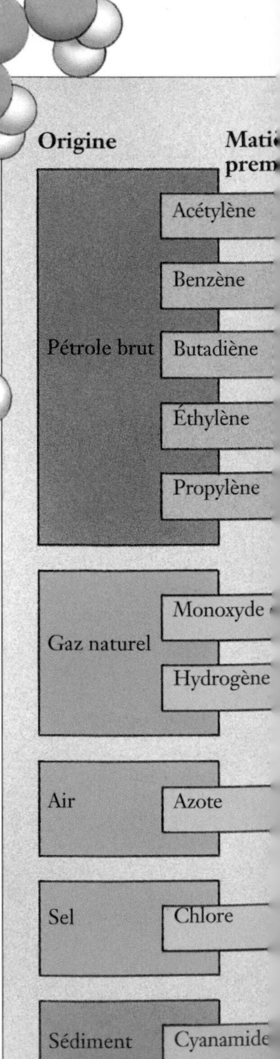

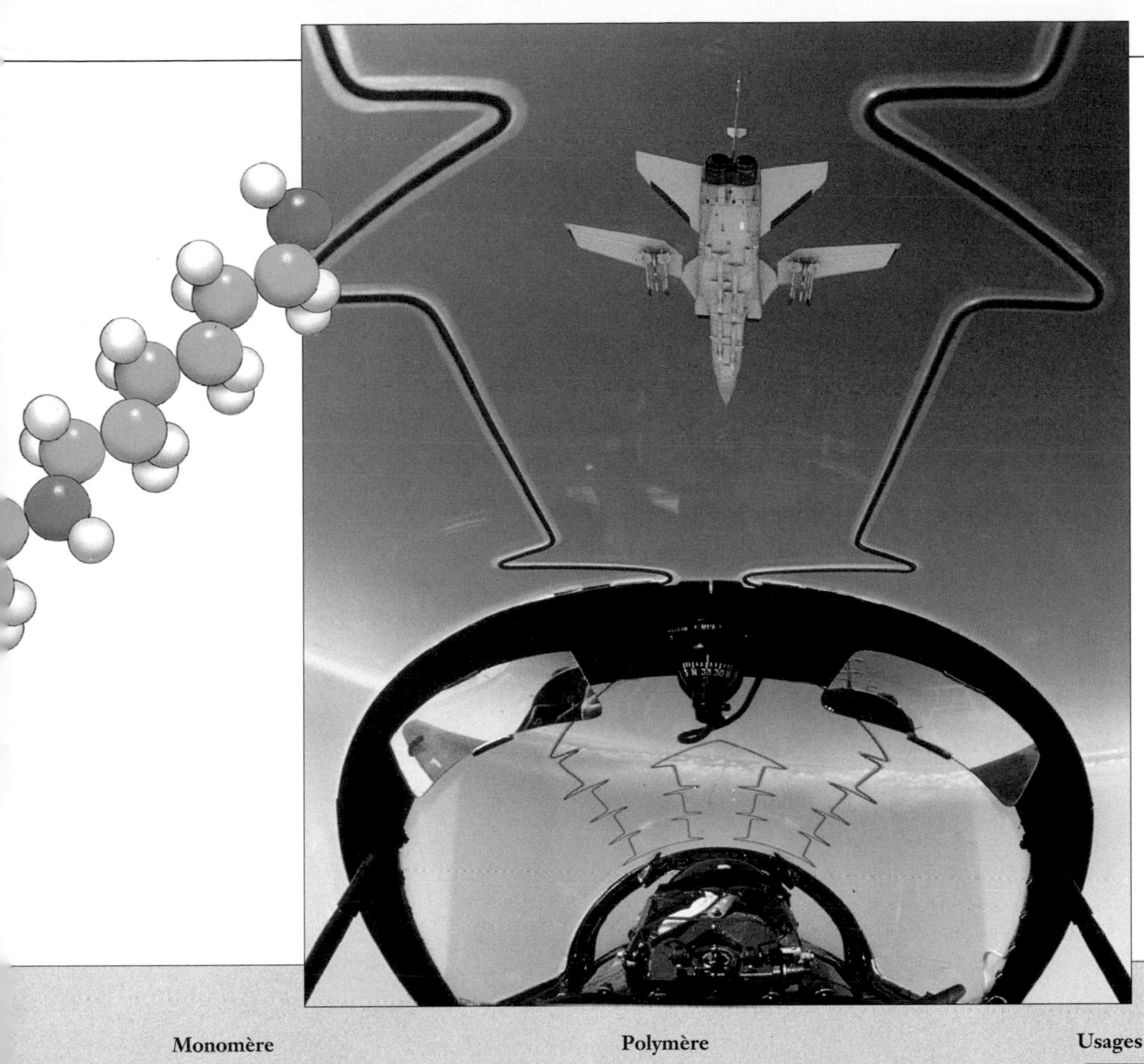

◀ Les plastiques acryliques, comme le Plexiglas, ont été conçus à l'origine pour la fabrication des cockpits d'avion. Le Plexiglas est un thermoplastique suffisamment solide pour résister au vent et à la pression de l'air à des altitudes élevées. Chaque molécule est constituée de millions d'atomes, et de nombreuses liaisons intermoléculaires entre les différentes chaînes polymères rendent ce matériau dur et résistant. Le Plexiglas a de nombreuses applications dans des objets aussi divers que les brosses à dents, les fausses dents, les règles en plastique, les lentilles et les montures de lunettes.

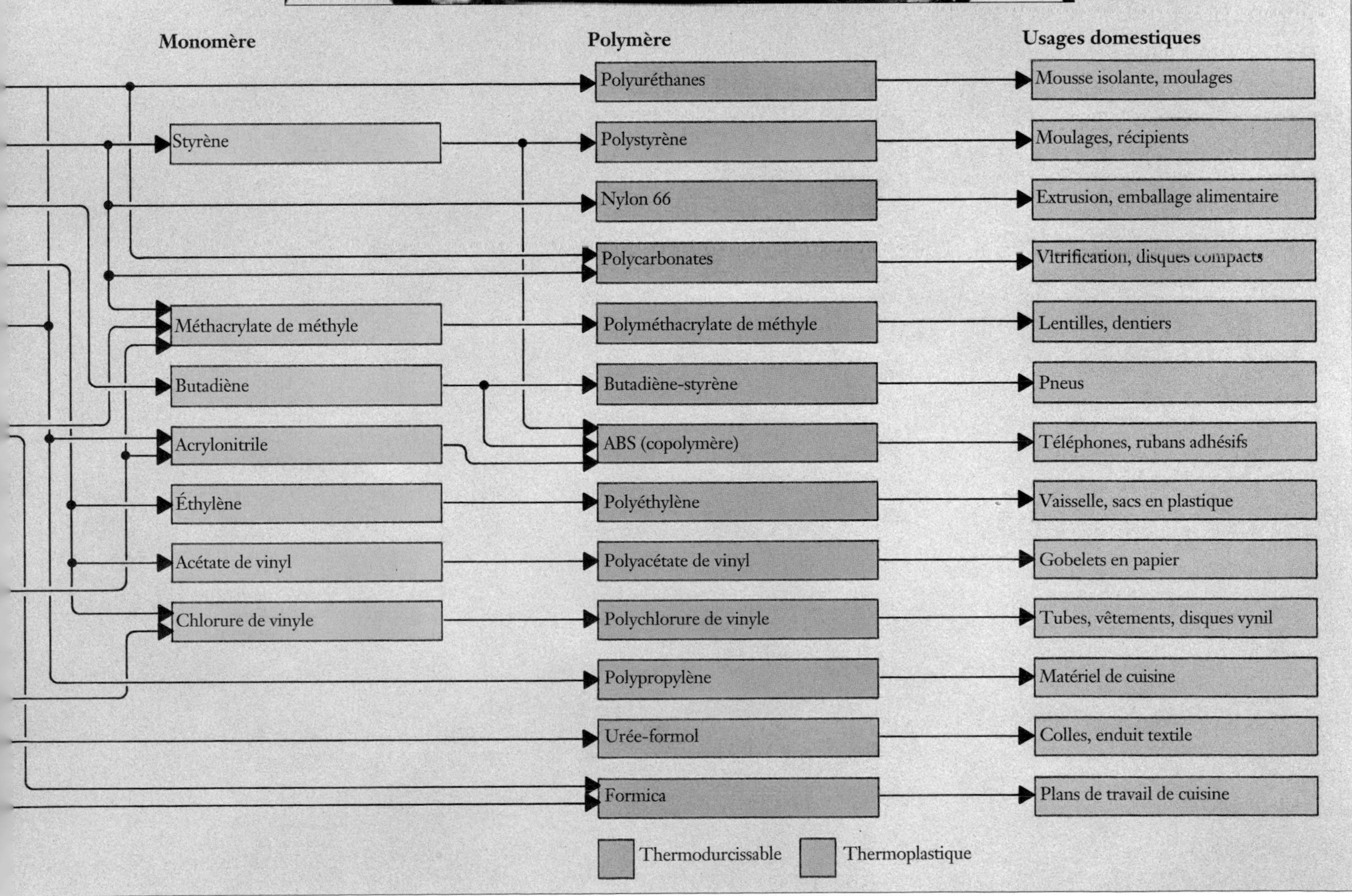

La mise en forme des plastiques

On peut mouler le Nylon pour en faire des seringues et des montures de lunettes, ou encore le filer pour tricoter des bas. Une fois le polymère élaboré, on peut le transformer de plusieurs façons et obtenir une grande variété de formes et de structures adaptées à tous les usages que l'on veut en faire.

On crée des fibres par un filage à froid dans lequel le polymère liquide est étiré en un long filament fin. Au cours de ce filage, il se forme un tuyau étroit dans l'axe duquel s'orientent les chaînes polymères dans une structure cristalline qui contribue ainsi à la solidité de la fibre. Le tréfilage à froid produit une fibre flexible, élastique et robuste.

MOTS CLÉS

EXTRUSION
EXTRUSION-SOUFFLAGE
MATÉRIAU COMPOSITE
MOULAGE
MOULAGE PAR INJECTION
NYLON
PLASTIQUE
POLYMÈRE
THERMOPLASTIQUES

On produit aussi des fibres par extrusion, en chauffant des granulés de polymère tout en les poussant à travers un trou de filière. Il en résulte une fibre continue et régulière sur toute sa longueur. Le Dacron (Térylène®) est fabriqué ainsi.

L'extrusion est aussi utilisée dans la production de feuilles, de films et de divers tuyaux. Dans ce procédé, le thermoplastique de base est introduit sous forme de granules ou de poudre dans un cylindre chauffé. Un mécanisme à vis comprime alors ce matériau, le fond et le rend homogène. Le plastique prend alors sa forme lorsqu'il est poussé en force à travers une filière. Généralement, les objets extrudés nécessitent une étape supplémentaire de finition.

Le moulage par injection permet d'obtenir de nombreuses formes bien précises. Une machine de moulage par injection comporte d'abord un système de fusion et de compression similaire à celui de l'extrusion, mais dans lequel la vis peut tourner dans les deux sens. Dans un sens, le polymère est fondu, puis on inverse le sens pour envoyer la masse en fusion sous pression dans le moule. Après refroidissement, le moule s'ouvre en deux pour la récupération de la pièce terminée. Dans ce cas, aucune étape ultérieure n'est nécessaire.

Pour fabriquer des objets creux, comme les bouteilles ou divers récipients, on utilise l'extrusion soufflage. Dans ce procédé, un tuyau est extrudé verticalement vers le bas dans un moule en deux parties, puis le moule est scellé et de l'air sous pression est insufflé dans le tuyau en plastique encore mou pour le forcer à se dilater et à épouser les formes du moule.

On utilise le laminage pour des produits semi-finis qui se présentent en feuilles, par exemple pour recouvrir les sols ou faire des emballages. C'est le polychlorure de vinyle qui subit le plus souvent ce traitement pour fabriquer des plaques ou recouvrir du tissu. Les laminoirs fonctionnent sur le même principe que les essoreuses à rouleau : le polymère ramolli passe au travers d'une série de rouleaux aux écartements décroissants et ressort sous la forme d'une plaque. Ensuite, on peut par exemple emboutir ces plaques pour fabriquer le produit fini désiré.

► On utilise le formage sous vide pour donner une forme simple à de minces feuilles de thermoplastique. On commence par fabriquer un moule de la forme désirée, puis on place une feuille de plastique préalablement chauffée sur ce moule. On aspire ensuite l'air pour forcer la feuille à prendre la forme du moule. C'est un procédé assez lent et difficile à automatiser, souvent utilisé pour confectionner des articles originaux comme ces casquettes. On s'en sert aussi pour fabriquer des boîtes de chocolats ou d'autres emballages destinés à reproduire exactement la forme de leur contenu.

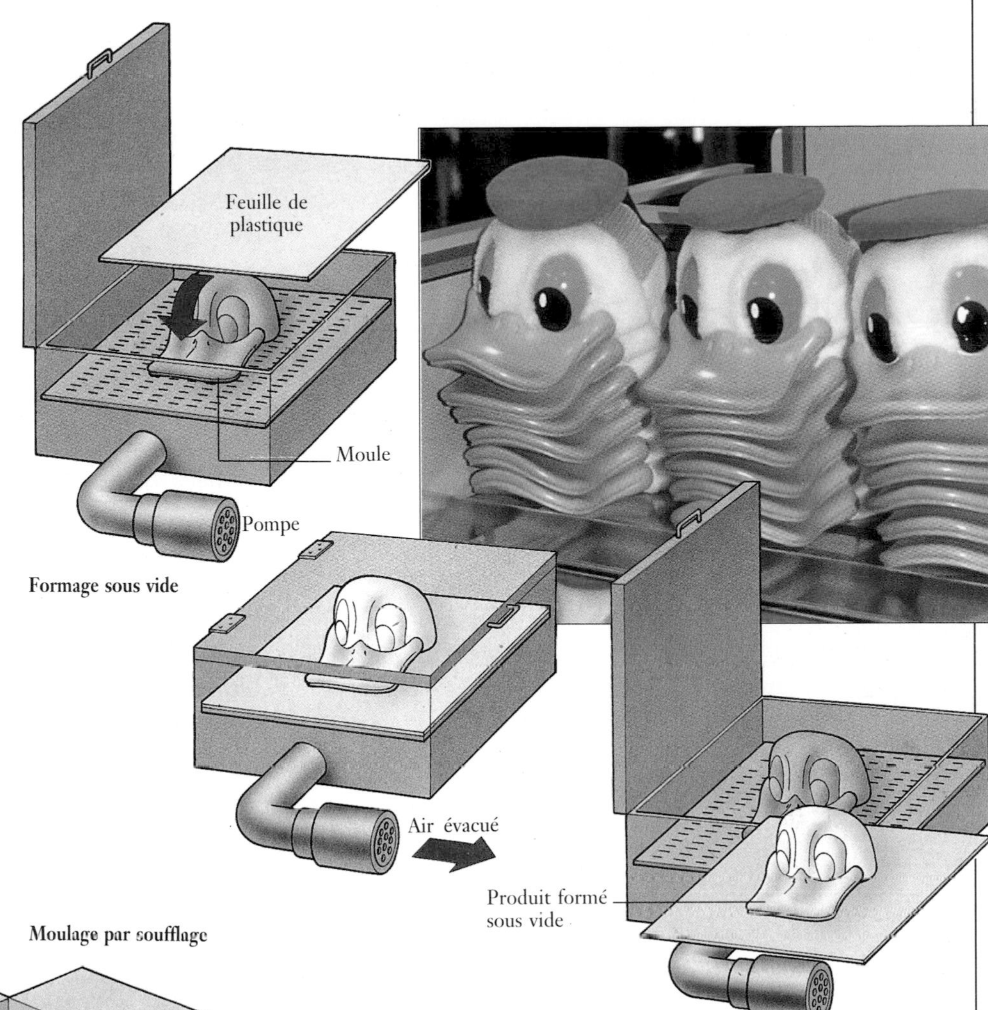

Formage sous vide

Moulage par soufflage

Air chaud
Moule en métal
Tube en thermoplastique
Produit moulé

Beaucoup de polymères, comme le polystyrène, le polyéthylène ou le PVC peuvent être expansés sous la forme d'une mousse pour réduire leur densité. Pour cela, on incorpore un gaz dans la structure du polymère, par exemple en mélangeant de l'air comprimé avec le polymère en fusion. À la fin du processus, le gaz se détend et forme avec le polymère une mousse. On peut aussi introduire dans le polymère un agent gonflant comme le bicarbonate de sodium qui se décompose à la chaleur dans le polymère fondu, en donnant des bulles de dioxyde de carbone qui vont former la mousse. Dans tous les cas, les bulles sont fixées dans la structure lorsque le polymère se solidifie en refroidissant. On utilise les plastiques expansés pour faire, par exemple, des boîtes à œufs, des verres, des éponges, des volants de voiture, en employant des techniques comme le moulage par injection, l'extrusion ou le laminage.

◄ Ici, un film de polyéthylène est façonné par extrusion en un tube continu et destiné à produire les sacs plastique distribués dans les magasins.

▲ Le soufflage est une technique rapide et efficace pour produire des récipients creux comme des bouteilles ou des récipients en plastique. Il est facilement adaptable à une production en continu. Pour fabriquer un objet creux, on commence par placer un morceau de tuyau en plastique dans un moule ouvert en deux. Le moule est ensuite refermé, chauffé pour ramollir le plastique, puis celui-ci est plaqué contre les parois du moule par l'injection d'air sous pression à l'intérieur du tuyau. On récupère l'objet fini à l'ouverture du moule, et l'excès de plastique est ébarbé.

L'UTILISATION DES PLASTIQUES

Les polymères peuvent être conçus avec des propriétés très variées, ce qui permet de les utiliser dans tous les domaines : les plastiques ont remplacé la céramique des éviers de cuisine, la fonte des baignoires et les fibres synthétiques de polymères sont utilisées à la place de la laine et de la soie dans la fabrication des moquettes les plus solides. L'apport des fibres polyester aux vêtements les rend plus résistants et d'un entretien plus facile.

Ce sont les différentes sortes de liaisons intermoléculaires possibles entre les chaînes constitutives des polymères qui permettent la grande variété de leurs propriétés physiques. On explique ainsi la rigidité et la dureté des plastiques thermodurcissables ou la souplesse des thermoplastiques qui deviennent malléables lorsqu'on les chauffe, et dont on peut sans fin modifier la forme sans y introduire de changements chimiques.

MOTS CLÉS

- AMIDE
- CONDENSATION
- MONOMÈRE
- NYLON
- PLASTIQUE
- PLASTIQUES THERMODURCISSABLES
- POLYAMIDE
- POLYMÈRE
- POLYÉTHYLÈNE

La Bakélite est l'un des premiers plastiques thermodurcissables inventés et aussi le plus connu. On le fabrique par condensation du phénol (C_6H_5OH) et du méthanal (formaldehyde, HCHO) qui donne de l'eau comme sous-produit. Au cours d'un traitement à haute température, il se forme de fortes liaisons de covalence entre les chaînes de polymères, ce qui donne un matériau rigide et résistant. La Bakélite est un bon isolant électrique qui peut être usiné et teint. On l'utilise encore couramment dans le circuit d'allumage des voitures.

La modification de la chaîne polymère elle-même joue aussi un grand rôle dans le contrôle de ses propriétés physiques. Les différents arrangements possibles des monomères propène (C_3H_6) d'une chaîne polymère donnent les trois formes connues du polypropylène. Dans une configuration, les monomères sont placés en séquences régulières, donnant un polymère d'une bonne résistance mécanique. Une seconde forme est obtenue lorsque les chaînes sont comprimées et forment un polymère cristallin utilisé pour faire des bouteilles (par soufflage) ou du film d'emballage. Dans le polypropylène atactique, les chaînes ont une structure désordonnée et donnent un matériau très mou, légèrement poisseux au toucher, utilisé comme support de moquettes ou encore mélangé à du bitume pour étendre sur les toits et les routes.

La ramification des chaînes de polymères est aussi une variable importante. On trouve par exemple du polyéthylène haute densité ou basse densité dont les propriétés physiques sont reliées à la quantité de branchements des chaînes. Le polyéthylène basse densité (LDPE), que l'on obtient par polymérisation sous haute pression, contient des chaînes aux embranchements nombreux. À l'inverse, le polyéthylène haute densité (HDPE) fabriqué suivant un procédé à basse pression, contient des chaînes quasiment linéaires. Les chaînes ramifiées du LDPE ne peuvent pas s'assembler fermement entre elles. Ainsi, le LDPE est mou, peu cristallin et a une masse volumique de 0,92 à 0,94 gramme par centimètre cube. Le HDPE linéaire contient lui des chaînes intimement liées. Il en résulte une meilleure dureté, une plus grande cristallinité et une masse volumique plus élevée (de 0,94 à 0,96 gramme par centimètre cube). Le HDPE est plus solide et moins facilement déformable que le LDPE, et on peut facilement le mouler dans des formes compliquées. C'est pourquoi il est très utilisé pour faire les réservoirs d'essence des voitures, des citernes d'eau et des tuyaux.

Les polymères peuvent aussi être utilisés sous la forme de fibres tissées ou tricotées dans un tissu. La première fibre totalement synthétique a été le Nylon, un polyamide comportant les monomères acide adipique et diaminohexane (hexaméthylène diamine). On le reconnaît pour sa grande solidité et son élasticité, son toucher, sa résistance à l'abrasion et sa souplesse à basse

▼ Les composites en fibres de carbone sont des polymères qui ont la faveur des sportifs de haut niveau car ils sont à la fois légers et performants. On les utilise largement dans toutes sortes d'équipements sportifs requérant un faible poids associé à une grande rigidité, comme les raquettes de tennis, les perches de saut, les bâtons de ski et les clubs de golf. Les matériaux au carbone sont obtenus par la carbonisation contrôlée d'un polymère synthétique comme le polyacétonitrile.

◀ On utilise souvent la fibre de verre dans la construction nautique. Ici, on applique un tissu de verre sur le moule d'une coque de bateau. Ensuite, on y ajoute de la résine pour achever le composite. La fibre de verre est obtenue en imprégnant un tissu ou un feutre de fibres de verre par une résine époxy. C'est un matériau composite rigide, solide et léger. La résine est d'abord liquide, puis elle durcit en séchant et devient rigide ; la solidité de l'ensemble est assurée par les fibres de verre.

◀ Les polymères sont largement utilisés dans la protection des personnes. Un casque en plastique dur fait de polycarbonate renforcé protège la tête du pilote. Son vêtement, à la fois chaud et léger, est en lycra (fibre de polyuréthanne).

▼ L'un des triomphes de la chimie des polymères réside dans l'imitation de matériaux naturels comme le cuir. Ce ballon de football a été réalisé en vinyle. Le chlorure de vinyle (CH_2=CHCl) est le monomère du polychlorure de vinyle, ou PVC, qui est l'un des plastiques les plus familiers.

température. Il est aussi résistant à beaucoup de solvants, d'acides, de bases, et d'agents agressifs extérieurs.

Les fibres de Nylon sont obtenues par un filage à froid, procédé orientant les chaînes de polymère dans le sens de la fibre. On utilise largement le Nylon non seulement dans le textile mais aussi pour la chape des pneus en passant par les cordes et les sangles. On procède aussi au filage à froid pour obtenir des fibres de polyester à partir du polymère formé de la condensation d'un polyalcool et d'un acide organique. Les fibres de polyester sont solides et résistent à la chaleur. Mélangées au coton, elles donnent un tissu agréable, confortable et qui ne se froisse pas.

Les amides, unités monomères du Nylon, sont à la base du développement des polyaramides qui donnent des matériaux résistants au feu comme le Kevlar. C'est une fibre peu dense contenant du carbone, de l'oxygène, de l'hydrogène et de l'azote, qui à masse égale est cinq fois plus résistante que l'acier. Cette solidité s'explique par l'arrangement des chaînes de polymères qui s'ordonnent parallèlement les unes aux autres et sont reliées entre elles grâce à des liaisons hydrogène en formant des faisceaux de molécules. Ces faisceaux sont disposés régulièrement autour de l'axe de la fibre dans une structure bien ordonnée.

Les chimistes savent modifier les propriétés physiques d'un polymère pour en faire un matériau taillé sur mesure. On peut encore en améliorer les performances si on l'inclut dans un matériau composite. Dans ce cas, on tire avantage des propriétés de plusieurs polymères. Les composites sont généralement constitués de deux phases : une matrice continue englobant un renforcement de fibres. Ce renforcement contribue à la solidité et à la rigidité, alors que la matrice colle les fibres entre elles et répartit les contraintes sur l'ensemble des fibres. Un choix minutieux de la matrice donne les matériaux aux bonnes propriétés. Par exemple, le composite de fibres de verre dans une matrice de polypropylène (RTC) peut être facilement embouti à froid ou moulé à basse pression pour produire des tableaux de bord de voitures, ou encore moulé sous haute pression pour donner des pièces rigides aux formes complexes.

LE RECYCLAGE DES PLASTIQUES

Aujourd'hui, des déchets de matière plastique sont présents partout dans le monde. Même l'océan lointain est souillé et les déchets plastiques des navires, des yachts et des plates-formes pétrolières altèrent partout la beauté des plages. Beaucoup de gens se posent la question de l'utilisation des plastiques ; ils sont souvent considérés comme indésirables comparés aux matériaux plus « naturels » comme le papier. Cependant, une analyse approfondie du coût écologique de l'utilisation de sacs en plastique comparée à celle de sacs en papier a montré que non seulement ils sont moins chers, mais que les sacs en plastique préservent davantage l'environnement. Leur production génère moins de la moitié de pollution atmosphérique que celle des sacs en papier, utilise moins d'énergie, et produit 200 fois moins d'eau polluée. Une étude similaire aux États-Unis concernant la comparaison de gobelets en papier et en polystyrène expansé a donné ce dernier gagnant.

MOTS CLÉS

GROUPEMENT CARBONYLE
HYDROLYSE
PLASTIQUE
PLASTIQUE BIODÉGRADABLE
POLYÉTHYLÈNE
POLYMÈRE
PYROLYSE
RÉACTEUR À LIT FLUIDISÉ
RECYCLAGE

Mais qu'ils soient bons ou non pour l'environnement, la dissémination de déchets de plastique pose de graves problèmes, d'autant que leur volume va toujours croissant. Aujourd'hui, près de 85 pour cent des déchets en plastique sont mis en décharge ou incinérés. D'un certain côté, l'incinération du plastique permet de récupérer autant d'énergie qu'en avait fourni le pétrole qui a servi à son élaboration. Cependant, l'incinération doit être bien contrôlée pour ne pas former de polluants dangereux comme la dioxine.

Pour résoudre ce problème, certains préconisent l'utilisation de plastiques biodégradables, où les chaînes polymères se brisent en petits morceaux, alors que d'autres cherchent à le recycler. À l'inverse du papier et du verre, le plastique est difficile à recycler car il y a de nombreuses variétés de plastique en circulation. Les mélanges de plastiques ont tendance à être beaucoup moins solides que les plastiques purs, et nécessitent l'ajout de stabilisants pour les consolider. Le polyéthylène téréphtalate (PET), employé pour les bouteilles, montre de bonnes dispositions pour un recyclage sous forme de polyester utilisable comme doublure dans les vêtements d'hiver ou comme isolant sous les moquettes.

D'une autre manière, on peut soumettre certains polymères, dont la mousse de polyuréthane, à de la vapeur sous pression pour en récupérer, par hydrolyse, les monomères constitutifs afin de les réutiliser. On peut aussi pyrolyser les polymères, en les chauffant fortement en l'absence d'air, pour récupérer simplement des hydrocarbures. On mène cette pyrolyse à des températures de l'ordre de 400 °C à 800 °C dans un réacteur à lit fluidisé. Dans cette méthode, un gaz est pulsé vers le haut à travers un lit de particules solides pour le fluidifier, ce qui permet un

■ Des sacs en plastique (faits de polychlorure de vinyle ou PVC) empilés en ballots attendent d'être recyclés (*à droite*). On peut aussi recycler le polyéthylène téréphtalate (PET) des bouteilles de soda transparentes. Des millions de bouchons en plastique (*ci-dessous*) sont prêts à être transformés en feuilles de plastique. Le plastique a aussi des utilisations moins évidentes, par exemple comme composant dans les voitures et les avions. On peut recycler ces « plastiques cachés » ou bien les brûler pour en tirer de l'énergie.

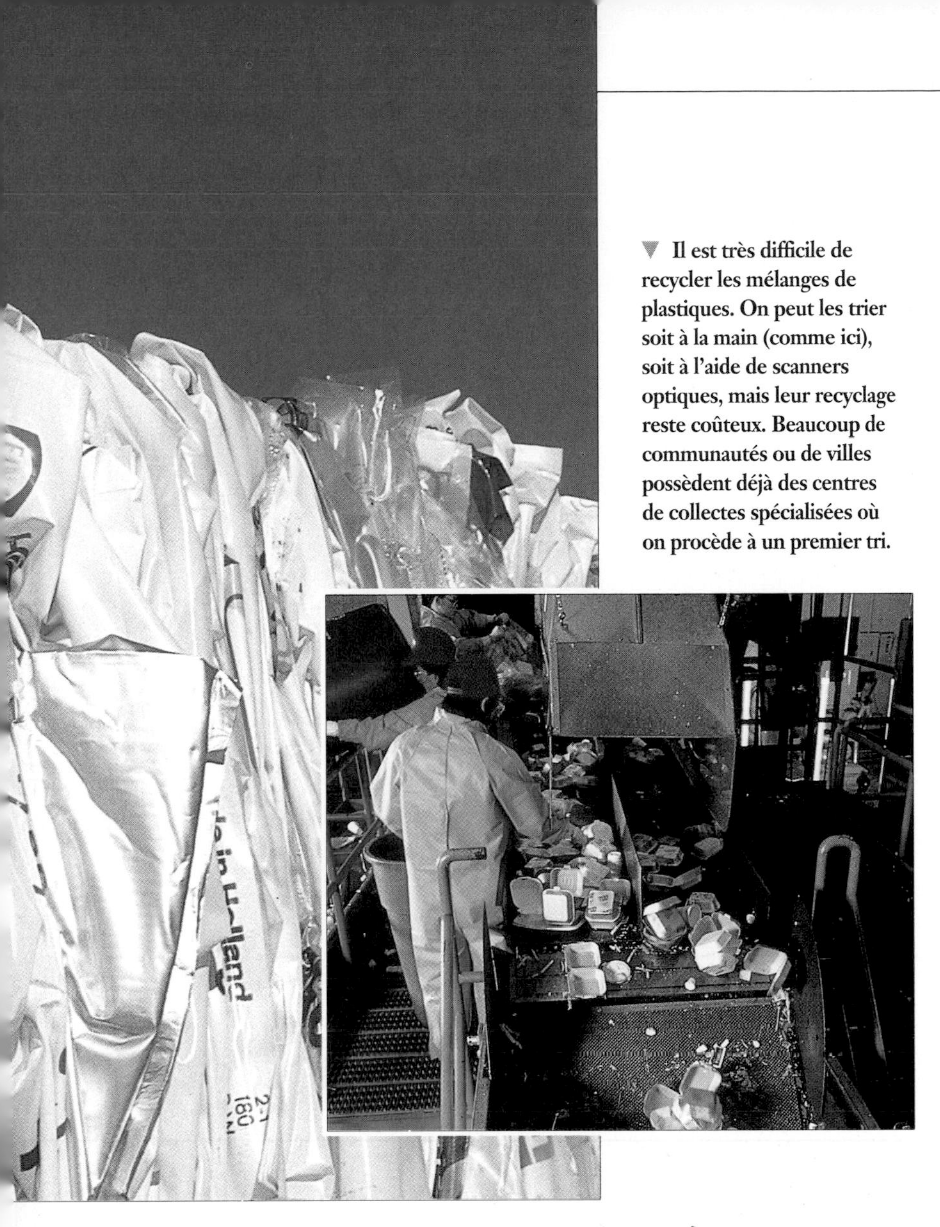

▼ Il est très difficile de recycler les mélanges de plastiques. On peut les trier soit à la main (comme ici), soit à l'aide de scanners optiques, mais leur recyclage reste coûteux. Beaucoup de communautés ou de villes possèdent déjà des centres de collectes spécialisées où on procède à un premier tri.

meilleur transfert thermique. Le fait que les plastiques recyclés aient besoin de stabilisant donne une idée de la dégradabilité des plastiques, aussi indestructibles qu'ils paraissent. Jusqu'à une période récente, les chimistes étaient plus occupés à améliorer la pérennité de leurs plastiques qu'à encourager leur autodégradation.

Il y a deux voies principales à explorer dans la dégradation des plastiques : la biodégradation et la photodégradation. Les plastiques biodégradables (comme les polyhydroxobutirates de « ICI » appelés Biopol®) sont faits de produits assimilables par les bactéries. D'autres comportent des polymères naturels, par exemple l'amidon, dans une matrice de polymère synthétique comme le polyéthylène. Lorsque l'on jette le plastique, les bactéries digèrent l'amidon en laissant un squelette de polymère qui se détruit facilement.

Les plastiques photodégradables contiennent des molécules dont les liaisons sont brisées lorsque le matériau est exposé à la lumière du Soleil. Quelques polymères photodégradables incorporent des groupements carbonyle (>C=O) dans leurs chaînes ; ceux-ci absorbent les photons en brisant des liaisons de la chaîne polymère.

▼ La plupart des produits de la pyrolyse peuvent être utilisés comme carburant. Ils peuvent aussi être transformés en monomères pour fabriquer de nouveaux plastiques.

► La pyrolyse, ou destruction par la chaleur, peut être employée pour retrouver à partir des plastiques usagés les molécules plus simples qui ont servi à leur synthèse et qui peuvent alors être réutilisées. On pratique la pyrolyse entre 400°C et 800°C dans des réacteurs à lit fluidisé, c'est-à-dire une enceinte où un gaz est propulsé à travers un lit de particule. Les particules se comportent alors comme un liquide, ce qui augmente l'efficacité du transfert thermique entre le gaz et les particules. À peu près 50 pour cent des gaz produits au cours de la pyrolyse servent à alimenter le processus en énergie. Le reste, ainsi que les hydrocarbures liquides produits, sont séparés dans une colonne à distillation fractionnée.

Brûleur
Produits de la pyrolyse
Plastique récupéré
Fourneau
Carbone
Séparation des poussières
Gaz
Propène (C_3H_6)
Benzène (C_6H_6)
Toluène (C_7H_8)
Cires et goudrons
Colonne de distillation
Air comprimé
Gaz recyclé

LA CHIMIE ET LA VIE

5

Tous les organismes vivants sont formés à partir de seulement six principaux types de molécules, toutes construites à partir d'une poignée d'éléments chimiques : l'hydrogène, l'oxygène, l'azote, le carbone, le phosphore et le soufre.

La vie a débuté sur Terre il y a environ 3,5 milliards d'années dans des océans primitifs qui étaient une sorte de solution très diluée d'ammoniac, de méthanal (formaldéhyde), d'acide formique, de cyanure, de méthane, de sulfure d'hydrogène et d'hydrocarbures. Tous ces corps chimiques étaient présents dans l'atmosphère primitive qui contenait de l'hélium, du méthane et de l'ammoniac. Les premières réactions « biochimiques » sont apparues quand l'énergie solaire et les éclairs des orages ont permis à ces gaz de réagir entre eux pour former des molécules plus complexes possédant des liaisons carbone-carbone. On y trouvait quelques acides aminés, éléments de base des protéines. Plus tard, grâce à la photosynthèse, les végétaux primitifs ont ajouté l'oxygène à l'atmosphère et ainsi établi un environnement où d'autres formes de vie ont pu se développer.

C'est toujours la biochimie qui est à la base de la vie. Il y a en permanence des réactions chimiques dans tous les organismes vivants, et un mauvais fonctionnement de ces réactions entraîne la maladie. Lorsque ces réactions sont perturbées par l'activité de microbes, de bactéries ou de virus, la chimie peut aider à tout remettre en ordre.

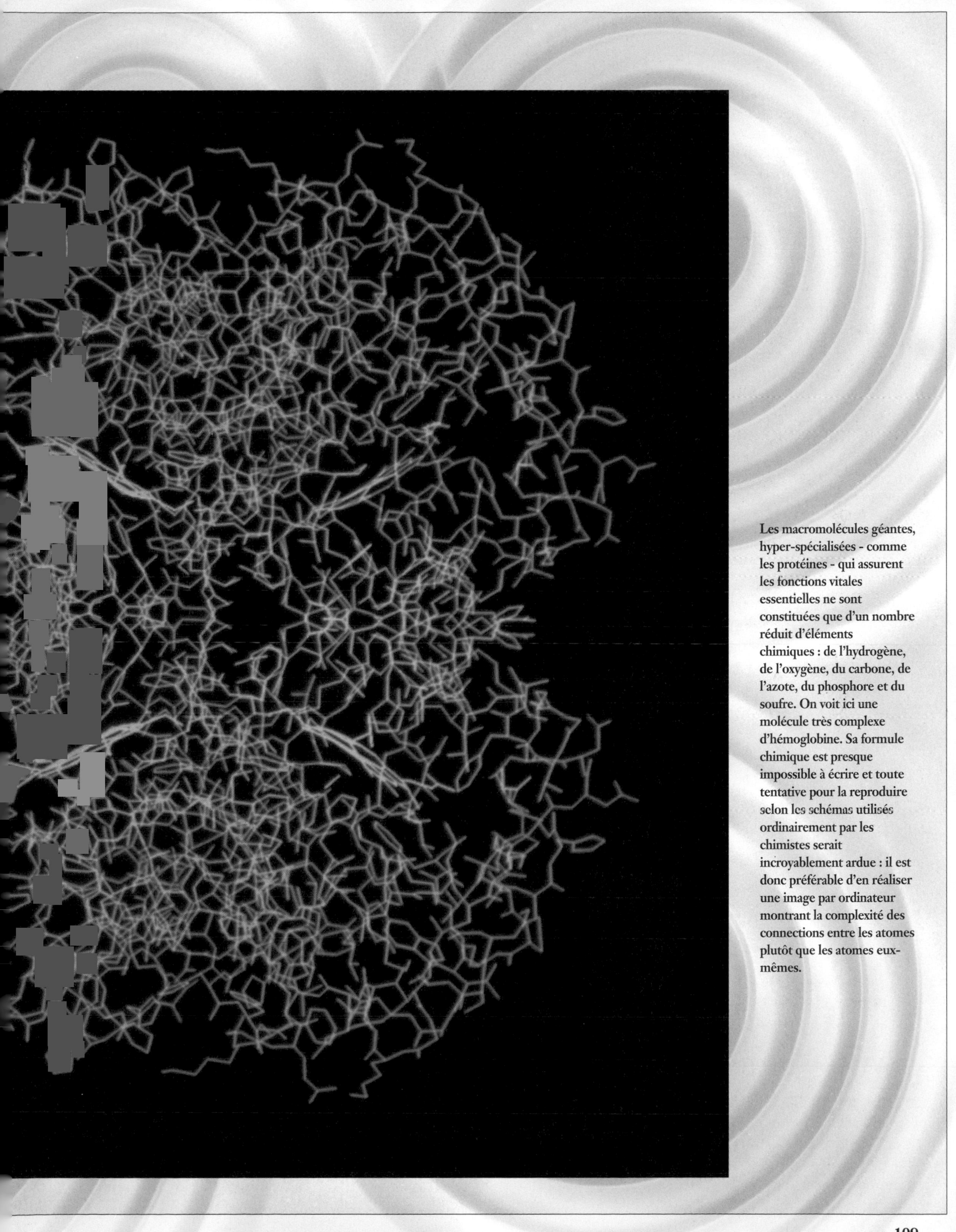

Les macromolécules géantes, hyper-spécialisées - comme les protéines - qui assurent les fonctions vitales essentielles ne sont constituées que d'un nombre réduit d'éléments chimiques : de l'hydrogène, de l'oxygène, du carbone, de l'azote, du phosphore et du soufre. On voit ici une molécule très complexe d'hémoglobine. Sa formule chimique est presque impossible à écrire et toute tentative pour la reproduire selon les schémas utilisés ordinairement par les chimistes serait incroyablement ardue : il est donc préférable d'en réaliser une image par ordinateur montrant la complexité des connections entre les atomes plutôt que les atomes eux-mêmes.

LES MATIÈRES PREMIÈRES DE LA VIE

C'est la nourriture qui fournit l'énergie et les nutriments (molécules complexes principalement à base de carbone, d'hydrogène, d'oxygène et d'azote) essentiels à la vie. Comme les hydrocarbures et les autres carburants, la nourriture est un stock d'énergie chimique. Cependant, à l'inverse de la combustion des hydrocarbures, au cours de laquelle cette énergie est libérée très rapidement, elle est libérée de manière contrôlée au cours de divers processus d'oxydation appelés respiration.

Comme dans la combustion, les produits de la respiration sont de l'énergie, du dioxyde de carbone et de l'eau. Une partie de cette énergie est dissipée en chaleur, et une autre est stockée sous forme de molécules d'adénosine triphosphate (A.T.P.). Cette énergie est restituée lorsque l'A.T.P. se dégrade en adénosine diphosphate (A.D.P.). Les réactions chimiques liées à la respiration voient leur vitesse s'ajuster en fonction de la demande en énergie de l'organisme.

MOTS CLÉS

AMINOACIDE
ENZYME
GLUCOSE
GRAISSE
HYDRATE DE CARBONE
MINÉRAL
OXYDATION
PROTÉINE
VITAMINES

Avant de pouvoir être utilisée dans la respiration, la nourriture doit d'abord être assimilée. Elle commence à être dégradée physiquement par les contractions de l'estomac, où elle subit aussi une attaque chimique par des enzymes qui durera tout le temps du tractus digestif. Les enzymes sont des protéines qui catalysent les réactions chimiques chez les êtres vivants.

Pour rester en bonne santé, une personne doit manger sept types de composés différents. Ces nutriments essentiels sont les vitamines, les sels minéraux, les fibres, l'eau, les lipides (sous forme de graisse ou d'huile), les hydrates de carbone (sous forme d'amidon ou de sucres) et les protéines. Les vitamines et les sels minéraux protègent l'organisme des agressions chimiques et sont nécessaires à l'utilisation des autres nutriments. Les minéraux fournissent aussi des éléments importants pour la synthèse de molécules beaucoup plus complexes. Les fibres ne sont pas assimilées par le corps humain, mais aident à l'élimination des déchets. L'eau, qui représente 75 pour cent du poids du corps humain, est le solvant principal des réactions chimiques vitales. Les lipides (graisses et huiles), formés uniquement à partir de carbone, d'hydrogène et d'oxygène, constituent un stock d'énergie important. Les lipides sont une association de plusieurs molécules d'acides gras avec le glycérol, chacune de ces molécules étant faite d'une longue chaîne carbonée riche en atomes d'hydrogène. La digestion dissocie les acides gras du glycérol, mais ils se recombinent ailleurs sous forme de graisses pour être stockés dans différents tissus du corps humain.

Les hydrates de carbone, comme l'amidon et les sucres, sont constitués de carbone, d'hydrogène et d'oxygène. C'est la principale source d'énergie de l'organisme. Ces grosses molécules sont découpées en sucres simples comme le glucose ($C_6H_{12}O_6$) ou son isomère de constitution, le fructose. Ceux-ci rentrent alors dans le cycle des réactions chimiques de la respiration et contribuent à la production d'A.T.P.

Les protéines sont les matériaux de construction et de réparation des cellules et des tissus de tous les organismes ; aussi doivent-elles être renouvelées en permanence. Les protéines sont constituées d'un enchaînement d'acides aminés, petites molécules où un atome de carbone porte un groupement amine ($-NH_2$), une fonction acide carboxylique ($-COOH$) et une chaîne latérale appelée R. Il y a environ vingt aminoacides différents distingués par leur chaîne latérale R et qui peuvent se combiner à l'infini pour former des protéines. Les acides aminés donnent des peptides et des protéines dans des réactions de condensation pendant lesquelles le groupe amine d'un de ces acides réagit avec l'acide carboxylique du suivant en éliminant une molécule d'eau. Une protéine peut compter jusqu'à 4 000 enchaînements d'aminoacides.

Bien que la nourriture apporte directement des protéines, elles ne sont pas utilisées comme telles. En effet, les protéines contenues dans la nourriture sont brisées en leurs acides aminés de base pendant la digestion. Ces acides aminés peuvent alors être réarrangés en de nouvelles protéines plus tard. L'organisme peut, dans certaines limites, transformer un acide aminé en un autre, ou encore en synthétiser à partir d'hydrates de carbone. Il y a cependant huit acides aminés dits « essentiels », que le corps humain ne peut pas synthétiser et qui doivent être directement extraits de la nourriture.

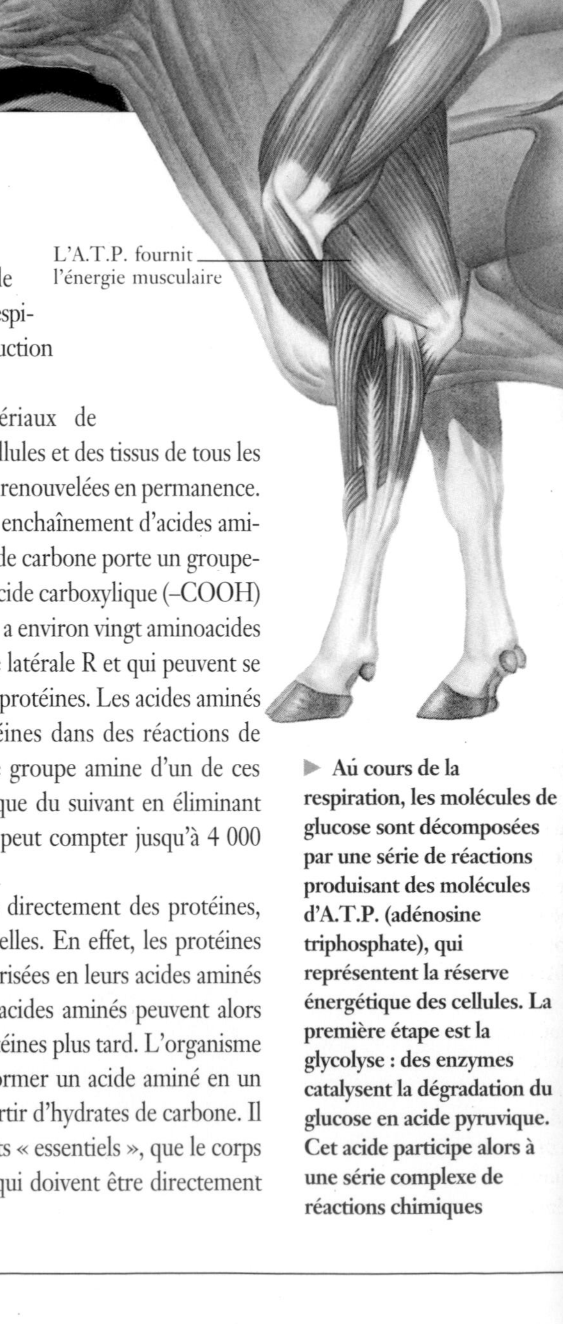

■ Les animaux tirent leur énergie de la nourriture à travers une série compliquée de réactions chimiques appelée respiration. Au cours de la respiration, la nourriture (normalement déjà transformée en glucose) est décomposée dans le système digestif (*en bas*) Les enzymes, des protéines qui agissent comme catalyseurs dans les systèmes vivants, jouent un grand rôle dans la glycolyse, première étape de ce processus (*à droite*). Une molécule d'A.T.P. (en rose) est liée à une enzyme glycolitique. Le ruban vert représente une chaîne carbonée ; les atomes d'oxygène, de carbone et d'azote de l'A.T.P. sont respectivement rouges, blancs et bleus.

► Au cours de la respiration, les molécules de glucose sont décomposées par une série de réactions produisant des molécules d'A.T.P. (adénosine triphosphate), qui représentent la réserve énergétique des cellules. La première étape est la glycolyse : des enzymes catalysent la dégradation du glucose en acide pyruvique. Cet acide participe alors à une série complexe de réactions chimiques

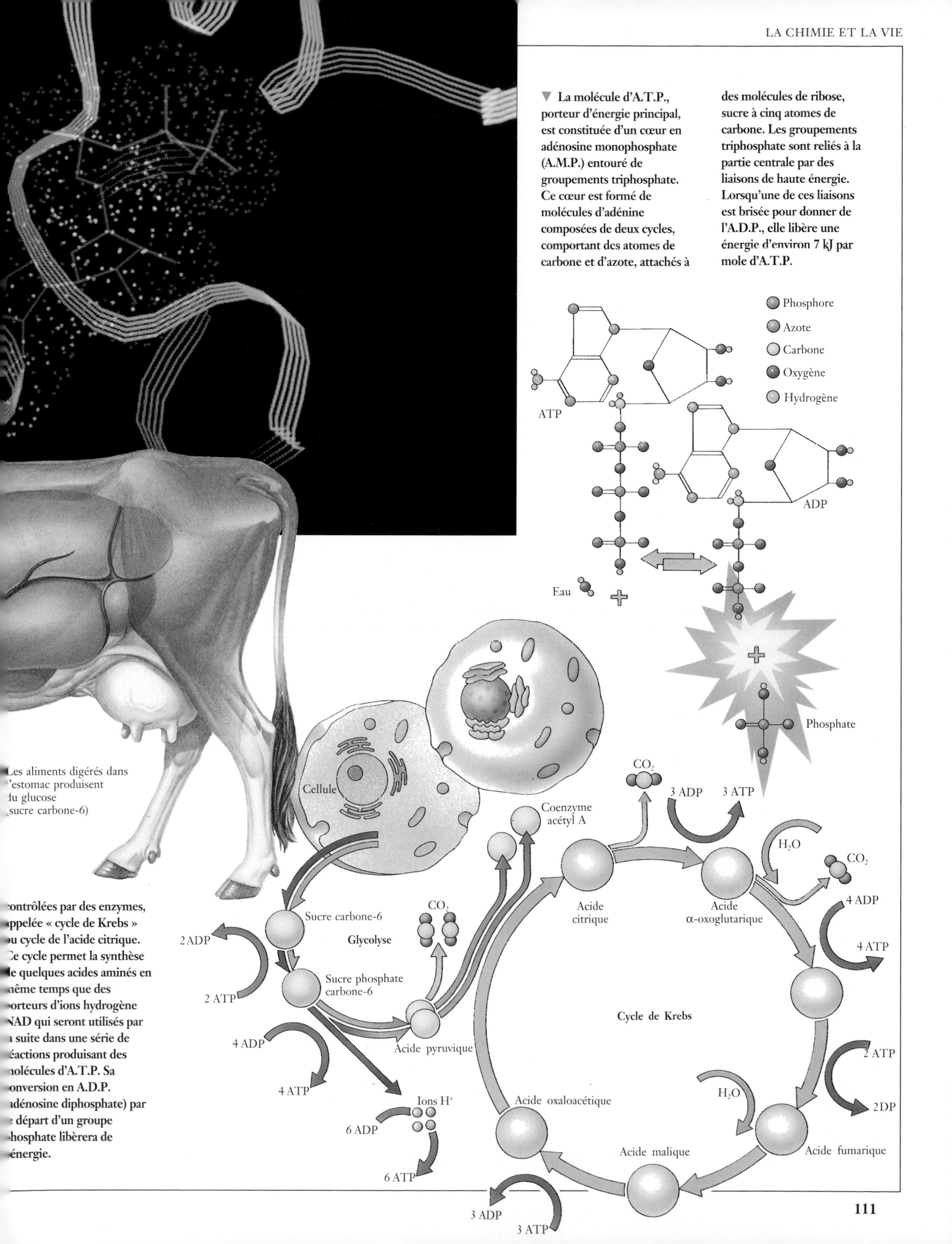

▼ La molécule d'A.T.P., porteur d'énergie principal, est constituée d'un cœur en adénosine monophosphate (A.M.P.) entouré de groupements triphosphate. Ce cœur est formé de molécules d'adénine composées de deux cycles, comportant des atomes de carbone et d'azote, attachés à des molécules de ribose, sucre à cinq atomes de carbone. Les groupements triphosphate sont reliés à la partie centrale par des liaisons de haute énergie. Lorsqu'une de ces liaisons est brisée pour donner de l'A.D.P., elle libère une énergie d'environ 7 kJ par mole d'A.T.P.

Les aliments digérés dans l'estomac produisent du glucose (sucre carbone-6)

ontrôlées par des enzymes, appelée « cycle de Krebs » ou cycle de l'acide citrique. Ce cycle permet la synthèse de quelques acides aminés en même temps que des porteurs d'ions hydrogène NAD qui seront utilisés par la suite dans une série de réactions produisant des molécules d'A.T.P. Sa conversion en A.D.P. (adénosine diphosphate) par le départ d'un groupe phosphate libèrera de énergie.

LA CHIMIE DU VIVANT

Tous les êtres vivants se comportent comme des machines chimiques. Ce sont des réactions chimiques qui procurent de l'énergie à l'organisme vivant, qui le débarrassent de ses déchets et le maintiennent en bonne santé. La plupart des processus biologiques dépendent de la présence d'enzymes.

Les enzymes sont des protéines très spécialisées qui contrôlent le métabolisme (toute la chimie des cellules et de l'organisme) et qui jouent le rôle de catalyseurs organiques en promouvant les réactions chimiques dans les cellules. À défaut d'enzymes, nombre de ces réactions seraient trop lentes pour permettre la vie.

MOTS CLÉS

AMINE
AMINOACIDE
CATALYSEUR
CHIMIE ORGANIQUE
ENZYME
HORMONE
PROTÉINE
SITE ACTIF
SUBSTRAT

L'action des enzymes est très spécifique : beaucoup d'enzymes ne sont utiles qu'à une seule réaction chimique et c'est leur structure qui explique cette sélectivité. Comme toutes les protéines, les enzymes sont composées de chaînes ordonnées d'acides aminés maintenues ensemble par de faibles interactions dipôle-dipôle et des liaisons hydrogène. La surface d'une enzyme montre des dépressions aux formes précises, appelées sites actifs, sur lesquelles se produit la catalyse.

Une modification de sa forme rend l'enzyme inactive, par exemple un changement de température qui perturbe les liaisons latérales des aminoacides, ou encore un changement de pH qui crée des perturbations dans les liaisons ioniques responsables de la forme de l'enzyme. Il y a des milliers d'enzymes différentes, la plupart participant à certaines étapes de réactions en chaîne ou de cycles catalytiques. En général, le produit d'une réaction enzymatique sert de substrat pour la suivante.

Les hormones sont des messagers chimiques envoyés par le système nerveux central de l'organisme pour contrôler la chimie du corps. Dans les végétaux, ce sont les phytohormones qui jouent ce rôle. Les hormones sont synthétisées dans une partie du corps, puis transportées (habituellement par le flux sanguin) sur leurs cellules cible où elles n'agissent qu'en modifiant des processus existants.

Il existe trois grands types d'hormones. Les hormones peptidiques comme la somatropine (l'hormone de croissance), sont des chaînes d'acides aminés de longueur variable. L'épinéphrine (adrénaline), qui prépare le corps à agir rapidement en cas d'urgence, est formée à partir d'amides. Ce sont des molécules dérivées des amines dans lesquelles l'un des atomes d'hydrogène de l'ammoniac (NH_3) a été remplacé par un groupement acyle (–CO–R). Les hormones stéroïdiennes, comme les hormones sexuelles, sont formées de noyaux benzéniques assemblés suivant un motif que l'on retrouve dans le cholestérol.

Les hormones jouent un rôle crucial dans la chimie de l'orga-

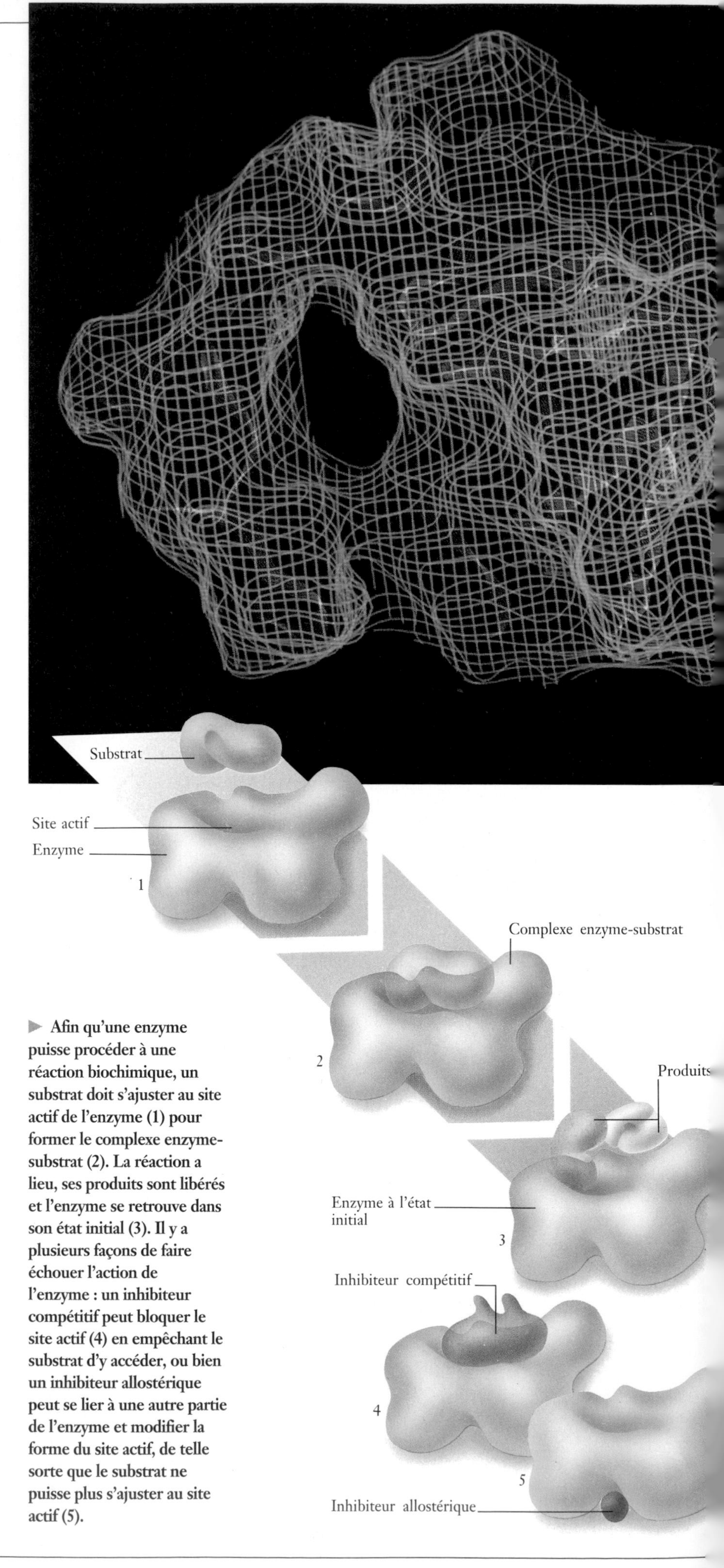

▶ Afin qu'une enzyme puisse procéder à une réaction biochimique, un substrat doit s'ajuster au site actif de l'enzyme (1) pour former le complexe enzyme-substrat (2). La réaction a lieu, ses produits sont libérés et l'enzyme se retrouve dans son état initial (3). Il y a plusieurs façons de faire échouer l'action de l'enzyme : un inhibiteur compétitif peut bloquer le site actif (4) en empêchant le substrat d'y accéder, ou bien un inhibiteur allostérique peut se lier à une autre partie de l'enzyme et modifier la forme du site actif, de telle sorte que le substrat ne puisse plus s'ajuster au site actif (5).

◀ **Une molécule d'enzyme est formée de chaînes d'aminoacides bien ordonnés, qui constituent l'armature polypeptidique de l'enzyme. La géométrie résultante crée un site actif dans lequel le substrat peut se glisser comme une clé dans une serrure. Ce contact intime a pour objet de contraindre les liaisons chimiques du substrat jusqu'à la rupture, ce qui forme les produits souhaités. L'enzyme représentée ici est l'amylase, qui fait partie d'une catégorie d'enzymes brisant l'amidon, le glycogène et d'autres polysaccharides.**

▼ **Les deux principales variétés d'hormones sont issues soit des stéroïdes (comme les hormones sexuelles), soit des protéines (comme l'insuline). Les stéroïdes sont solubles dans les graisses et peuvent de la sorte traverser directement la membrane des cellules cibles pour être prises en charge par un récepteur et ainsi atteindre directement le noyau (flèche verte). Les protéines ne peuvent pas traverser la membrane, elles doivent donc trouver un récepteur à la surface de la membrane avant de pouvoir être amenées à l'intérieur de la cellule (flèche violette).**

nisme. Par exemple les diabétiques, qui ne produisent pas assez d'hormone insuline, sont incapables de régulariser le taux de glucose de leur sang. Le diabète présente de nombreux symptômes graves et peut entraîner la mort s'il n'est pas soigné.

L'insuline et le glucagon, hormones peptidiques, ainsi que l'épinéphrine (de type amide) travaillent ensemble à la régulation du taux de glucose sanguin. Le glucose est stocké dans le corps sous forme de glycogène. Lorsque le taux de glucose sanguin tombe en dessous d'un certain seuil, du glucagon et de l'épinéphrine sont libérés dans le sang et parviennent au foie qui va accélérer la transformation du glycogène en glucose et qui augmente ainsi le taux de glucose sanguin.

À l'inverse, si le taux de glucose est trop élevé, de l'insuline est libérée. Elle incite les muscles et le foie à convertir le glucose en glycogène afin de faire baisser le taux de glucose sanguin. Dans cette boucle de rétroaction, les quantités d'insuline et de glucagon produites sont fonction du taux de glucose sanguin, alors que ce même taux est déterminé par le rapport de ces deux hormones.

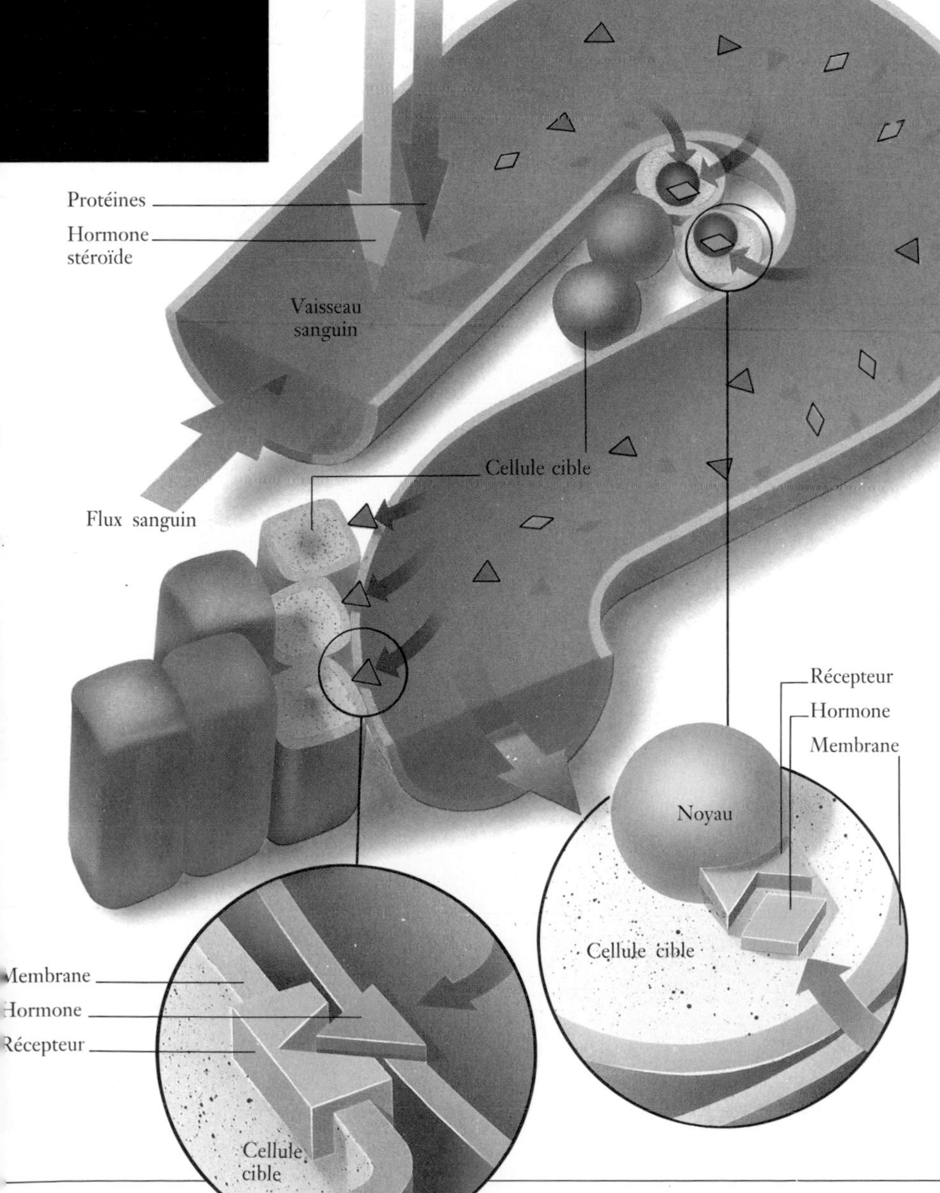

▲ **Les hormones sexuelles apportent de profonds changements dans le développement des jeunes animaux. Les jeunes gorilles ne diffèrent que par leurs organes génitaux. Mais pendant leur puberté, les hormones produites par les glandes sexuelles induisent une différenciation sexuelle secondaire qui permet alors de bien distinguer les mâles des femelles adultes. Un pelage argenté pousse sur le dos des mâles et chez les femelles des glandes mammaires leur permettent d'allaiter leurs petits.**

Les médicaments

Les maladies sont la conséquence de modifications dans la chimie de l'organisme, perturbant les processus vitaux. La chimiothérapie (utilisation de produits chimiques pour combattre les maladies) est un outil puissant pour remettre en ordre la chimie de l'organisme. Les médicaments jouent un grand rôle dans cette guerre chimique. Tous les médicaments agissent en modifiant les réactions biochimiques, aussi bien dans les microbes qui ont envahi le corps que dans l'organisme lui-même.

Il existe toutes sortes de médicaments, chacun ayant son propre mode d'action. Les vaccins servent à la prévention en stimulant les défenses immunitaires de l'organisme. Le corps sécrète alors des protéines, appelées anticorps, qui attaquent spécifiquement un microbe donné. D'autres médicaments agissent sur la biochimie des microbes qui attaquent l'organisme. Par exemple, ils en bloquent certaines enzymes et empêchent leurs réactions chimiques de devenir incontrôlées ; ou bien ils empêchent les hormones de délivrer leur message et bloquent ainsi la réponse des cellules à ces hormones. Les antibiotiques et les sulfamides, salués en leur temps comme des médicaments miracles, fonctionnent ainsi.

MOTS CLÉS

- ALCOOL
- BARBITURATE
- BIOCHIMIE
- CHIMIOTHÉRAPIE
- ENZYME
- HORMONE
- MÉDICAMENT
- MÉDICAMENT DE SYNTHÈSE
- MODÉLISATION MOLÉCULAIRE

Les antibiotiques sont extraits de micro-organismes qui détruisent sélectivement les bactéries pathogènes, souvent en inhibant une enzyme importante de leur métabolisme. Par exemple, la pénicilline stoppe la croissance de nouvelles bactéries en inhibant l'activité d'une enzyme nécessaire à la construction des parois cellulaires. Les sulfamides empêchent les bactéries de synthétiser l'acide folique, un nutriment essentiel. Ces produits empêchent donc les bactéries de se reproduire et donnent de meilleures chances aux organismes malades de se débarrasser des intrus. Les sulfamides sont sans danger pour les mammifères qui ne synthétisent pas d'acide folique et qui le puisent dans leur alimentation.

Comme les enzymes, les médicaments sont soumis au même mécanisme de « clé et serrure ». La molécule de médicament doit s'adapter exactement au site récepteur de la molécule cible qu'elle attaque. L'assurance d'une action efficace du médicament est subordonnée non seulement à cette adéquation avec la molécule cible, mais encore à la présence effective du médicament dans la partie du corps qu'il doit soigner. Par exemple, on doit concevoir un comprimé de telle sorte qu'il soit absorbé dans une partie précise du système digestif plutôt que dans une autre. Parfois, il est possible d'attacher la molécule de médicament à un anticorps qui apportera sélectivement celui-ci à la cellule malade. On utilise cette approche de « médicament intelligent » par exemple pour traiter les tumeurs cancéreuses sans affecter les cellules saines voisines.

D'autres substances chimiques, comme l'alcool ou la cocaïne,

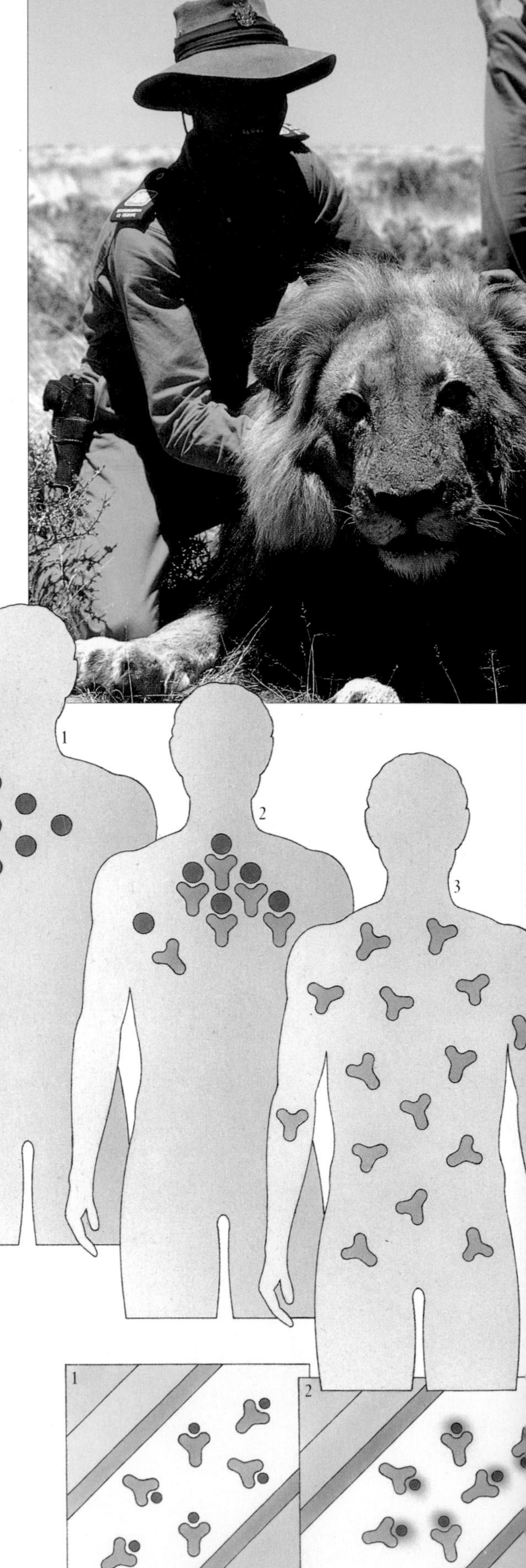

▶ La médecine vétérinaire a tiré bénéfice des derniers développements des médicaments. Des tranquillisants chargés dans une seringue peuvent être tirés d'un véhicule afin d'endormir un animal sauvage le temps de le soigner, ou pour le transporter en lieu sûr.

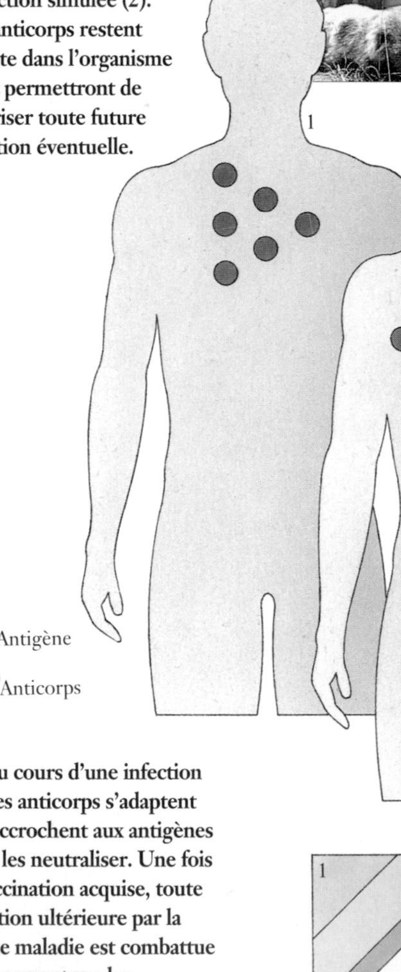

▼ Les vaccins sont un type de médicament directement inspiré de processus naturels, et adaptés à une infection bactérienne ou virale bien ciblée. Ils contiennent généralement des germes pathogènes tués ou inactivés agissant comme antigène (1) afin de stimuler les défenses immunitaires des patients. Ceux-ci produisent alors des anticorps pour combattre l'infection simulée (2). Ces anticorps restent ensuite dans l'organisme (3) et permettront de maîtriser toute future infection éventuelle.

▶ Au cours d'une infection (1), les anticorps s'adaptent et s'accrochent aux antigènes pour les neutraliser. Une fois la vaccination acquise, toute infection ultérieure par la même maladie est combattue efficacement par les anticorps déjà présents dans l'organisme (2).

▼ **Les bêtabloquants, comme le propanolol, agissent contre l'hormone noradrénaline (norépinéphrine) qui stimule le rythme cardiaque et élève la pression sanguine, en bloquant les sites récepteurs sur le cœur.**

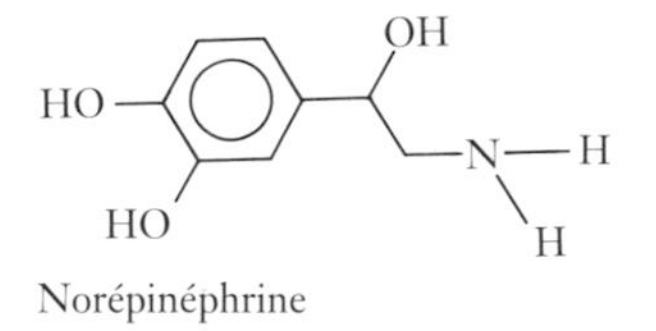

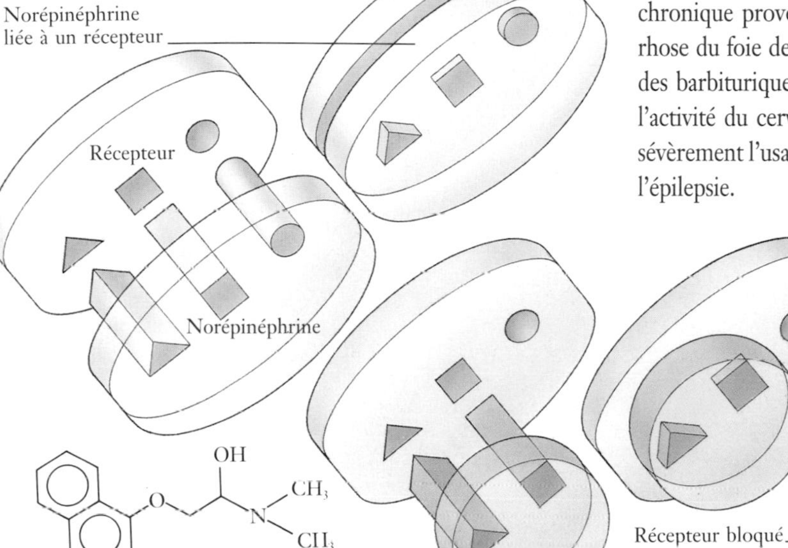

agissent également sur la chimie du corps humain. Elles diminuent l'activité du système nerveux central en perturbant l'activité des neurotransmetteurs et des récepteurs des cellules nerveuses. Elles font croire aux personnes qui les absorbent qu'elles vont mieux et qu'elles sont plus attentives, mais elles ne font que les diminuer et ralentir leurs réactions et leur jugement. Lorsqu'elles sont absorbées en grande quantité ou en association avec d'autres substances, leur effet peut être fatal. Une utilisation chronique provoque des dommages physiques, comme la cirrhose du foie des alcooliques. Une utilisation à tort et à travers des barbituriques, une autre classe de substances qui réduisent l'activité du cerveau, a conduit certains pays à en réglementer sévèrement l'usage en les réservant par exemple au traitement de l'épilepsie.

▼ **La plupart des médicaments en pilules sont distribués dans des emballages alvéolés pour les protéger, ou bien pour les regrouper en un ensemble adapté à la quantité prescrite, par exemple un certain nombre de pilules pour une semaine ou un mois.**

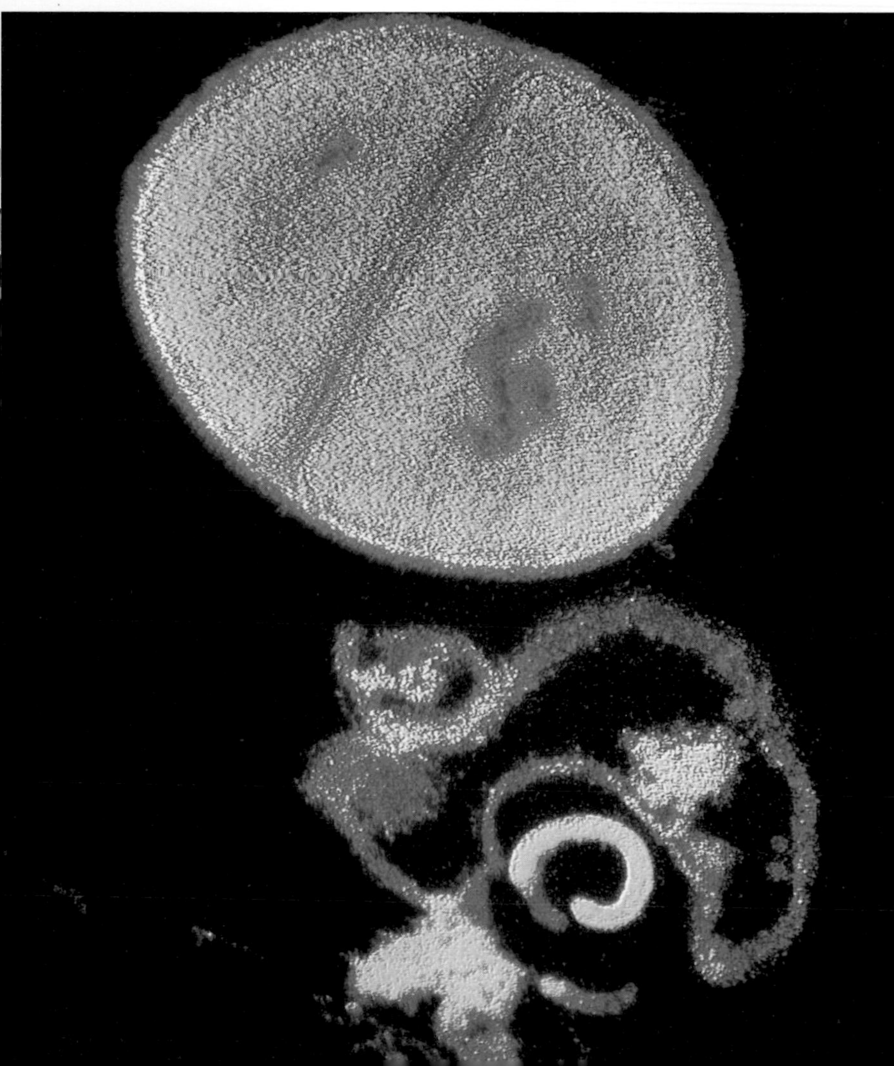

◄ **Il existe aujourd'hui un large choix d'antibiotiques pour combattre une variété d'infections bactériennes aussi grande. Quelques-uns sont dérivés de substances naturelles (comme la pénicilline), fabriqués par des micro-organismes, alors que d'autres sont des molécules de synthèse, soit copiées à partir de molécules naturelles, soit faites sur mesure pour combattre une infection donnée. Comme il est montré ici, la pénicilline stoppe les infections en attaquant la paroi cellulaire des bactéries.**

LES MÉDICAMENTS D'ORIGINE NATURELLE

C'est la compréhension de l'effet des maladies au niveau moléculaire qui permet au chimiste d'orienter sa recherche vers la synthèse de substances capables de combattre efficacement chacune de ces maladies. Des remèdes parmi les plus familiers, comme l'aspirine et la digitaline, ont été découverts en extrayant et en purifiant des substances actives contenues dans les plantes. L'aspirine est formée à partir d'une molécule d'acide 2-hydroxybenzoïque (acide salicylique) qui a d'abord été extraite de l'écorce du saule. Aujourd'hui, on la synthétise en ajoutant un groupe fonctionnel supplémentaire à une molécule de phénol pour obtenir l'acide 2-éthanoyl-hydroxybenzoïque (acide acétylsalicylique). En revanche, la digitaline est toujours extraite d'une variété de la digitale naturelle.

MOTS CLÉS

ALCALOÏDES
CHIRALITÉ
ISOMÉRISME
MÉDICAMENT
MÉLANGE RACÉMIQUE
PHARMACOLOGIE

En pratiquant une recherche au hasard sur les alcaloïdes, molécules organiques azotées présentes dans certaines plantes, on a pu trouver de nombreux médicaments nouveaux et aussi identifier des produits actifs très utiles. La recherche de telles substances est actuellement focalisée sur les forêts humides tropicales où il y a une grande quantité de végétaux aux propriétés encore inconnues.

C'est par une méthode similaire qu'a été découvert le Captopril, médicament largement utilisé dans le traitement de l'hypertension. Le venin d'une vipère du Brésil contient une protéine bloquant l'action d'une enzyme clé dans les processus conduisant à l'augmentation de la tension artérielle. En utilisant la structure de cet inhibiteur comme point de départ, les chimistes ont réussi à synthétiser un médicament régulateur de la tension artérielle.

Les biochimistes ont à considérer la forme et l'orientation d'une molécule de médicament aussi bien que sa composition ; la plupart des molécules biologiques sont chirales : elles possèdent deux isomères, appelés forme droite et gauche. Bien que ces deux isomères aient les mêmes propriétés physiques et semblent se comporter de la même façon dans un tube à essai, ils peuvent avoir des effets très différents sur le corps humain où ils réagissent avec d'autres molécules chirales. Par exemple, les acides aminés gauches réagissent avec les papilles gustatives pour transmettre un goût sucré, alors que les mêmes dans leur forme droite ont un goût amer, ou aucun goût du tout.

Comme il est très coûteux de séparer ce genre d'isomères, beaucoup de médicaments sont un mélange de ces isomères. Dans un mélange racémique, il y a autant de forme gauche que de forme droite. On doit pratiquer de nombreux essais pour être sûr que ces mélanges ne sont pas toxiques, sachant que si seulement une des formes chirales est bénéfique, l'autre peut parfois avoir des effets néfastes. C'est le cas de la thalidomide dont l'isomère actif soulageait les femmes enceintes, alors que l'isomère « inactif » provoquait de sévères malformations sur le fœtus.

■ Les substances naturelles découvertes dans les plantes sont encore une source de médicaments meilleur marché que celles explorées par la synthèse chimique. Par exemple la digitaline, un médicament pour le cœur, est toujours extraite de la digitale (1) ; la caféine du café (2) ; la morphine du pavot (3) et l'atropine de la belladone (4). Les plantes sont aussi la réserve la plus prometteuse de nouveaux médicaments. C'est pourquoi les firmes pharmaceutiques sont en train de payer très cher le droit de rechercher, dans les forêts tropicales humides, des plantes qui renferment les substances actives des médicaments de demain.

1. Digitale (digitaline)
2. Café (caféine)
3. Pavot (opium)
4. Belladone (atropine)

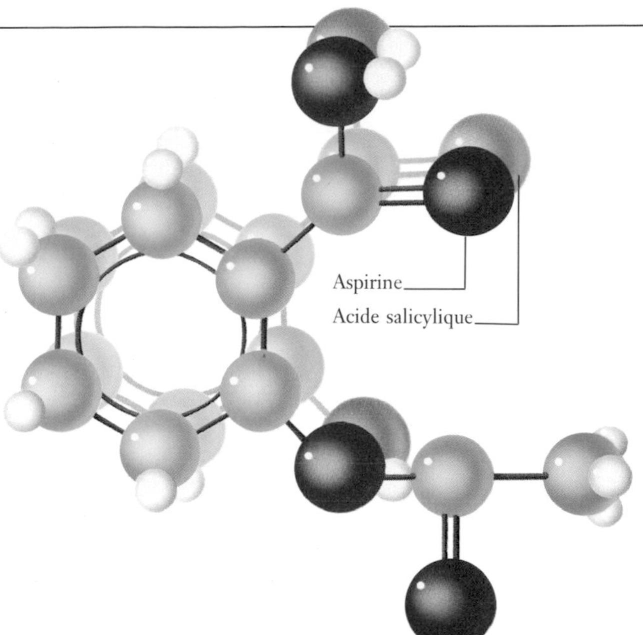

◀ L'acide salicylique, extrait de l'écorce du saule, était utilisé jadis pour lutter contre la fièvre et les douleurs. L'aspirine est un éthanyl (acétyl) dérivé de l'acide salicylique. Son sel de sodium est aussi un bon antalgique utilisé pour le traitement des rhumatismes.

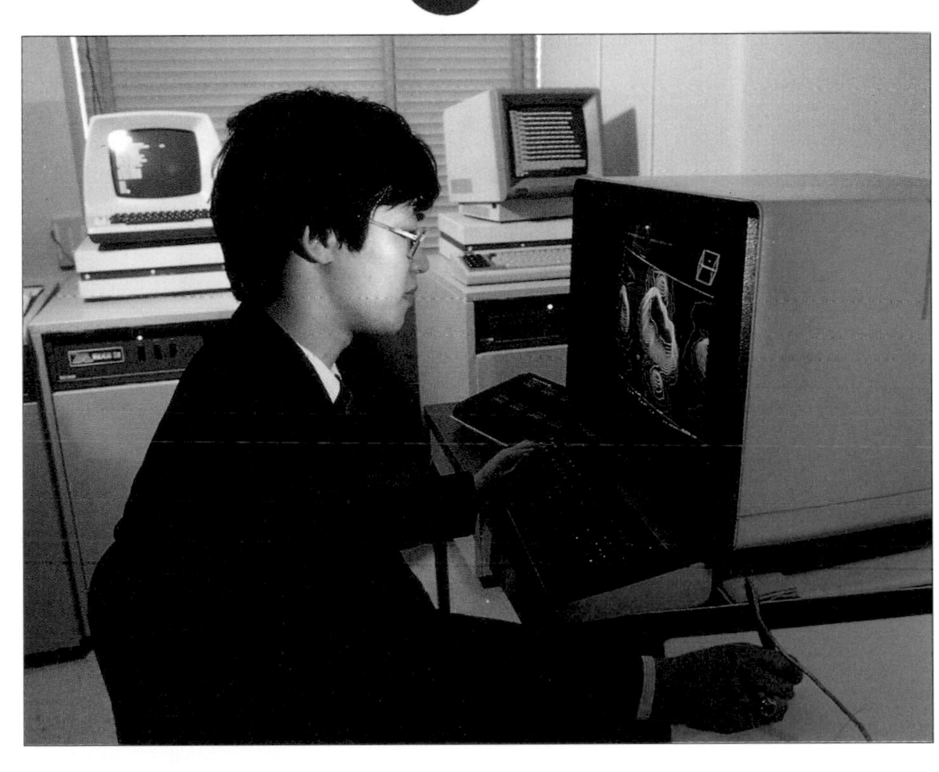

▲ Beaucoup de nouveaux médicaments sont créés et testés sur ordinateur à l'aide de programmes graphiques très puissants. Ces nouveaux composés doivent subir toute une batterie de tests cliniques avant leur utilisation.

◀ Cet étal de marché au Chili offre un large choix de médicaments naturels. Les compagnies pharmaceutiques sont aussi intéressées que les autochtones par ces marchandises ; ces marchés locaux s'avèrent souvent une source abondante de nouveaux médicaments.

À l'origine de toute synthèse d'un nouveau médicament, il y a un composé principal dont on a quelque assurance de l'efficacité. Puis, grâce à l'aide de puissants programmes informatiques graphiques, les chimistes utilisent leurs connaissances sur ce composé actif et sur les causes de la maladie pour l'améliorer. Ainsi, on peut dire qu'ils créent de nouveaux médicaments en les synthétisant à l'écran.

Malgré les progrès apportés par la simulation sur ordinateur et une meilleure compréhension de la chimie moléculaire des maladies et des médicaments, le développement et la vente de ceux-ci sont des activités très risquées et très coûteuses. En effet, une molécule sur 10 000 seulement passe au travers des tests très rigoureux précédant sa commercialisation.

LES TESTS BIO-MÉDICAUX

Des tests bio-médicaux simples, distribués sous la forme de kits, font sortir la biochimie du laboratoire et permettent à chacun de mesurer très rapidement et avec une bonne précision la concentration de diverses substances dans son propre corps, sans avoir à se rendre dans un laboratoire. D'autres tests portatifs permettent aussi à du personnel non médical, comme la police, d'obtenir des informations sur la consommation de drogue ou d'alcool par une personne, sans avoir non plus à attendre les résultats coûteux d'un laboratoire d'analyse. Sous leur apparente simplicité, ces kits font appel à une chimie subtile.

MOTS CLÉS

ALCOOL
CHROMATOGRAPHIE GAZ-LIQUIDE
ÉLECTROLYSE
ENZYME
ÉTHANOL
GLUCOSE
INDICATEUR
OXYDATION

Les tests médicaux en kit ont beaucoup d'applications, du contrôle personnel des diabétiques aux contrôles d'alcoolémie au volant. Ce dernier test, appelé couramment Alcotest, mesure en fait la quantité d'alcool (éthanol) présente dans l'haleine du conducteur. Il utilise une réaction chimique simple de réduction par l'éthanol du bichromate de potassium (chrome VI) en chrome III. Les cristaux orange de bichromate virent à la couleur verte du chrome III lorsqu'ils oxydent l'éthanol en éthanal (acétaldéhyde) ou en acide éthanoïque (acide acétique).

Comme cette réaction implique des transferts d'électrons, on peut aussi relier une concentration en éthanol à la tension aux bornes d'une cellule électrolytique appropriée. Dans un de ces analyseurs d'haleine, on trouve un tube poreux contenant de l'acide phosphorique et deux électrodes. L'oxygène est réduit en eau à l'une d'entre elles pendant que l'éthanol est oxydé en acide acétique à l'autre.

Cependant, ces tests pratiqués au bord de la route ne sont pas suffisamment fiables pour constituer une preuve auprès d'un tribunal. Pour cela, il faut prélever de l'urine ou du sang et

▶ **En Grande-Bretagne, on pratique un contrôle anti-dopage sur environ 10 pour cent des chevaux de course. Certains sont choisis au hasard, et d'autres à cause de leur comportement inhabituel, meilleur ou pire que ce que l'on attendait. On préfère des échantillons d'urine à des échantillons sanguins car les concentrations de dopants et de leurs métabolites y sont en général plus élevées que dans le sang. Pour les détecter, on utilise des méthodes comme la chromatographie en phase gazeuse, la chromatographie liquide haute performance, la spectrométrie de masse et des tests aux antigènes. Parmi les centaines de substances interdites, les plus fréquemment rencontrées sont : la phénylbutazone, un anti-inflammatoire non stéroïdien qui masque les douleurs et les blessures, la caféine qui agit comme un stimulant, et l'acétopromazine, un sédatif destiné à ralentir un cheval ou à le calmer au cours d'une séance de dressage.**

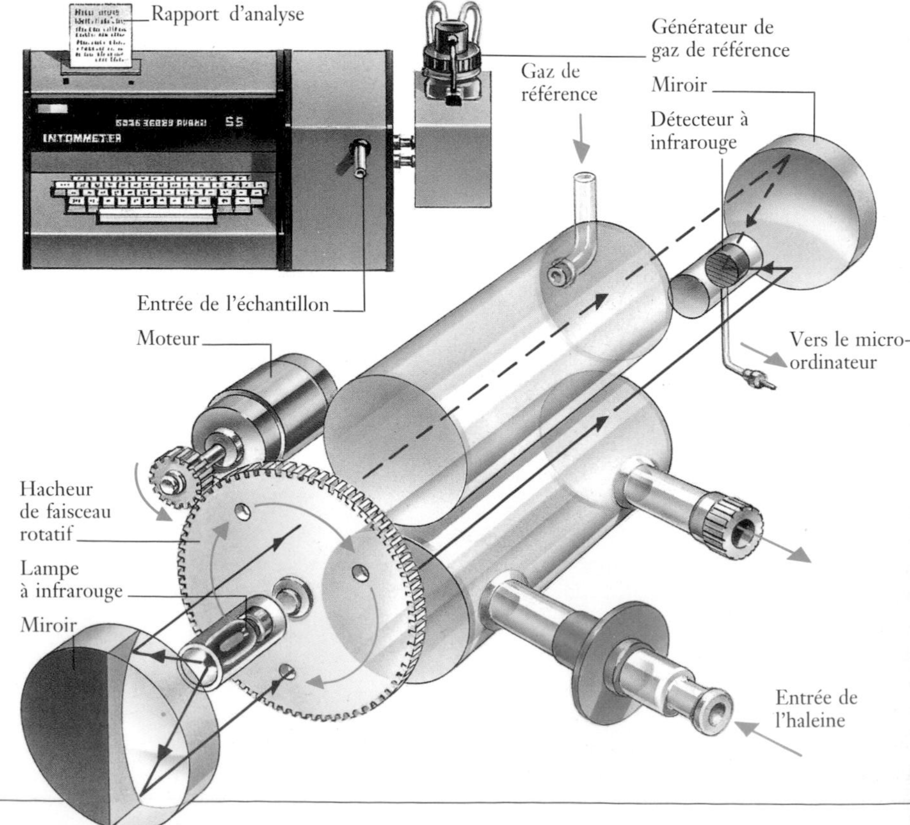

◀ L'Alcotest utilisé lors des contrôles de police sur les routes tire avantage du fait que l'alcool (éthanol) est suffisamment volatil pour passer du sang dans l'air des poumons. On prélève un certain volume d'échantillon lorsqu'on « souffle dans le ballon ». Le taux d'alcoolémie est alors déterminé en utilisant une simple réaction d'oxydoréduction qui produit un changement de couleur de cristaux de bichromate de potassium. On peut aussi demander à un suspect de souffler dans une machine dans laquelle on utilise l'absorption d'un rayonnement infrarouge par l'alcool pour en mesurer la teneur. La machine compare l'haleine du suspect avec un échantillon de référence à teneur connue.

l'analyser par chromatographie gazeuse. On peut aussi analyser précisément l'éthanol de l'haleine à l'aide d'un dispositif d'absorption de lumière infrarouge.

Les diabétiques doivent porter une grande attention à leur taux de glucose sanguin et beaucoup utilisent de simples bandelettes de réactifs pour cela. Ces bandelettes sont imprégnées de quatre réactifs. La glucose oxydase, enzyme catalysant la réaction entre le glucose et l'oxygène, produit de l'acide gluconique et de l'eau oxygénée (peroxyde d'hydrogène). On y trouve aussi : un indicateur, comme l'ortholidène, incolore dans sa forme réduite et coloré dans sa forme oxydée ; de la peroxydase, enzyme catalysant l'oxydation de l'indicateur par l'eau oxygénée ; et un tampon constitué d'un mélange de deux substances qui maintiennent tous ces réactifs à un pH constant pendant le test.

Pour procéder au test, on plonge la bandelette dans l'urine ou bien on y verse une goutte de sang. Le glucose éventuellement présent provoque alors un changement de couleur dont l'intensité est comparée à un graphique de référence, ce qui permet d'obtenir sa concentration. On peut aussi avoir recours à un petit réflectomètre pour augmenter la précision de la méthode.

L'électrochimie permet également une bonne mesure de la concentration en glucose après révélation par une enzyme. Un certain type d'appareil utilise également la réaction avec la glucose oxydase, comme dans les bandelettes. Cette enzyme réagit avec les trois formes de glucose habituelles (bêta, GK et D) et provoque une modification du potentiel électrochimique de la cellule de mesure, variation détectée à l'aide d'un capteur approprié.

Un autre type d'appareil contient des électrodes plongeant dans une solution complexe contenant de la glucose oxydase et du ferrocène comme composants principaux. Lorsqu'on y introduit une goutte de sang, le glucose y est oxydé en gluconolactone et la glucose oxydase est réduite. Les électrons échangés dans cette opération sont absorbés par le ferrocinium qui joue le rôle d'intermédiaire et se transforme en ferrocène. Celui-ci est alors oxydé de nouveau en ferrocinium aux électrodes, induisant un courant proportionnel à sa concentration et donc à la concentration de glucose présente dans le sang.

▲ Comme la formation de l'urine tend à concentrer les traces des dopants éventuels, les athlètes qui participent aux événements sportifs majeurs comme les Jeux olympiques sont régulièrement sujets à des contrôles d'urine. On utilise des méthodes très sensibles comme la chromatographie liquide en couche mince ou en phase gazeuse pour dépister dans les urines des traces de drogues même très faibles.

LA CHIMIE ET LES COULEURS

6

Les teintures et les pigments ne sont que deux des très nombreux produits colorés que préparent les chimistes. Ils ne se contentent pas de fabriquer des couleurs, ils s'en servent aussi comme indicateurs pour révéler des réactions chimiques comme les réactions acido-basiques.

Si un objet apparaît coloré, c'est parce qu'il absorbe certaines radiations et en réfléchit ou en émet d'autres qui sont perçues par l'œil. Les molécules fluorescentes absorbent les radiations ultraviolettes invisibles et réémettent des radiations visibles. La couleur des molécules organiques est localisée dans certaines parties de celles-ci appelées chromophores. Ce sont souvent des séquences alternées de simples et doubles liaisons, dont on peut modifier la couleur en faisant par exemple varier la longueur.

La lumière, qui est à la base de toute coloration, peut servir à initier beaucoup de réactions chimiques en apportant l'énergie nécessaire pour les activer. L'étude de l'émission et de l'absorption des différentes radiations lumineuses, la spectroscopie, est largement utilisée pour l'analyse chimique.

La photochimie est l'étude des réactions provoquées par la lumière. Ces réactions sont variées : elles sont à la base de la photographie, elles permettent à la peau de bronzer et elles interviennent dans la formation de brouillards de pollution. Ce sont aussi elles qui permettent la vie sur Terre : les végétaux tirent leur énergie du Soleil par une série de réactions photochimiques lors de la photosynthèse.

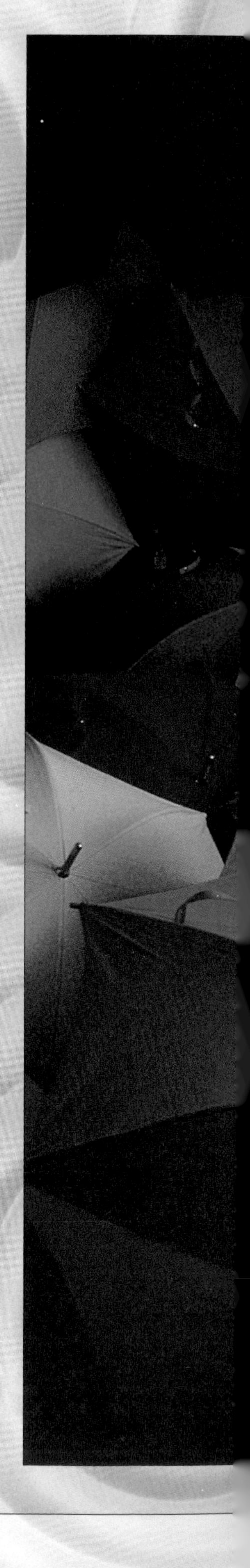

La palette du chimiste comprend aujourd'hui des milliers de couleurs possibles grâce à une meilleure compréhension de la structure des chromophores, ces molécules qui n'absorbent que certaines longueurs d'onde de la lumière. La lumière blanche contient toutes les longueurs d'onde de la lumière visible, et donc toutes les couleurs. Un objet est perçu d'une certaine couleur parce qu'il absorbe les longueurs d'onde correspondant à la couleur complémentaire. Ainsi, un objet absorbant le rouge paraît vert, et un autre absorbant le bleu paraît orange.

ENCRES, PIGMENTS ET PEINTURES

Le bleu du ciel est un phénomène de diffusion et de dispersion de la lumière ; c'est la présence de substances colorées appelées pigments qui apporte sa couleur à un mur peint en bleu ou à la carrosserie d'une voiture bleue. Ces substances interagissent avec la lumière pour ne réémettre que les fréquences correspondant à leur couleur. Les pigments sont des poudres insolubles qui recouvrent une surface ou qui sont mélangées au matériau en apportant de la couleur. Il existe des pigments organiques, comme la chlorophylle des végétaux, mais la majorité des pigments utilisés dans les encres et les peintures sont minéraux. Leur couleur est souvent due aux propriétés chimiques des métaux de transition qui sont le centre actif de nombreux pigments. Contrairement aux métaux comme le sodium ou le magnésium qui n'ont qu'un seul degré d'oxydation, c'est-à-dire qu'ils ont toujours le même nombre d'électrons dans leur couche de valence, les métaux de transition existent sous deux ou plusieurs degrés d'oxydation différents. Les composés qui en contiennent exhibent de larges gammes de couleur. La couleur dépend alors de l'état d'oxydation du métal ainsi que de la nature et de la structure des espèces qui lui sont associées (ligands).

MOTS CLÉS

ADHÉSIF
COLORANT LAQUÉ
ÉVAPORATION
LIAISON
PEINTURE
PIGMENT
POLYMÉRISATION
RÉSINE
SOLVANT

On utilise aussi les métaux de transition dans des peintures fluorescentes ou phosphorescentes. Les peintures fluorescentes contiennent des sulfures de cadmium et de zinc associés à des colorants organiques. Ces sulfures absorbent la lumière ultraviolette qu'ils renvoient sous la forme de lumière visible. Les peintures phosphorescentes contiennent des particules de sulfate de zinc, de cuivre ou de strontium qui continuent à briller quelque temps après avoir été plongées dans l'obscurité.

On applique les pigments sur une surface avec de la peinture, ou bien avec de l'encre si cette surface est en papier. Ils colorent la surface de la même façon. La peinture contient deux composants de base : le liant et le pigment ; le liant est dissous dans un solvant qui rend la peinture plus liquide. Après l'utilisation de la peinture, le solvant s'évapore et le liant polymérise en un film protecteur qui s'accroche à son support et qui englobe les pigments. C'est le liant qui détermine les propriétés de la peinture comme son aspect ou sa dureté. Les peintures naturelles à l'huile utilisent comme liant des huiles polyinsaturées, par exemple l'huile de poisson ou l'huile de lin ; elles contiennent aussi un solvant pour la fluidifier. Aujourd'hui, on remplace souvent les huiles naturelles par des résines synthétiques obtenues en faisant réagir des polyalcools avec des polyacides, ce qui donne de longues chaînes ramifiées contenant des atomes de carbone, d'hydrogène et d'oxygène, dont les branches latérales sont des chaînes d'hydrocarbures insaturées.

Les peintures à l'eau, aussi appelées peintures en émulsion, contiennent des résines très polymérisées, par exemple d'acétate de polyvinyle (peintures vinyliques) ou du type butadiène-styrène (peinture latex ou acrylique), en émulsion dans l'eau. Pour un usage extérieur, les peintures en émulsion contiennent plus de résine afin de pouvoir former un film de protection plus résistant aux agressions.

Les peintures sèchent par évaporation de leur solvant, qu'il soit organique ou aqueux. En même temps, le liant commence à s'oxyder au contact de l'air et forme un film. En effet, les doubles liaisons contenues dans les molécules de liant réagissent avec l'oxygène de l'air en formant des ponts qui relient ces molécules entre elles et qui provoquent ainsi le durcissement du film de peinture. On observe aussi ce type de réaction dans les adhésifs qui contiennent souvent le même genre de molécules.

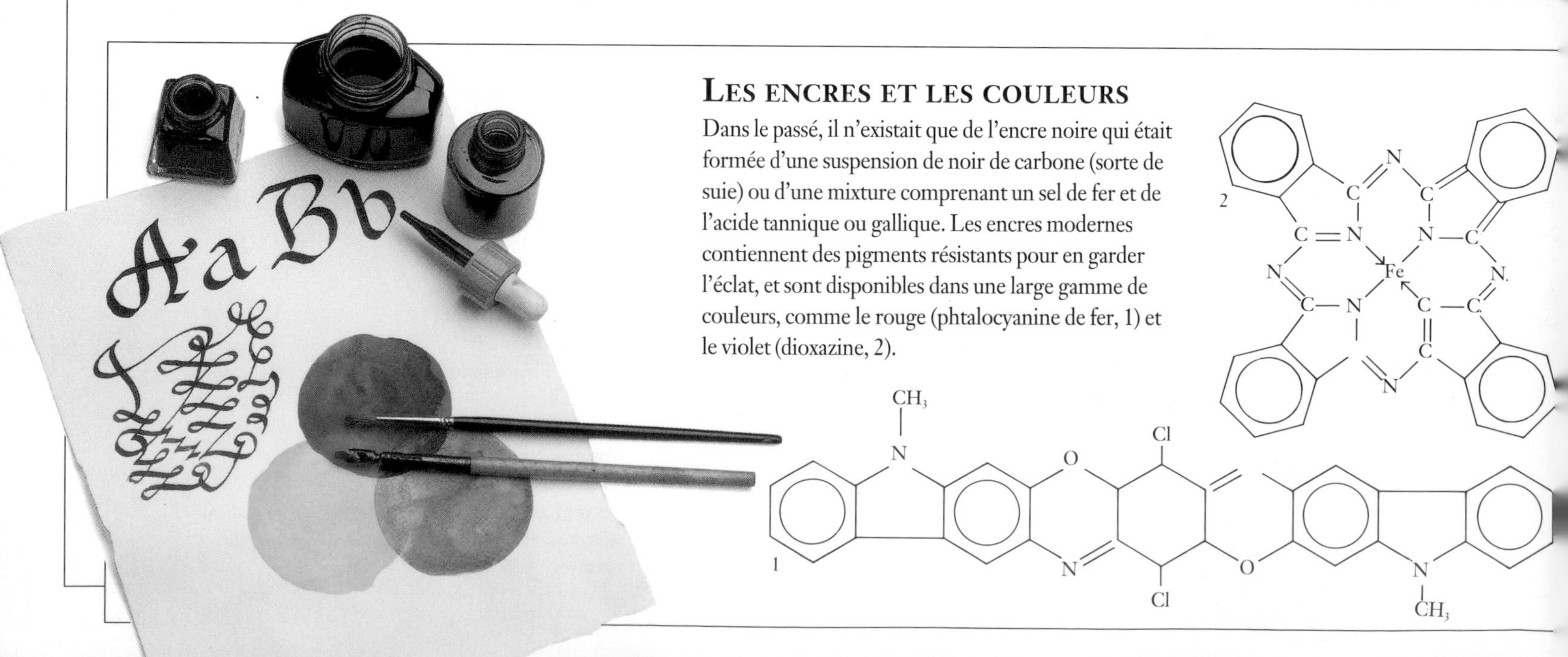

LES ENCRES ET LES COULEURS

Dans le passé, il n'existait que de l'encre noire qui était formée d'une suspension de noir de carbone (sorte de suie) ou d'une mixture comprenant un sel de fer et de l'acide tannique ou gallique. Les encres modernes contiennent des pigments résistants pour en garder l'éclat, et sont disponibles dans une large gamme de couleurs, comme le rouge (phtalocyanine de fer, 1) et le violet (dioxazine, 2).

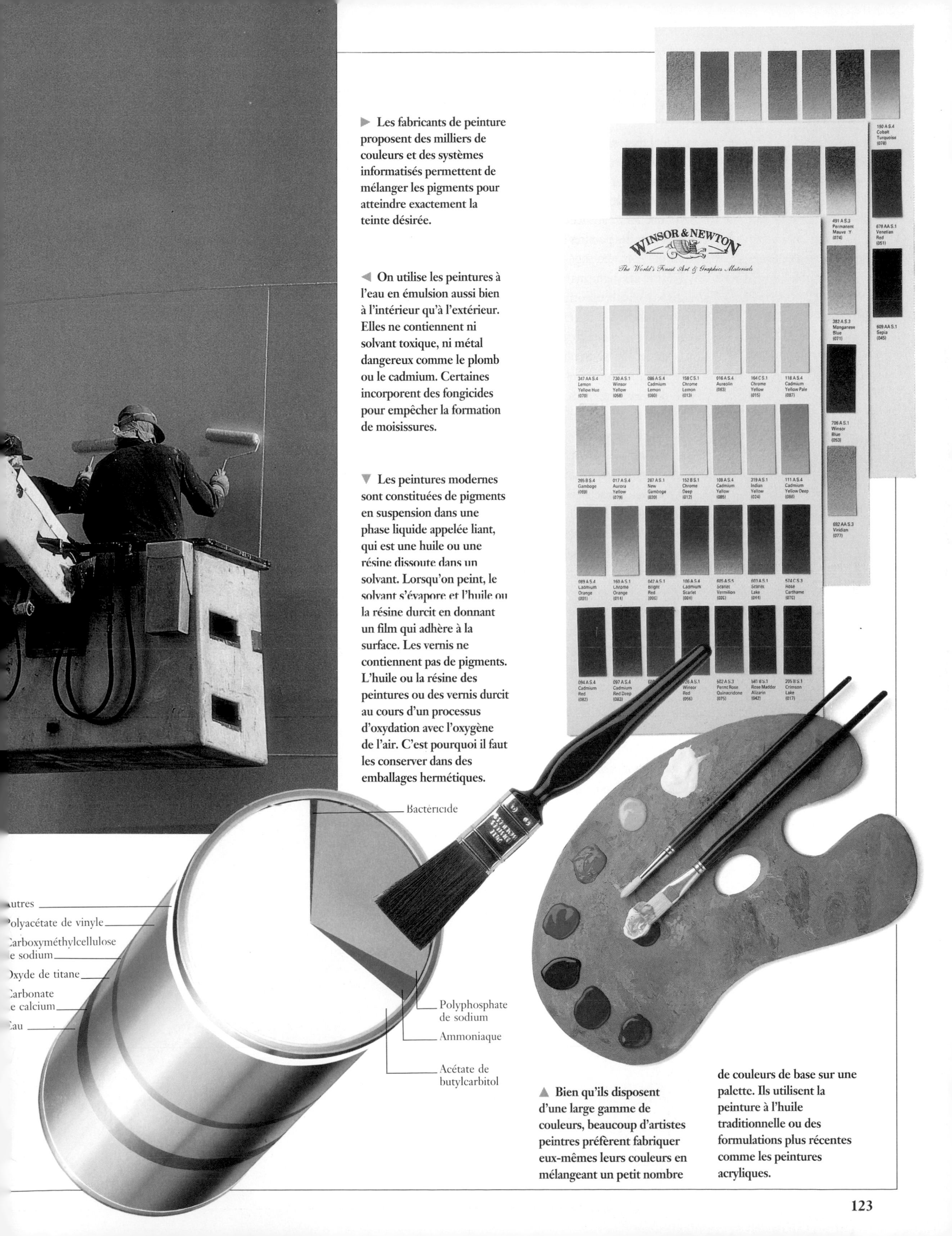

▶ Les fabricants de peinture proposent des milliers de couleurs et des systèmes informatisés permettent de mélanger les pigments pour atteindre exactement la teinte désirée.

◀ On utilise les peintures à l'eau en émulsion aussi bien à l'intérieur qu'à l'extérieur. Elles ne contiennent ni solvant toxique, ni métal dangereux comme le plomb ou le cadmium. Certaines incorporent des fongicides pour empêcher la formation de moisissures.

▼ Les peintures modernes sont constituées de pigments en suspension dans une phase liquide appelée liant, qui est une huile ou une résine dissoute dans un solvant. Lorsqu'on peint, le solvant s'évapore et l'huile ou la résine durcit en donnant un film qui adhère à la surface. Les vernis ne contiennent pas de pigments. L'huile ou la résine des peintures ou des vernis durcit au cours d'un processus d'oxydation avec l'oxygène de l'air. C'est pourquoi il faut les conserver dans des emballages hermétiques.

▲ Bien qu'ils disposent d'une large gamme de couleurs, beaucoup d'artistes peintres préfèrent fabriquer eux-mêmes leurs couleurs en mélangeant un petit nombre de couleurs de base sur une palette. Ils utilisent la peinture à l'huile traditionnelle ou des formulations plus récentes comme les peintures acryliques.

TEINTURES ET COLORANTS

Les pigments et les teintures sont tous deux des substances colorées. Mais alors que les pigments se contentent d'apporter leur couleur en se fixant en surface, les teintures s'accrochent chimiquement aux molécules qu'elles colorent. Parfois, elles se fixent par des liaisons ioniques ou covalentes, mais le plus souvent par des liaisons hydrogène ou bien des forces intermoléculaires encore plus faibles.

À l'inverse des pigments, la plupart des teintures sont solubles, et la majorité sont des substances organiques aromatiques. Beaucoup de teintures organiques naturelles sont extraites de plantes ou d'animaux. Le carmin provient d'une espèce mexicaine de cochenille. Une teinture jaune vif est extraite du pistil séché du crocus safran. Le bleu d'indigo est fabriqué à partir de substances appelées leucoanthicyanidines que l'on trouve dans l'indigotier autrefois cultivé comme plante tinctoriale. L'alizarine ou rouge garance est un colorant autrefois extrait de la racine de la garance.

MOTS CLÉS

- AROMATIQUE
- COLORANT AZOÏQUE
- LIAISON
- LIAISON HYDROGÈNE
- MORDANT
- PIGMENT
- RÉACTION DE FRIEDEL ET CRAFT
- TEINTURES ET COLORANTS

La plupart des teintures naturelles s'accrochent rapidement aux tissus avec l'apport d'un mordant, sel métallique qui se lie en milieu alcalin à la fois au tissu et aux molécules colorantes. On peut nuancer la teinte du tissu en variant les métaux pour le mordant. Par exemple, l'alizarine utilisée en association avec un sel d'étain II donne une couleur rose. Avec du fer III, on obtient une couleur brune.

On utilise des teintures synthétiques pour obtenir une gamme de couleurs plus étendue et des propriétés plus intéressantes que les teintures naturelles. Elles sont en général fabriquées à partir d'hydrocarbures aromatiques comme le benzène, le toluène ou le naphtalène, ainsi que de leurs dérivés comme l'aniline. Les premières teintures synthétiques ont été les colorants azoïques. On les utilise encore dans beaucoup de nuances jaunes, orange ou rouges.

Les colorants azoïques sont des substances très stables qui ne perdent pas leur couleur ni leur éclat. Beaucoup contiennent un groupement sulfonique ($-SO_3-$) dans leur structure, ce qui leur confère à la fois une bonne solubilité dans l'eau et la capacité de former des liaisons solides avec les grandes molécules complexes des fibres textiles.

Les teintures doivent leur couleur à un groupe d'atomes particulier appelé chromophore. Dans les colorants azoïques, le chromophore est constitué de noyaux aromatiques (benzène) reliés entre eux par un pont formé de deux atomes d'azote doublement liés ($-N=N-$). Le chromophore fait souvent partie d'un complexe arénique étendu, c'est-à-dire d'un système dans lequel des molécules aromatiques sont liées à un métal à travers un système d'électrons délocalisés.

On ajoute des groupes fonctionnels qui interagissent avec le chromophore pour modifier ou améliorer la couleur d'une teinture, pour la rendre plus soluble, ou encore pour l'accrocher aux fibres du tissu. En essayant différents groupes fonctionnels, on peut fabriquer une très grande variété de colorations.

On fabrique aussi des teintures synthétiques en ajoutant d'autres groupements chimiques (par exemple des groupements nitro ($-NO_2$), amine ($-NH_2$), ou des atomes d'un halogène comme le fluor, le chlore ou le

▶ Dans une tannerie de Fez (Maroc), les peaux de chèvre tannées au sumac (une plante locale) sont immergées dans de grandes cuves de teinture rouge qui donne aux cuirs marocains leur couleur particulière. La teinture est la dernière étape avant la maroquinerie.

TEINTURES NATURELLES

On a longtemps utilisé des extraits de végétaux ou d'animaux comme agents colorants. Le pastel produisait une teinture bleue (1) et la pourpre (2) était extraite de la coquille d'un mollusque marin, le murex ; la garance a donné son nom à un rouge vif, le rouge garance (3) ; le pollen du crocus est à la base d'une teinture jaune, le jaune safran (4).

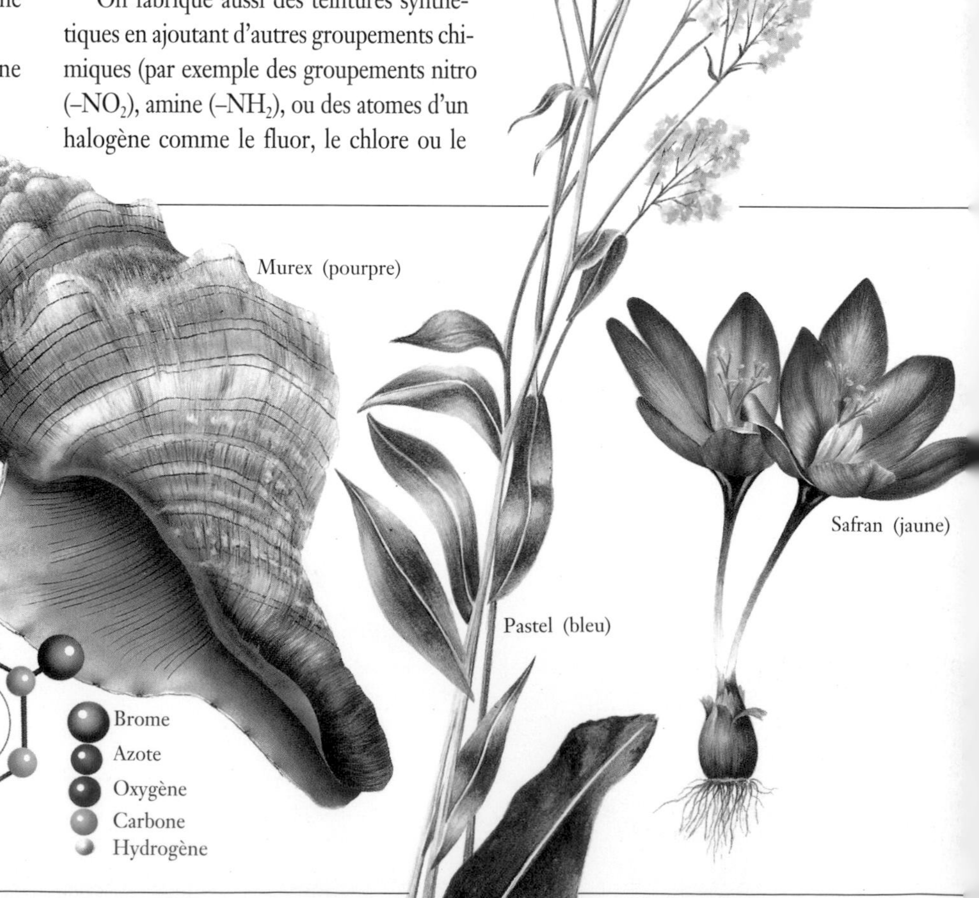

brome) à un système aromatique lié à un groupement sulfonique. On procède à l'aide d'une série de réactions de type Friedel et Craft afin de lier un atome de carbone au cycle aromatique et débuter l'édification d'une chaîne latérale.

Dans une réaction de Friedel et Craft, on utilise le chlorure d'aluminium comme catalyseur. Il augmente la polarisation d'une liaison halogène-carbone dans une molécule organique et lui permet ainsi de se substituer à un atome d'hydrogène du cycle aromatique. On utilise cette réaction pour aboutir soit à une alkylation où un alkyle (par exemple un méthyle $-CH_3$) s'y substitue, soit à une acylation pour laquelle un groupement acyle (RO–, R étant un hydrocarbure) est ajouté. Ces réactions sont également d'un usage courant dans la chimie pour la synthèse d'hydrocarbures et d'autres molécules organiques, ainsi que dans la synthèse de plastiques comme le polystyrène.

En plus d'être jolies, les teintures doivent aussi être résistantes : elles ne doivent ni passer à la lumière ni partir au lavage. On renforce certaines teintures par l'usage de mordants. Beaucoup de teintures azoïques ont cette résistance car elles sont insolubles et restent piégées dans les fibres. Certaines teintures sont maintenues sur la fibre textile par des liaisons hydrogène. Elles ne sont durables que si leurs molécules sont longues et droites afin de s'aligner avec les fibres textiles pour former de nombreuses liaisons hydrogène.

Les plus récentes innovations concernent les teintures qui réagissent fortement sur les fibres textiles en formant des liaisons covalentes. On peut les trouver dans une large gamme de couleurs et elles sont très résistantes. On peut également facilement modifier une teinture à la demande afin qu'elle procure la couleur désirée et s'attache à la fibre choisie. Ainsi, les chimistes parviennent à produire exactement la même nuance de couleur dans une large variété de tissus.

▶ Les teintures qui ne pâlissent pas au lavage sont liées aux fibres textiles par de vraies liaisons de covalence, et non de faibles liaisons intermoléculaires. Afin de promouvoir la formation de ces liaisons covalentes, il est nécessaire de modifier les molécules colorantes en leur ajoutant des groupements réactifs qui vont réagir chimiquement avec la fibre textile. Ici, on a fabriqué une teinture résistante pour la laine par la réaction d'un colorant azoïque contenant un groupe amine ($-NH_2$) avec une molécule de trichlorotriazine (1). Le groupement réactif (2) forme des liaisons covalentes avec les groupements amine de la laine et donne une coloration durable (3).

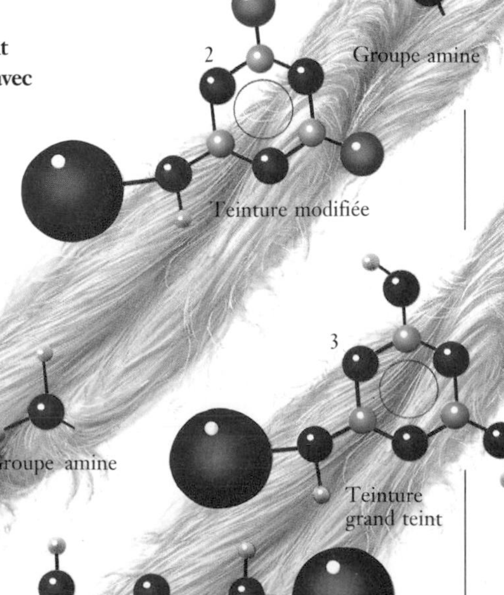

La chimie et les cosmétiques

Les pigments utilisés comme agents colorants par les élégantes de l'ancienne Égypte, ou dans la Grèce ou la Rome antique seraient aujourd'hui interdits en tant que poisons. Pour le maquillage du visage, le blanc de céruse ($Pb_2 (CO_3) (OH)_2$) donnait une couleur pâle, le phosphore une touche de couleur rouge aux joues et le cinabre (HgS) faisait briller les lèvres. Le regard était approfondi par une ombre à paupières à l'orpiment (As_2S_3) et du mascara à la stibnite (Sb_2S_3). Ces cosmétiques qui contenaient souvent des métaux poisons comme le plomb, le mercure, l'arsenic ou l'antimoine, représentaient en fait un danger pour la santé

MOTS CLÉS

- AMINE
- CIRE
- COLORANT AZOÏQUE
- COLORANT LAQUÉ
- GLYCÉROL
- MERCURE
- OXYDE DE TITANE
- PIGMENT
- TEINTURES ET COLORANTS

Aujourd'hui, les cosmétiques ne sont plus du tout nocifs car les fabricants réalisent de nombreux tests pour s'assurer de l'innocuité de leurs produits. Les cosmétiques modernes ne contiennent qu'un petit nombre de substances différentes dont la composition chimique varie très peu d'une marque à l'autre.

La poudre et l'ombre à paupières sont à base de pigments en dispersion dans un liant. La poudre contient généralement une substance opaque comme l'oxyde de zinc ou de titane (TiO_2) pour recouvrir la peau et du stéarate de zinc ou de magnésium qui permet de l'appliquer facilement et la fait adhérer. On y ajoute du kaolin ($Al_4Si_4O_{10} (OH)_8$) ou du carbonate de magnésium ($MgCO_3$) afin d'absorber la transpiration, et parfois de la guanine ($C_5H_5N_5O$) ou du mica ($KAl_2 (AlSi_3O_{10}) (OH)_2$) pour lui donner de l'éclat. La couleur est obtenue par l'ajout de pigments qui le plus souvent forment une couche recouvrant le mica. On utilise aussi le dioxyde de titane (blanc), le bleu de Prusse (bleu), le carmin (rouge) ou l'oxyde de fer (brun).

Les rouges à lèvres sont constitués d'un mélange de liquides gras comme l'huile de castor, de cire comme la cire d'abeille, et de pigments. Un bon rouge à lèvres donne une couleur uniforme et intense ; il est brillant mais non gras, n'a pas de goût, n'est ni toxique ni irritant. On les conçoit aussi de telle sorte qu'ils ne fondent pas au contact de l'eau chaude ni ne se craquellent au froid. Il doit rester rigide dans son tube mais se liquéfier sous la pression qu'il subit lorsqu'il est appliqué sur les lèvres. La couleur du rouge à lèvres est donnée par des colorants qui sont aussi utilisés dans l'industrie alimentaire. On y trouve du bleu brillant (le bleu de triphénylène), de l'érythrosine (le rouge xanthène), de l'amarante (un rouge azoïque) ou de la tartrazine (un jaune azoïque). Pour leur utilisation dans un rouge à lèvres, les colorants solubles dans l'eau sont associés à de l'oxyde d'aluminium (Al_2O_3) qui les rend insolubles en les transformant en un pigment ou une laque. Ils sont alors dispersés dans l'huile de castor sans s'y dissoudre.

Dans certains rouges à lèvres fantaisie dont la couleur finale diffère de celle du stick, on ajoute un colorant comme l'éosine (tétrabromofluoresceïne) qui est peu coloré mais rougit fortement et rapidement avec les groupements amine libres ($-NH_2$) présents dans les protéines de la peau. Il masque alors la première couleur en recouvrant les pigments d'origine, ce qui fait tourner l'ensemble au rouge.

► **Les cosmétiques sont utilisés pour souligner les traits des visages les plus jolis, masquer les imperfections ou encore pour créer un déguisement. Des études ont montré qu'une femme bien maquillée obtenait un meilleur salaire au cours d'un entretien d'embauche.**

► **L'art du chimiste s'allie à l'art du maquillage : les roses et les rouges apportent chaleur et couleur ; la lavande peut masquer les marques brunes de naissance, les taches de vieillesse et les taches de rousseur ; les jaunes ravivent les teints gris ou cireux.**

◀ Si la peau apprécie de courtes expositions au Soleil, une surexposition peut induire son vieillissement prématuré et apporter des dommages au matériel génétique de ses cellules, voire provoquer un cancer. Les écrans solaires utilisés pour protéger la peau du Soleil contiennent des composés comme des benzophénones et des aminobenzoates qui absorbent certaines longueurs d'onde de la lumière et les empêchent d'atteindre la peau. Pour être efficaces, les écrans solaires ne doivent pas se décomposer chimiquement sous la lumière. Ils doivent être solubles dans la base cosmétique qui sert à les appliquer facilement, mais insolubles dans l'eau et la transpiration afin de ne pas s'éliminer trop vite. Les crèmes solaires sont disponibles dans une large gamme d'indices de protection.

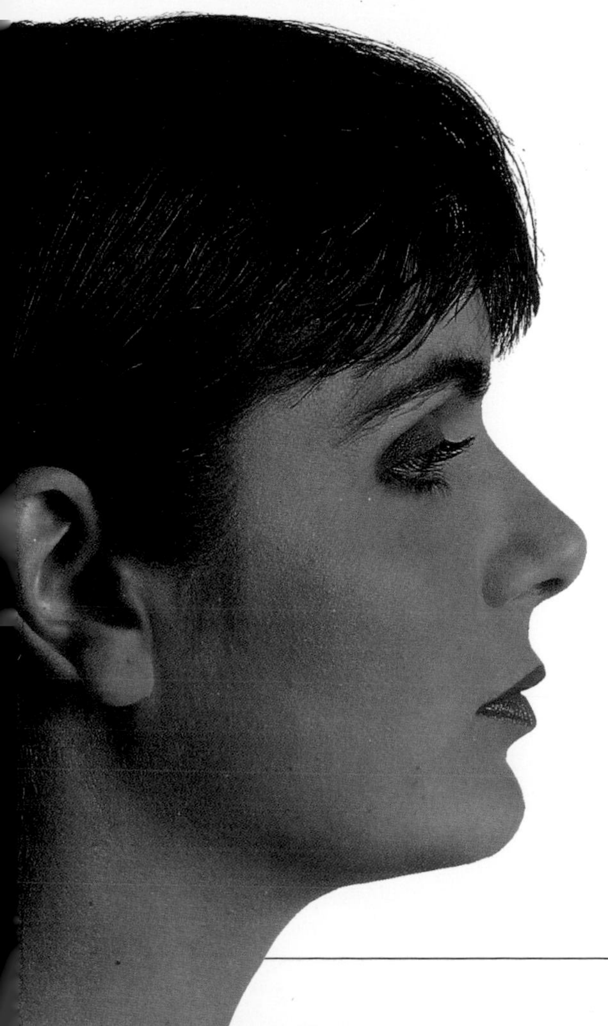

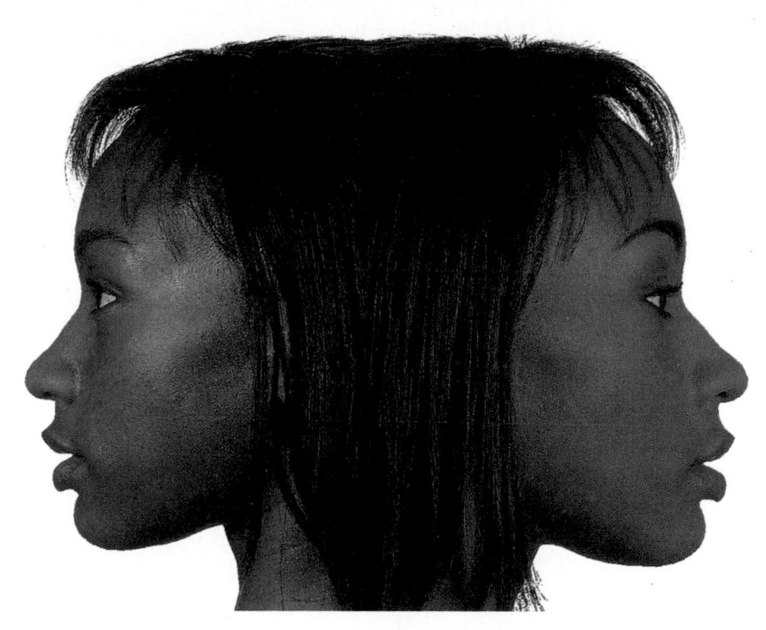

■ Voici deux femmes avec et sans maquillage. Un fond de teint masque les défauts de leur peau, rehausse leur teint et sert de base de maquillage. Un maquillage de l'œil bien choisi (ombre à paupières, eyeliner et mascara) met en valeur les traits du visage. Du fard à joues ajoute de la couleur, donne un joli teint frais et permet de souligner ou de redessiner les pommettes. Le rouge à lèvres protège les lèvres, mais surtout il rend le visage plus rayonnant en y ajoutant de la couleur. Un poudrage couleur chair apporte la touche finale.

LA PHOTOGRAPHIE

Prendre une photographie constitue la meilleure manière de visualiser le pouvoir chimique de la lumière. L'énergie que transporte le photon de la lumière est capable de provoquer des réactions chimiques avec certaines substances. La photographie en noir et blanc aussi bien qu'en couleur est basée sur l'action de la lumière sur les halogénures d'argent présents sous forme de sels dans la couche sensible d'une pellicule photographique. L'émulsion photographique est constituée de grains d'halogénure d'argent en suspension dans de la gélatine. Celle-ci est étalée sur un support en plastique découpé en bandes. C'est le bromure d'argent (AgBr) qui est l'halogénure le plus couramment employé, bien que l'on utilise aussi le chlorure (AgCl) ou l'iodure (AgI). Le chlorure d'argent réagit plus doucement à la lumière que le bromure d'argent, alors que l'iodure est le plus rapide.

MOTS CLÉS

AGENT RÉDUCTEUR
COLORANT AZOÏQUE
ÉMULSION
HALOGÉNURE D'ARGENT
IMAGE LATENTE
IMAGE NÉGATIVE
LUMIÈRE
PHOTOGRAPHIE
RÉVÉLATEUR

Pour prendre une photo, on expose le film à la lumière en principe pendant une fraction de seconde. On observe alors que quelques-unes des millions de molécules de bromure d'argent contenues dans chaque grain se séparent en atomes d'argent et en ions bromure. Plus forte est l'exposition, plus grand sera le nombre de molécules brisées. Ainsi, la surface du film exposé contient en chaque point une quantité d'atomes d'argent proportionnelle à la quantité de lumière reçue.

On transforme cette image latente en une image visible par l'action d'un agent très réducteur, comme l'hydroquinone ($C_6H_4(OH)_2$), appelé révélateur. Ce sont alors les quelques atomes d'argent issus de l'exposition du film à la lumière qui vont servir de catalyseur à la réaction dans laquelle le révélateur va lui aussi transformer l'halogénure d'argent en un atome d'argent et un ion halogénure. La partie du film exposée à une zone sombre ne possède pas d'atomes d'argent susceptibles de catalyser la réaction et ne réagira donc pas avec le révélateur. Dans les parties grises, seule une petite partie de l'halogénure est attaquée.

On obtient alors, après développement, une image négative, où le blanc et le noir sont inversés, tout simplement parce que l'halogénure d'argent est blanc et que les atomes d'argent apparaissent en noir. On fixe le négatif par l'utilisation d'une solution de thiosulfate de sodium ($Na_2S_2O_3$) qui va réagir avec les grains d'halogénure d'argent pour les éliminer et les empêcher de se décomposer à la lumière en formant une couche noire uniforme sur la photographie.

On recrée une image positive en plaçant l'image négative devant un papier recouvert d'une autre couche d'halogénure d'argent et en exposant le tout à la lumière. Les parties noires du négatif empêchent la lumière d'arriver sur le papier alors que les

▶ La photographie artistique ne s'arrête pas après une pression sur le déclencheur. On peut modifier largement une image au cours du tirage en chambre noire grâce à des techniques de trucage. On peut placer un masque sous l'agrandisseur à la surface du papier de tirage pour éviter à la lumière d'atteindre une partie de l'image (comme cette silhouette d'oiseau en vol) ou bien rendre plus lumineuse une partie de l'image (comme le ciel sur la droite de la photo). Le tirage peut aussi être adouci au sélénium pour modifier le contraste entre les zones claires et sombres.

■ Les premières photographies furent inventées par le Français Louis Daguerre dans les années 1830. Pour faire un daguerréotype, une plaque de cuivre recouverte d'argent était soumise à de la vapeur d'iode et ensuite exposée à la lumière dans un appareil avant d'être développée et fixée. Il en résultait une image noire inversée *(à droite)*. Au tournant du siècle dernier, beaucoup de photographies étaient tirées en tons sépia *(ci-dessus)*.

parties claires la laissent passer, et permettent donc à l'halogénure d'argent de se décomposer. Lorsque l'on développe le papier de la même façon que le film, on obtient l'image positive.

La photographie en couleur est basée sur les mêmes principes. Le film est toujours de l'halogénure d'argent dans de la gélatine, mais est recouvert par trois couches qui contiennent des précurseurs de colorants azoïques, séparés par des filtres ne laissant passer que certaines longueurs d'onde de la lumière. Seulement trois colorants différents sont nécessaires et suffisants dans un film en couleur car l'œil ne contient que trois types de récepteurs sensibles respectivement au bleu, au vert et au rouge. La large gamme de couleurs perçues est due au mélange de ces trois couleurs primaires. Les colorants utilisés dans un film en couleur sont le cyan qui absorbe le rouge et reflète le bleu et le vert, le magenta qui absorbe le vert, et le jaune qui absorbe le bleu.

Quand le film est exposé à la lumière, chaque colorant réagit à des longueurs d'onde spécifiques, et, suivant leur couleur, permet ou non aux photons d'atteindre les grains d'halogénure d'argent pour les décomposer. Lorsque la lumière traverse les couches colorées successives, il s'y forme une image en négatif pour chaque couleur. L'image positive est obtenue en procédant de la même façon que pour le noir et blanc.

▼ On développe un film en le plaçant dans le noir dans une cuve de développement (1), puis en l'agitant dans un bain de révélateur (2) pendant une durée déterminée pour permettre aux réactions chimiques de se réaliser. Le film est fixé (3) par solubilisation de l'halogénure d'argent restant. Les produits chimiques excédentaires sont rincés à l'eau. Les modifications chimiques sont présentées dans les cercles : à gauche pour les parties exposées et à droite pour celles restées dans l'ombre.

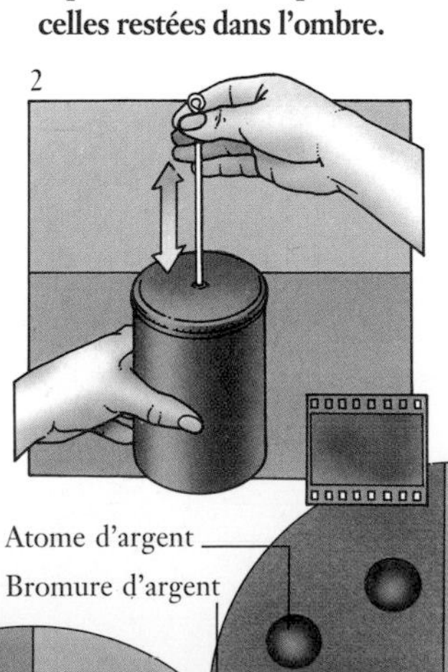

▲ On utilise des réactions photochimiques similaires pour effectuer un agrandissement positif à partir d'un négatif sur du papier recouvert d'une couche d'halogénure d'argent. La lumière convertit une petite quantité d'ions argent en argent métallique (seulement quelques atomes par millions). Le procédé chimique de développement achève la conversion. Les grains ne contenant aucun atome d'argent n'ont pas réagi dans la lumière ; ils ne seront pas développés mais éliminés par rinçage. Ceux qui ont été le plus exposés à la lumière et qui ont le plus d'atomes d'argent seront les plus sombres.

La photosynthèse

Les plantes vertes utilisent la photosynthèse pour capturer l'énergie irradiée par le Soleil, et ainsi maintenir la vie sur Terre. La photosynthèse dissocie les molécules d'eau et les force à réagir avec le dioxyde de carbone extrait de l'atmosphère pour former un sucre : le glucose. Le glucose est alors stocké sous la forme d'amidon, son polymère, ou bien utilisé pour faire de la cellulose (le constituant majeur des parois des cellules végétales), ou encore récupéré par les plantes elles-mêmes dans leur respiration pour produire de l'énergie. L'oxygène de l'atmosphère, qui permet à tous les animaux de respirer, est un sous-produit de cette réaction.

MOTS CLÉS

BIOCHIMIE
CHLOROPHYLLE
GLUCOSE
PHOTOCHIMIE
PIGMENT

Les molécules clés de toutes ces réactions biochimiques induites par la lumière sont les pigments biologiques qui capturent l'énergie des photons de la lumière et s'en servent pour propulser certains électrons des atomes constitutifs du pigment dans des états excités. La chlorophylle est le pigment biologique principal de la photosynthèse. C'est une porphyrine contenant en son centre un ion magnésium (Mg^{2+}) et à laquelle sont attachées un certain nombre de chaînes latérales qui modifient les propriétés d'absorption lumineuse des différents types de chlorophylle.

Les porphyrines sont des molécules dérivées de la porphine, molécule assez simple, de couleur violette constituée d'un assemblage en anneau de pyrroles (motifs contenant des atomes de carbone, d'azote et d'hydrogène) reliés par des groupements méthylène (–CH=). Les porphyrines perdent facilement leur atome d'hydrogène central en prenant une charge négative. Celle-ci est neutralisée par l'arrivée au centre de l'anneau d'un ion métallique chargé positivement comme le fer (Fe), le magnésium (Mg^{2+}) ou le cobalt (Co^{2+}). Un autre exemple de porphyrine est l'hémoglobine, protéine du transport de l'oxygène dans le sang, avec un ion ferreux (Fe) en son centre, ou encore la vitamine B12, essentielle pour la synthèse d'aminoacides (avec un ion Co^{2+} en son centre).

C'est parce que la chlorophylle absorbe l'énergie lumineuse dans les régions bleue et rouge du spectre visible qu'elle nous apparaît verte. Au cours de la photosynthèse, elle transforme cette énergie lumineuse en énergie chimique en absorbant un photon de lumière qui vient exciter les électrons de l'ion magnésium. Ces électrons excités sont alors canalisés le long du squelette carboné de la porphyrine et apportent l'énergie nécessaire aux réactions de photosynthèse là où il faut.

La photosynthèse met en jeu trois séries d'événements chimiques : les réactions avec et sans lumière, pendant lesquelles l'énergie reçue est transformée et stockée, et enfin une série de réactions destinées à régénérer le pigment.

Les réactions à la lumière n'ont lieu évidemment qu'en présence de lumière et se situent dans les membranes des chloroplastes des cellules végétales. Au cours de cette phase, un photon capturé par une molécule de chlorophylle va exciter un électron du pigment. Cet électron excité va ensuite transiter dans la membrane photosynthétique par toute une série de molécules porteuses d'électrons jusqu'à un site où des ions H^+ peuvent êtres pompés à travers cette membrane. Il va alors activer cette pompe pour forcer le passage d'un ion H^+. Cet ion va retraverser cette membrane en sens inverse un peu plus tard en induisant la synthèse d'une molécule d'adénosine triphosphate (A.T.P.) porteuse d'énergie. Ce proton va par ailleurs permettre la réduction d'un autre type de molécule porteuse d'énergie, la nicotine adénine dinucléotide phosphate (N.A.D.P.), en une molécule porteuse d'électron, la N.A.D.P.H.

Au cours des réactions qui n'ont pas besoin de lumière, l'énergie stockée dans l'A.T.P. et la N.A.D.P.H est mise à profit pour créer des molécules organiques à partir du dioxyde de carbone (CO_2) atmosphérique dans un cycle de réactions enzymatiques appelé « cycle de fixation du carbone ».

Au cours de la troisième série de réactions, l'électron qui a été extirpé de la chlorophylle au début de la réaction lui est rendu. Si ce n'était pas le cas, le départ continu d'électrons de la chlorophylle finirait par l'inactiver.

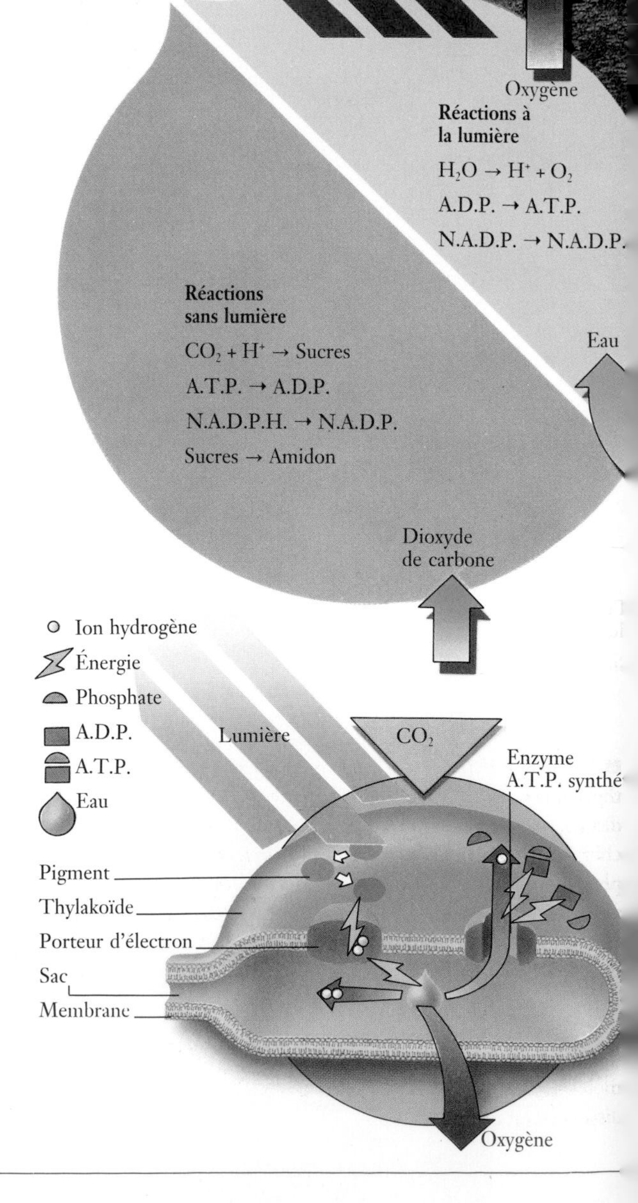

▶ **La photosynthèse utilise trois séries de réactions. La première a d'abord lieu à la lumière : l'énergie lumineuse est captée par l'intermédiaire de la chlorophylle. La seconde se passe sans lumière : le dioxyde de carbone est utilisé pour former des sucres (étape de « fixation du carbone »). Ces réactions se produisent dans des petites structures spécialisées de la plante appelées chloroplastes. Les réactions à la lumière ont lieu dans la membrane thylakoïde qui forme des poches rondes et aplaties à l'intérieur des chloroplastes. Les réactions sans lumière se déroulent dans un liquide épais présent dans les chloroplastes et cloisonné par des membranes. Dans la troisième série de réactions, la chlorophylle récupère des électrons pour pouvoir commencer un nouveau cycle.**

■ Les plantes vertes capturent environ 1 pour cent de l'énergie solaire qui rayonne sur la Terre et qui constitue l'unique source d'énergie vitale de la planète. Ce sont plus de 150 milliards de tonnes de sucres qui sont ainsi produits chaque année.

■ La chlorophylle, ingrédient magique de la photosynthèse, est contenue dans les chloroplastes juste sous la surface des feuilles. Des petits trous, appelés stomates, permettent des échanges de gaz entre la feuille et l'atmosphère.

■ Les membranes [t]hylakoïdes, en forme de [d]isque, sont les usines [c]himiques de la [p]hotosynthèse. L'énergie [v]éhiculée par la lumière [s]olaire est stockée sous [f]orme d'A.T.P. et de [N].A.D.P. qui alimentent les [r]éactions sans lumière. Dans [c]es membranes, les [m]olécules d'eau sont [d]issociées en oxygène et ions hydrogène qui se combinent au N.A.D.P. pour former N.A.D.P.H. Les ions traversent aussi la membrane et convertissent l'A.D.P. en A.T.P. L'énergie contenue dans N.A.D.P.H et l'A.T.P. permet la synthèse des sucres.

LA CHIMIE DANS L'ATMOSPHÈRE

Parmi toutes les planètes du système solaire, la Terre est la seule à posséder une atmosphère riche en oxygène. La chimie de l'atmosphère se décrit par une série de cycles de réactions ajustées avec précision qui impliquent un grand nombre de composés interagissant fortement. C'est la lumière solaire qui constitue le moteur de ces réactions photochimiques.

Sans atmosphère, la température de la surface terrestre serait de –18 °C en moyenne. L'effet de serre piège une partie de l'énergie qui nous arrive du Soleil et maintient la surface terrestre à une température moyenne de 15 °C. Cet effet est dû à la présence de gaz à effet de serre comme le dioxyde de carbone (CO_2) et la vapeur d'eau. Ces gaz piègent la chaleur irradiée par la Terre tout en laissant passer le rayonnement de plus haute énergie (lumière visible de longueur d'onde plus courte) en provenance du Soleil. Ce rayonnement est en effet absorbé à la surface de la Terre qui s'échauffe et émet à son tour un rayonnement dans l'infrarouge à des longueurs d'onde plus grandes (d'énergie plus basse). Une partie de ce rayonnement est piégée dans les basses couches de l'atmosphère (la troposphère) par la vapeur d'eau et le dioxyde de carbone et ne peut donc s'en échapper. La surface de la Terre se trouve alors réchauffée par ce phénomène, comme dans une serre.

MOTS CLÉS

DIOXYDE DE SOUFRE
EFFET DE SERRE
FRÉON (C.F.C.)
OXYDES D'AZOTE
PHOTOCHIMIE
PHOTODISSOCIATION
RADICAL LIBRE
TROU DANS LA COUCHE D'OZONE

La combustion de carburants fossiles augmente le niveau de CO_2, gaz à effet de serre, au-delà de sa valeur naturelle et induit donc une augmentation artificielle de l'effet de serre. D'autres gaz résultant des activités humaines contribuent aussi au renforcement de cet effet de serre parce qu'ils absorbent les rayonnements de longueur d'onde comprise entre 7 et 13 micromètres, où se trouvent 70 pour cent de l'énergie rayonnée dans l'espace par la surface de la Terre ; on citera par exemple l'ozone, le méthane, les oxydes d'azote et les chlorofluorocarbones (C.F.C.). Cette fenêtre de longueurs d'onde correspond au trou laissé par les deux principaux gaz à effet de serre que sont la vapeur d'eau et le dioxyde de carbone qui absorbent les radiations respectivement dans les domaines de 4 à 7 et de 13 à 19 micromètres.

Les C.F.C. posent aussi un problème dans la partie supérieure de l'atmosphère (la stratosphère) où l'ozone (O_3) arrête les dangereux rayons ultraviolets en provenance du Soleil et les empêche d'atteindre la surface de la Terre. Cette molécule peut absorber un photon de longueur d'onde comprise entre 4 et 400 nanomètres en donnant une molécule d'oxygène O_2 et un atome d'oxygène libre O. La formation de cette couche d'ozone protectrice débute par la dissociation dans la stratosphère d'une molécule d'oxygène O_2 par certaines longueurs d'onde du spectre ultraviolet solaire. Les deux atomes d'oxygène libre ainsi obtenus sont des radicaux libres très réactifs et peuvent réagir directement avec une molécule d'oxygène O_2 pour former de l'ozone O_3.

L'ozone absorbe les radiations ultraviolettes par une réaction de dissociation. Laissées à elles-mêmes, les réactions de production et de destruction de l'ozone atteignent un état stationnaire où l'ozone est produit et détruit à la même vitesse. Cependant, des molécules comme les radicaux libres peuvent aussi réagir avec l'ozone et augmenter sa vitesse de destruction et donc diminuer sa concentration. On trouve par exemple les atomes de chlore, le radical hydroxyle (OH) ou les oxydes d'azote NO_x.

Les C.F.C., molécules très stables, sont des vecteurs de chlore dans la haute atmosphère ; en effet, ils ne réagissent que lorsqu'ils sont parvenus dans la stratosphère. Les C.F.C. y sont alors dissociés par des radiations ultraviolettes et libèrent des atomes de chlore. Comme chacun de ces atomes est à même de détruire 100 000 molécules d'ozone, les C.F.C. constituent une grave menace sur cette couche d'ozone protectrice. En 1985, des scientifiques d'une base britannique dans l'Antarctique ont mis en évidence un amincissement saisonnier de la couche d'ozone (le « trou ») au-dessus de ce continent. Des mesures par satellite continuent actuellement de montrer une diminution de la couche d'ozone sur l'ensemble du globe et l'apparition d'un petit trou dans la couche d'ozone au-dessus de l'Arctique.

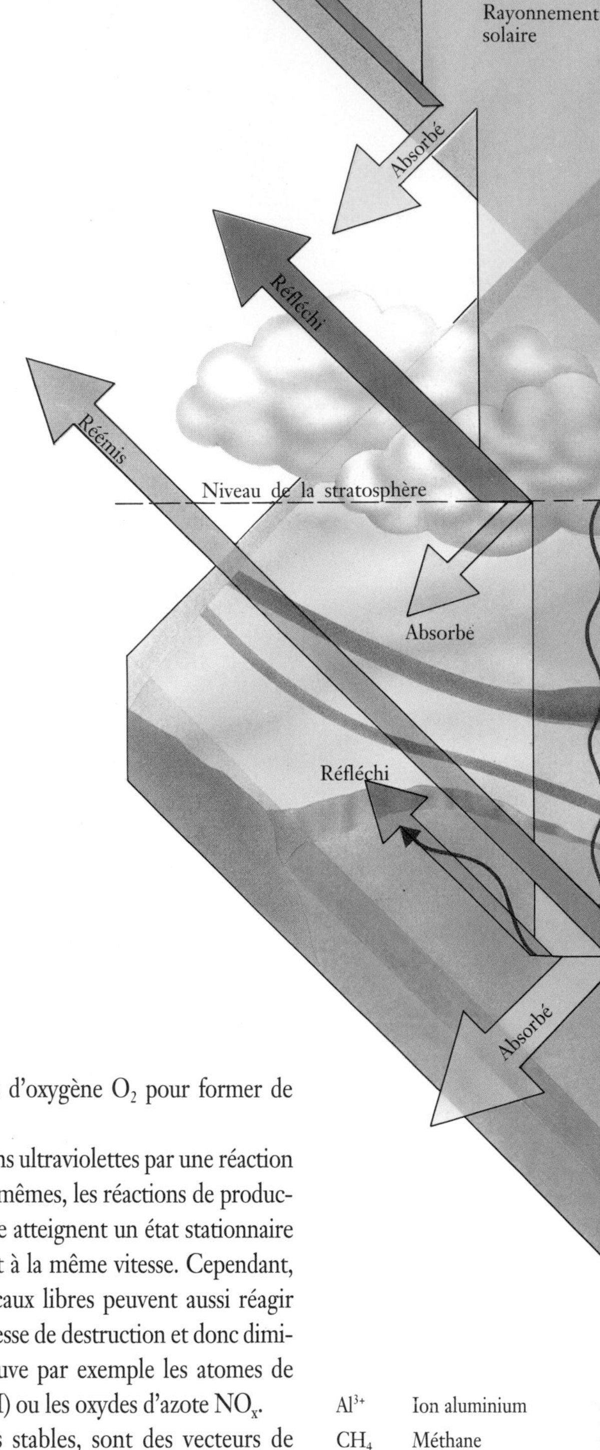

■ **Des réactions photochimiques finement équilibrées (*à droite*) jouent un grand rôle dans la chimie atmosphérique de la Terre. Au siècle dernier, il n'y avait que peu de pollution atmosphérique. Depuis le milieu du XXe siècle, l'augmentation de la quantité de dioxyde de carbone (CO_2) dans l'atmosphère accroît la quantité de chaleur piégée autour de la Terre. Cet « effet de serre » diminue la perte de chaleur par rayonnement et provoque un réchauffement global. Le dioxyde de soufre, les oxydes d'azote et d'autres émissions industrielles (*en bas*) s'oxydent dans les nuages et donnent des pluies acides qui endommagent les forêts, les lacs et les sols. Plus près du sol, les oxydes d'azote et le monoxyde de carbone qui sortent des pots d'échappement, mélangés à un peu d'ozone, forment un brouillard photochimique qui pollue l'air de manière visible.**

Al^{3+}	Ion aluminium
CH_4	Méthane
C_2H_4	Ethène
CO_2	Dioxyde de carbone
H^+	Ion hydrogène
HNO_3	Acide nitrique
H_2SO_4	Acide sulfurique
NH_3	Ammoniac
NH_4^+	Ion ammonium
NO	Monoxyde d'azote
NO_2	Dioxyde d'azote
O_3	Ozone
SO_2	Dioxyde de soufre
SO_4^{2-}	Ion sulfate

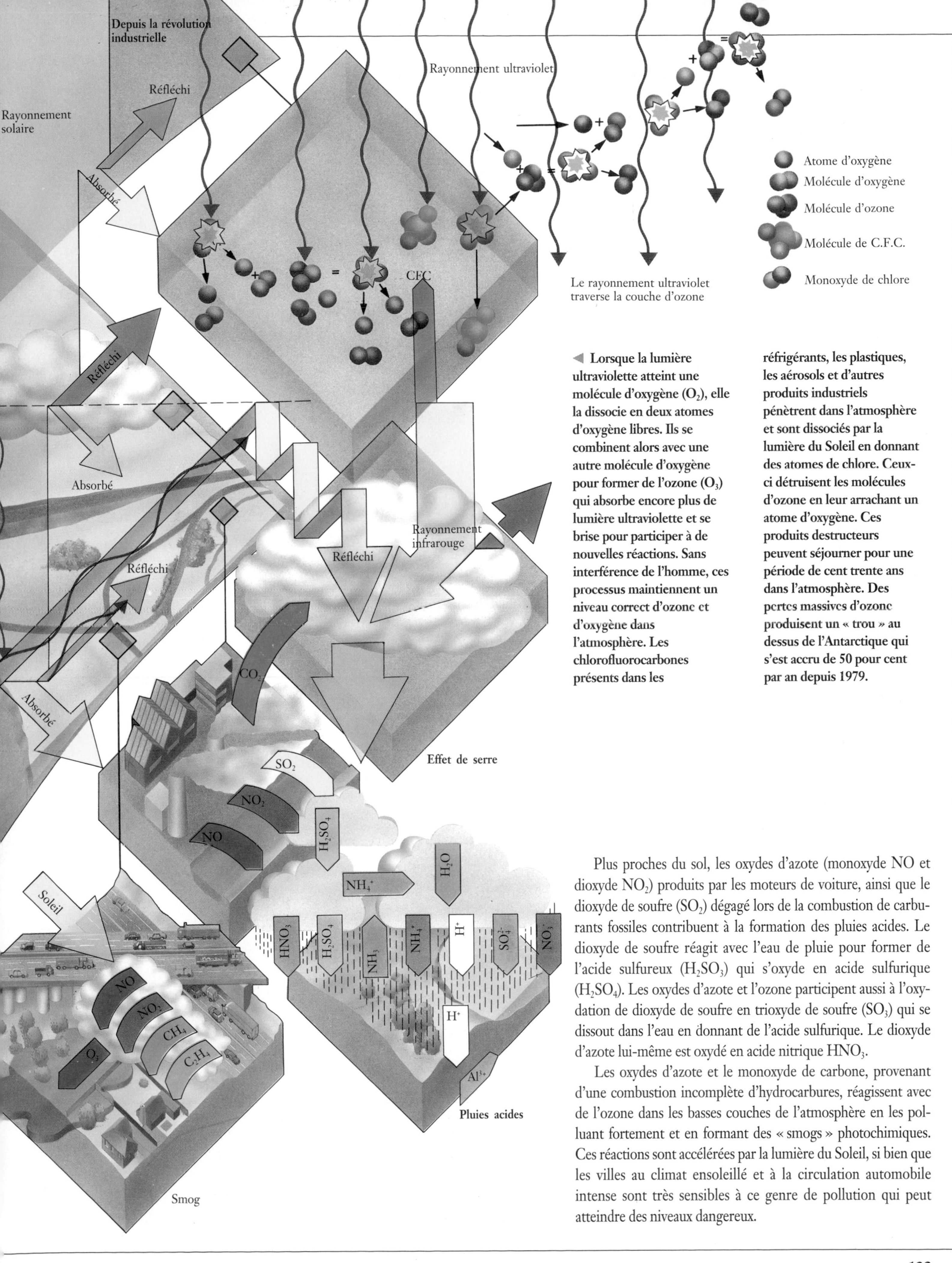

◀ **Lorsque la lumière ultraviolette atteint une molécule d'oxygène (O_2), elle la dissocie en deux atomes d'oxygène libres. Ils se combinent alors avec une autre molécule d'oxygène pour former de l'ozone (O_3) qui absorbe encore plus de lumière ultraviolette et se brise pour participer à de nouvelles réactions. Sans interférence de l'homme, ces processus maintiennent un niveau correct d'ozone et d'oxygène dans l'atmosphère. Les chlorofluorocarbones présents dans les réfrigérants, les plastiques, les aérosols et d'autres produits industriels pénètrent dans l'atmosphère et sont dissociés par la lumière du Soleil en donnant des atomes de chlore. Ceux-ci détruisent les molécules d'ozone en leur arrachant un atome d'oxygène. Ces produits destructeurs peuvent séjourner pour une période de cent trente ans dans l'atmosphère. Des pertes massives d'ozone produisent un « trou » au dessus de l'Antarctique qui s'est accru de 50 pour cent par an depuis 1979.**

Plus proches du sol, les oxydes d'azote (monoxyde NO et dioxyde NO_2) produits par les moteurs de voiture, ainsi que le dioxyde de soufre (SO_2) dégagé lors de la combustion de carburants fossiles contribuent à la formation des pluies acides. Le dioxyde de soufre réagit avec l'eau de pluie pour former de l'acide sulfureux (H_2SO_3) qui s'oxyde en acide sulfurique (H_2SO_4). Les oxydes d'azote et l'ozone participent aussi à l'oxydation de dioxyde de soufre en trioxyde de soufre (SO_3) qui se dissout dans l'eau en donnant de l'acide sulfurique. Le dioxyde d'azote lui-même est oxydé en acide nitrique HNO_3.

Les oxydes d'azote et le monoxyde de carbone, provenant d'une combustion incomplète d'hydrocarbures, réagissent avec de l'ozone dans les basses couches de l'atmosphère en les polluant fortement et en formant des « smogs » photochimiques. Ces réactions sont accélérées par la lumière du Soleil, si bien que les villes au climat ensoleillé et à la circulation automobile intense sont très sensibles à ce genre de pollution qui peut atteindre des niveaux dangereux.

LA CHIMIE ANALYTIQUE

7

Presque toutes les branches de la chimie utilisent au moins une technique analytique, l'un des points clés de la chimie. On l'utilise par exemple pour savoir si un aliment ou un breuvage contient bien ce qu'il est censé contenir, ou encore dans le diagnostic médical parce que de nombreuses maladies provoquent des désordres dans les concentrations et la production de substances chimiques dans le corps humain. L'analyse chimique aide à la résolution d'énigmes criminelles, en apportant des informations importantes sur les substances qui ont servi à allumer un incendie, en détectant la présence ou l'absence de drogues, de sang ou d'autres substances. Au cœur même de l'industrie chimique, la chimie analytique procure les moyens de suivre la pureté des produits fabriqués.

La chimie analytique permet de répondre aux deux questions suivantes : quelle substance ? En quelle quantité ? L'analyse qualitative permet d'identifier les composants présents dans un mélange, même en infime quantité. Grâce à la chimie quantitative, on peut savoir quelle quantité de substance est présente. Les techniques de la chimie analytique embrassent à la fois des manipulations qualitatives simples comme le suivi de l'action d'un réactif, la mesure d'un point de fusion ou d'ébullition, et des protocoles complexes utilisant de grosses machines coûteuses comme des spectromètres ou des appareils à résonance magnétique nucléaire.

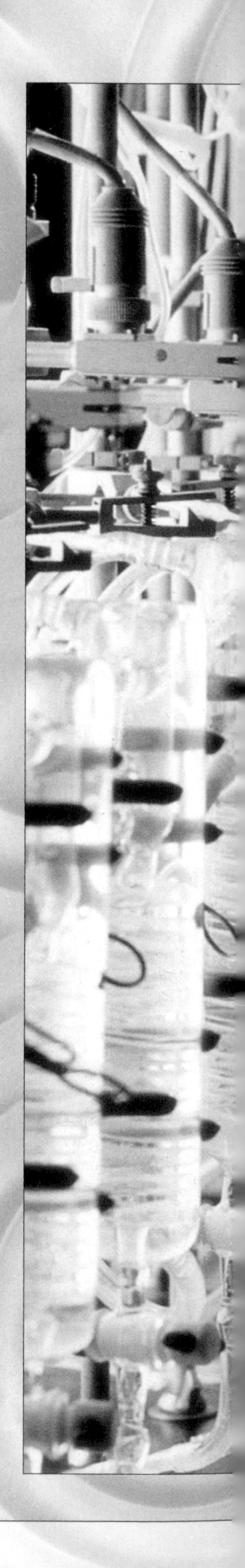

L'analyse occupe une grande part du travail du chimiste et utilise une grande variété de techniques. Certaines utilisent principalement la pesée, la mesure et l'identification de substances basées sur leurs réactions avec d'autres composés chimiques (des réactifs). D'autres, comme la spectroscopie, la chromatographie et la résonance magnétique nucléaire sont très sophistiquées et demandent un équipement coûteux. Avec ces méthodes, on peut analyser une très petite quantité de composé avec une très grande précision. Mais toutes ces techniques ont besoin du savoir faire d'un chimiste pour préparer les échantillons et interpréter les résultats.

La chimie légale

Sur la scène du crime, tout contact a laissé des traces. La chimie légale utilise ces traces pour fournir à la police des indices qui peuvent l'aider à résoudre un crime. Une cour de justice peut aussi utiliser de telles informations pour juger si un crime a été commis ou non et par qui.

La chimie légale a besoin des meilleures compétences analytiques et interprétatives alliées à une imagination créative afin de pouvoir utiliser au mieux les meilleures méthodes d'analyse pour résoudre chaque problème au cas par cas. Les conditions de travail d'un scientifique peuvent y être très dures et la nature des échantillons souvent inhabituelle. Par exemple, on peut avoir besoin d'analyser de très petites quantités de substances inconnues contenues dans du sang, des tissus humains, de l'urine ou dans un estomac. Souvent, le matériel analysé a été fortement endommagé par le feu ou la putréfaction, ou encore délibérément altéré pour dissimuler une preuve.

MOTS CLÉS

- ALCOTEST
- ANALYSE QUALITATIVE
- ANALYSE QUANTITATIVE
- CHROMATOGRAPHIE
- CHROMATOGRAPHIE GAZ-LIQUIDE
- EXAMENS MÉDICAUX
- MÉDICAMENTS
- SPECTROMÈTRE DE MASSE
- SPECTROSCOPE

La chimie légale explore quotidiennement une large gamme de substances. À côté du sang, des fluides corporels et des poisons (les ingrédients classiques familiers à tous les lecteurs de romans policiers), elle s'intéresse aussi aux taches de peinture, aux éclats de verre, aux médicaments, aux drogues, aux traces de poudre laissées par les armes à feu et à tout ce qui possède une signature chimique particulière.

La perspicacité de ces techniques est si grande qu'elle permet de déterminer par exemple si l'incendie d'une station-service a une origine criminelle ou accidentelle, sachant que chaque lot de carburant est constitué de certains types d'hydrocarbures. En effet, si la signature chimique des restes de l'incendie est conforme au carburant qui a été livré à la station, on conclura à un accident ; si, à l'inverse, on découvre une autre sorte de carburant, c'est à un acte criminel qu'il faut penser.

Au cours de son travail, le chimiste légal se sert des techniques familières au chimiste analytique, en portant une attention particulière sur la chromatographie et la spectrométrie. Ces techniques sont très bien adaptées à la détermination de faibles quantités de substances allant de la cendre de cigarette aux drogues et poisons en passant par les pigments et les colorants. Comme, pour les besoins d'une enquête, il faut analyser des milliers d'échantillons très petits, la chimie légale favorise les techniques automatisées qui permettent de traiter de grandes quantités d'échantillons à la fois.

La chimie légale utilise aussi les techniques de la biologie moléculaire comme la réaction d'amplification en chaîne à la polymérase (P.C.R.) et les empreintes d'A.D.N. pour confondre les suspects et identifier les victimes grâce à des résidus de fluides corporels, de peau ou de cheveux qui ont pu être retrouvés sur place.

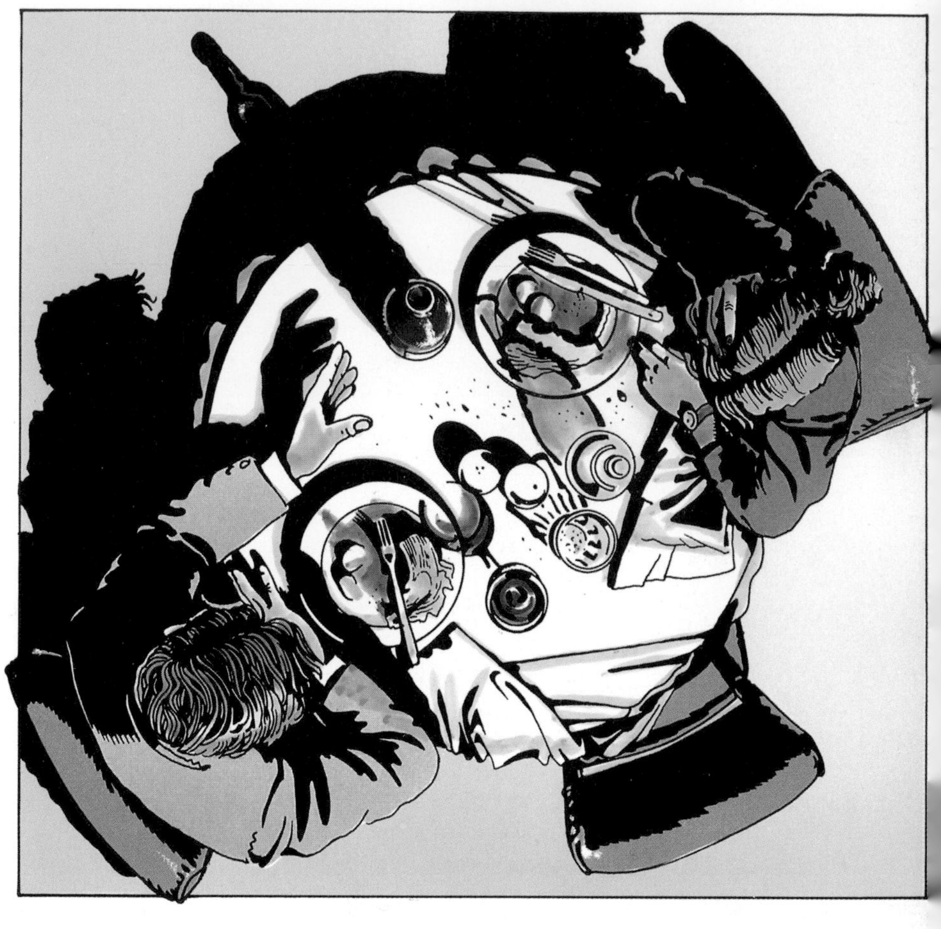

On emploie des techniques d'immunoréactions pour retrouver des traces d'un poison même des mois, voire des années, après un meurtre. L'immunoréaction utilise des molécules d'origine biologique (appelées anticorps) qui se lient spécifiquement à certaines autres molécules qu'elles reconnaissent et qu'on appelle antigènes. Un anticorps se lie à un certain antigène de la même façon qu'une clé s'ajuste à une serrure. À l'aide de l'immunoréaction on peut détecter, identifier, quantifier, ou purifier presque n'importe quelle substance pour laquelle on possède un anticorps. Cette technique permet de détecter une quantité extrêmement faible d'une substance. Cependant, on ne peut en rechercher qu'une seule à la fois.

La radio-immunoréaction utilise des antigènes marqués avec un atome radioactif ; s'il rencontre en solution un anticorps lui correspondant, il s'y attache et le complexe formé est donc lui-même radioactif. On mène alors une réaction qui extrait le complexe de la solution initiale et on mesure la radioactivité de cet extrait. On peut alors savoir si le complexe s'est formé, c'est-à-dire si l'anticorps recherché était ou non présent en solution.

■ **Dans un cas réel, la chimie légale pratiquée au Laboratoire de la Police Métropolitaine de Londres a permis de résoudre un meurtre. Des analyses de routine ont été pratiquées par des étudiants en médecine sur des échantillons du corps d'un garde-champêtre. L'un de ces étudiants a remarqué des traces d'une substance inhabituelle. Le laboratoire a alors utilisé une radio-immunoréaction et la chromatographie liquide haute performance sur ces échantillons vieux de plusieurs années conservés dans le formol. Ces chimistes ont alors découvert la présence de paraquat, un sel d'ammonium mortel soluble dans l'eau utilisé dans certains herbicides. La veuve du garde a alors avoué avoir versé de l'herbicide dans la boisson de son mari. Elle a été condamnée pour meurtre.**

UN AN PLUS TARD...

L'ANALYSE VOLUMÉTRIQUE

Il y a deux manières d'aborder l'analyse chimique : la première consiste à vouloir déterminer la composition d'une substance, c'est-à-dire connaître les éléments qui la constituent, c'est l'analyse qualitative. La seconde cherche non seulement à connaître la composition d'une substance mais encore à en déterminer la quantité présente : c'est l'analyse quantitative.

La manière la plus simple de mesurer la quantité d'un produit est de le peser. On appelle cette procédure l'analyse gravimétrique (en référence à la mesure du poids) et c'est la base de l'analyse quantitative. On commence par prélever une masse connue d'un mélange à analyser sur lequel on procède à une ou plusieurs réactions chimiques connues qui vont séparer la substance recherchée en la transformant en une autre que l'on pèse. À partir de la connaissance des réactions et de ces deux masses mesurées, on peut déduire la quantité de substance analysée et donc sa pureté.

MOTS CLÉS

- ACIDE
- BASE
- CONCENTRATION
- INDICATEUR
- PH
- PRÉCIPITÉ
- SOLUTION
- TITRAGE
- TOURNESOL

Une analyse gravimétrique standard utilise trois étapes principales. Premièrement, l'échantillon pesé est dissous dans un solvant. Ensuite, l'élément analysé dissous est mis en contact avec un réactif spécifique et ils forment un précipité solide extrait par filtration de la solution. Ce précipité est ensuite séché et parfois calciné dans un four pour donner un produit plus stable. Enfin il est pesé.

L'analyse gravimétrique est pratiquée sur de petites quantités de substances et permet une très bonne précision, inférieure à 1 pour cent. Cette méthode est liée à l'emploi de balances de laboratoire de précision adaptées à la pesée de petites quantités. Il y en a de plusieurs types, à chargement par le dessus, à bras équivalents, à simple plateau, à force électromagnétique, et surtout des balances électroniques, permettant de mesurer avec une précision de 0,1 µg (10^{-7} g). La plupart des balances électroniques sont connectables à une imprimante ou un ordinateur.

L'analyse volumétrique utilise quant à elle des réactions chimiques en solution qui permettent d'en mesurer la concentration. Par exemple, un chimiste qui veut mesurer la concentration d'une solution acide va la faire réagir avec une base de concentration connue. Celle-ci pourra être fabriquée par pesée d'une poudre qui sera dissoute dans un volume précis de solution. On remplit alors une burette avec cette solution étalon et on prélève à la pipette un volume connu de la solution acide que l'on verse dans un flacon. Le chimiste neutralise alors exactement l'acide contenu dans le flacon avec la base contenue dans la burette et mesure ce volume de neutralisation. Il peut en déduire la concentration en acide de la solution inconnue. Cette méthode est appelée « titrage ».

Sa précision dépend de la détermination du moment exact où l'expérimentateur sait que la neutralisation est terminée. On

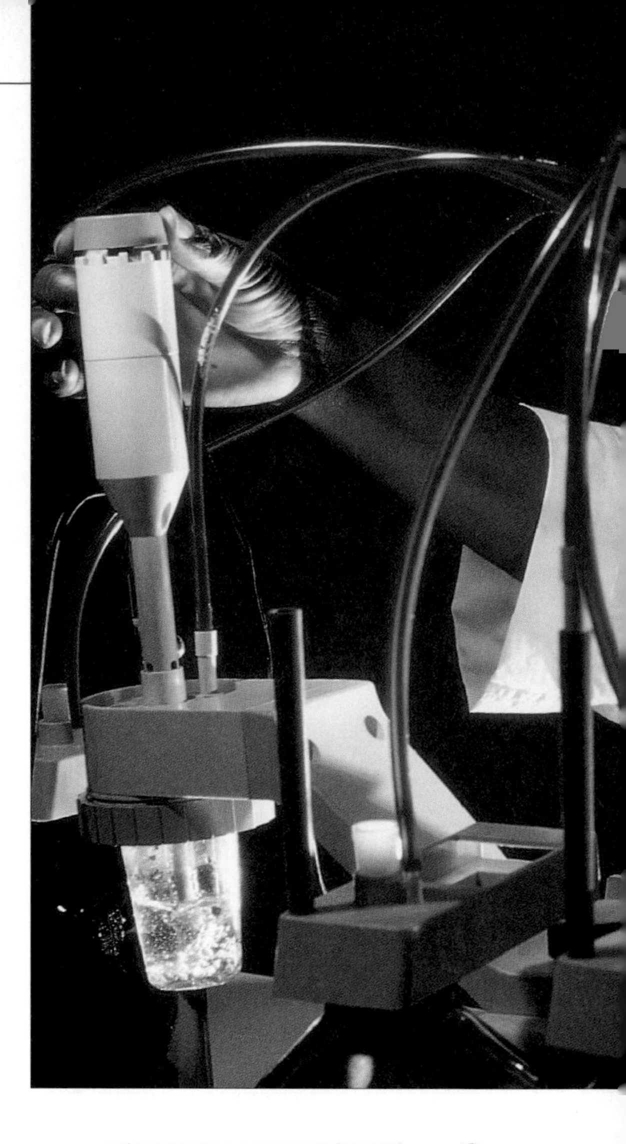

▶ Une scientifique est en train de régler un banc de titrage automatique utilisé pour un contrôle de qualité dans un laboratoire pharmaceutique. On commence par préparer une solution étalon en pesant une certaine quantité de réactif et en le dissolvant dans un volume d'eau précis. Puis, dans une deuxième étape, la solution étalon est placée dans une burette, un instrument pouvant délivrer des volumes précis. Un volume connu de la solution inconnue est alors introduit dans le flacon, puis on y ajoute goutte à goutte avec précaution la solution étalon, jusqu'au point exact de titrage (où la réaction de titrage est terminée). La concentration de la solution inconnue est alors directement reliée au volume introduit pour le titrage.

1. L'échantillon pesé est dissous dans un volume connu de solution.
2. On prélève un volume connu d'une solution contenant une masse inconnue de la substance recherchée.
3. À l'aide d'une burette, on fait réagir un volume connu de solution étalon jusqu'à l'achèvement du titrage.

introduit souvent un indicateur coloré dont la couleur change au point de neutralisation. Par exemple, le tournesol vire du rouge au bleu lorsque la solution acide devient basique.

La phtaléïne de phénol est un autre indicateur qui est incolore en milieu acide ou faiblement basique et qui vire au rose en milieu basique. Les titrages acido-basiques sont largement utilisés dans l'industrie des boissons pour tester l'acidité des produits, et cette procédure est automatisée à grande échelle.

D'autres types de réactions nécessitent d'autres indicateurs ; par exemple, la présence d'iode en solution peut être révélée par des traces d'amidon qui prend une couleur bleu intense en présence d'iode.

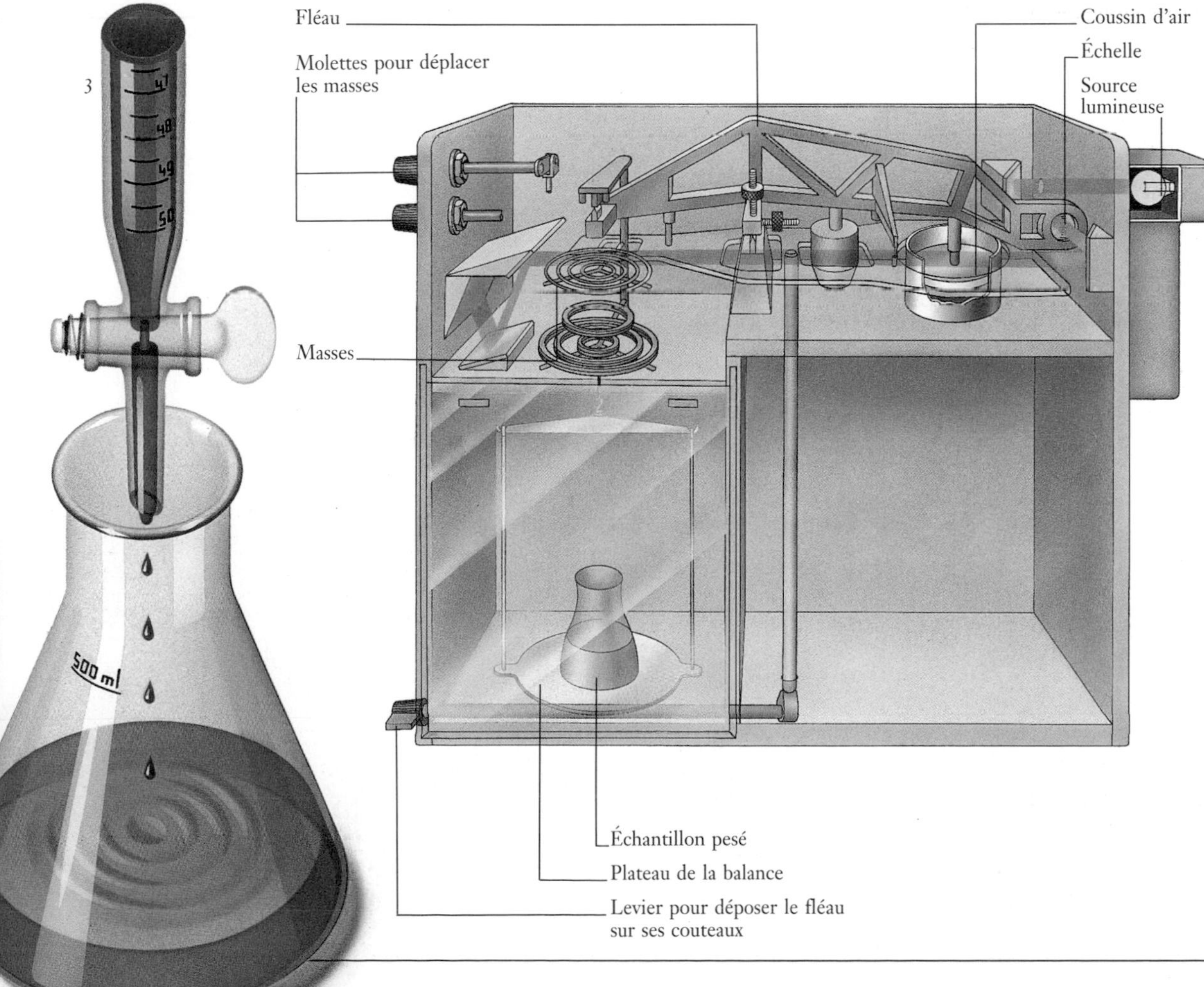

◄ L'analyse gravimétrique est basée sur une pesée précise et sur un outil indispensable : une balance de précision. Il en existe différents types adaptés à des domaines particuliers. En général, plus la balance est précise, moins elle peut peser de charges lourdes. Les balances à amortisseur pneumatique sont très répandues car elles sont assez précises et utilisent la résistance de l'air pour amortir les oscillations de leur fléau et permettent ainsi des pesées plus rapides. Dans l'exemple illustré ci-contre, la masse de l'objet à peser est contrebalancée par les masses étalon circulaires que l'on a soulevées au-dessus du plateau à l'aide d'un système de cames et de leviers pour maintenir l'équilibre. Les dernières décimales sont lues sur une graduation liée au fléau, à l'avant de la balance.

L'ANALYSE PAR CHROMATOGRAPHIE

La chromatographie fait partie des méthodes d'analyse chimique qui consistent à séparer les différents constituants d'un mélange. Son principe repose sur la base de la différence de solubilité qui existe entre les différents constituants du mélange. Les composés passent à travers un milieu appelé « phase stationnaire » à une vitesse qui dépend de leurs caractéristiques moléculaires. La phase analysée, ou « phase mobile », peut être liquide ou gazeuse. La phase stationnaire est en général un solide ou une couche de liquide sur un support solide.

MOTS CLÉS

- CHROMATOGRAPHIE
- CHROMATOGRAPHIE GAZ-LIQUIDE
- CHROMATOGRAPHIE LIQUIDE
- CHROMATOGRAPHIE PAR ÉCHANGE D'IONS
- PHASE MOBILE
- SOLUTION
- SOLVANT

Dans certaines techniques, les composants séparés sont révélés sous la forme de bandes ou de taches colorées, ce qui a donné le nom « chromatographie », bien qu'on l'utilise aussi maintenant pour séparer des substances incolores ! Une fois le chromatogramme terminé, on peut le développer en pulvérisant un produit qui réagit avec les substances séparées en les colorant.

Il existe plusieurs sortes de chromatographies, la chromatographie sur colonne (la plus ancienne), la chromatographie en couche mince, la chromatographie sur papier, la chromatographie gaz-liquide et la chromatographie liquide haute performance. Tous ces types de chromatographies obéissent au même principe, en exploitant les différences de solubilité des substances à séparer. Ces différences sont fonction de la nature chimique et de la taille des molécules.

Dans toutes les formes de chromatographie, la substance à analyser est dissoute dans un liquide ou un gaz, appelé phase mobile. On procède à l'analyse en faisant passer la solution à travers une phase stationnaire, par exemple une colonne pleine. Les substances les plus attirées par la phase stationnaire avanceront le plus lentement, alors que celles ayant le plus d'affinité pour la phase mobile sortiront plus rapidement. On sépare les substances suivant leur vitesse d'évolution dans la colonne et on les identifie en mesurant leur vitesse de migration dans des conditions bien définies.

La chromatographie est une technique de laboratoire très utile pour identifier et quantifier des substances composant une solution. L'industrie l'utilise pour tester la pureté des produits ou bien identifier des substances inconnues en les comparant à des substances connues. La chromatographie gaz-liquide et, mieux encore, la chromatographie liquide haute performance, fournit des moyens rapides à la médecine légale pour rechercher des traces d'explo-

▼ **Chaque substance composant l'échantillon traverse la colonne à une vitesse qui dépend à la fois de son affinité pour la phase stationnaire et pour la phase mobile. Ceux qui sont davantage attirés par la phase stationnaire se déplacent plus lentement. Un détecteur placé à la sortie de la colonne mesure les différents composés au fur et à mesure qu'ils y arrivent. Le signal délivré en fonction du temps est enregistré et donne ce qu'on appelle un chromatogramme. On peut alors y observer une série de pics dont la surface est généralement proportionnelle à la concentration de la substance correspondante.**

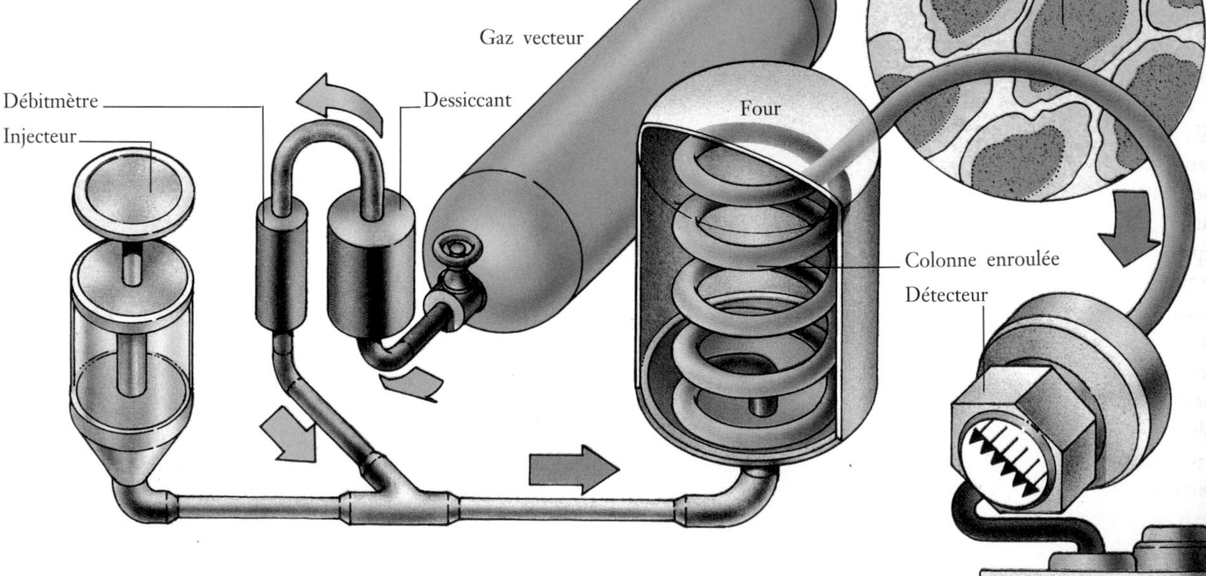

▶ **Dans la chromatographie gaz-liquide, la phase mobile est un gaz inerte, comme l'azote. La phase stationnaire est formée d'une petite quantité de liquide recouvrant une poudre solide remplissant une colonne enroulée dans un four. On injecte l'échantillon dans le gaz vecteur juste à l'entrée de la colonne.**

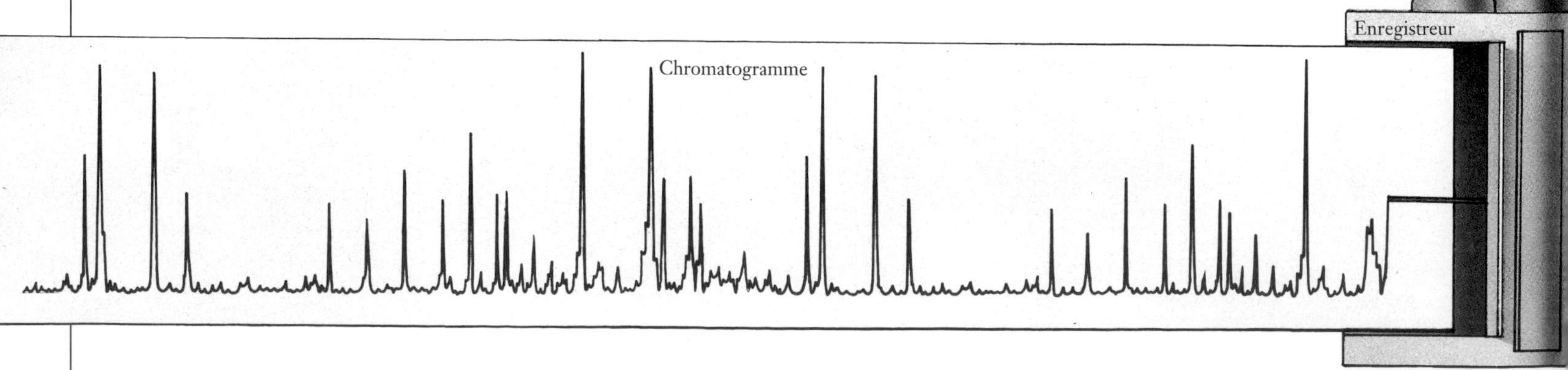

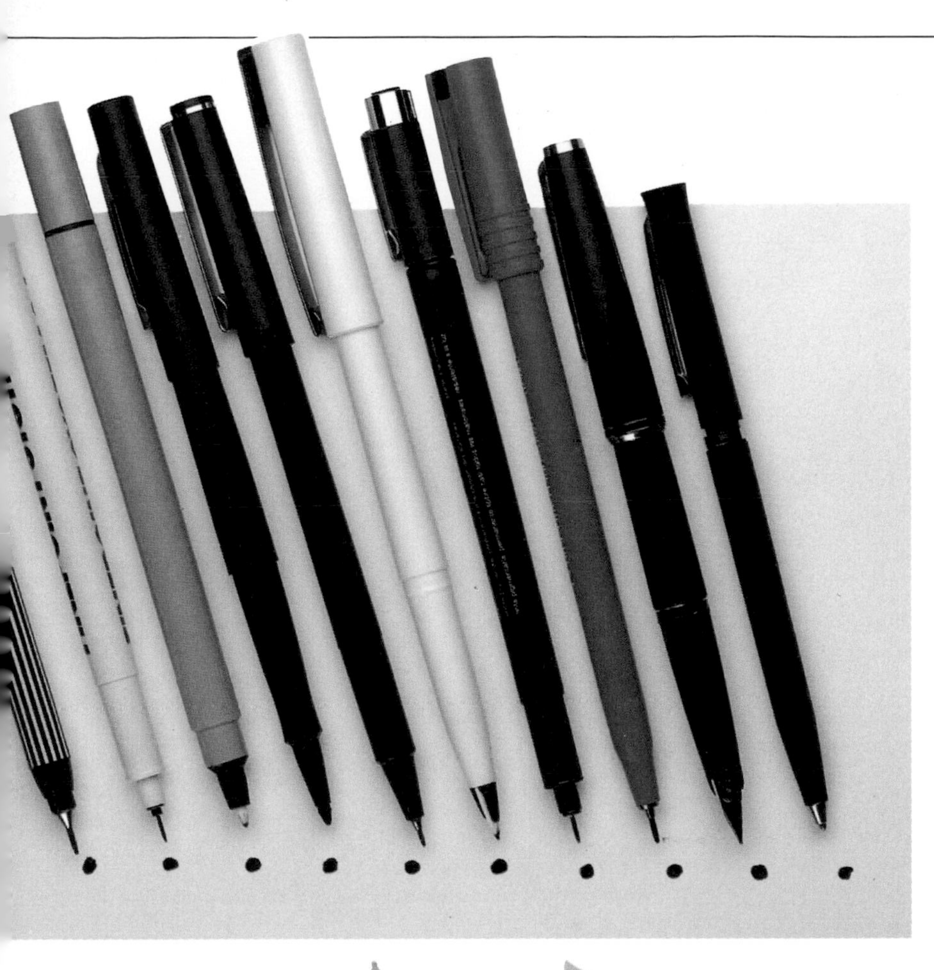

sif. Dans le cadre sportif, on l'utilise pour rechercher la présence de substances prohibées, les stéroïdes par exemple, dans l'urine des athlètes.

La plupart des techniques chromatographiques ne peuvent séparer que de très faibles quantités de substances, alors que la chromatographie sur colonne permet d'en séparer de plus grandes quantités. Pour cette raison, on l'utilise beaucoup dans les procédés de séparation industriels à grande échelle. Pour y procéder, on remplit une colonne de verre verticale avec une substance adsorbante comme l'alumine (oxyde d'aluminium). On commence par introduire en tête de colonne une solution du mélange à séparer, puis on y verse un débit constant d'un solvant. Par un processus appelé « élution », les différentes substances composant le mélange se déplacent dans la colonne à des vitesses différentes car elles ne s'y adsorbent pas de la même façon. Le liquide sortant de la colonne (éluant) est recueilli en différentes fractions au cours du temps, chacune ne contenant qu'une seule substance dissoute. On peut remplacer l'adsorbant par une résine échangeuse d'ions, et ainsi séparer les ions d'une solution.

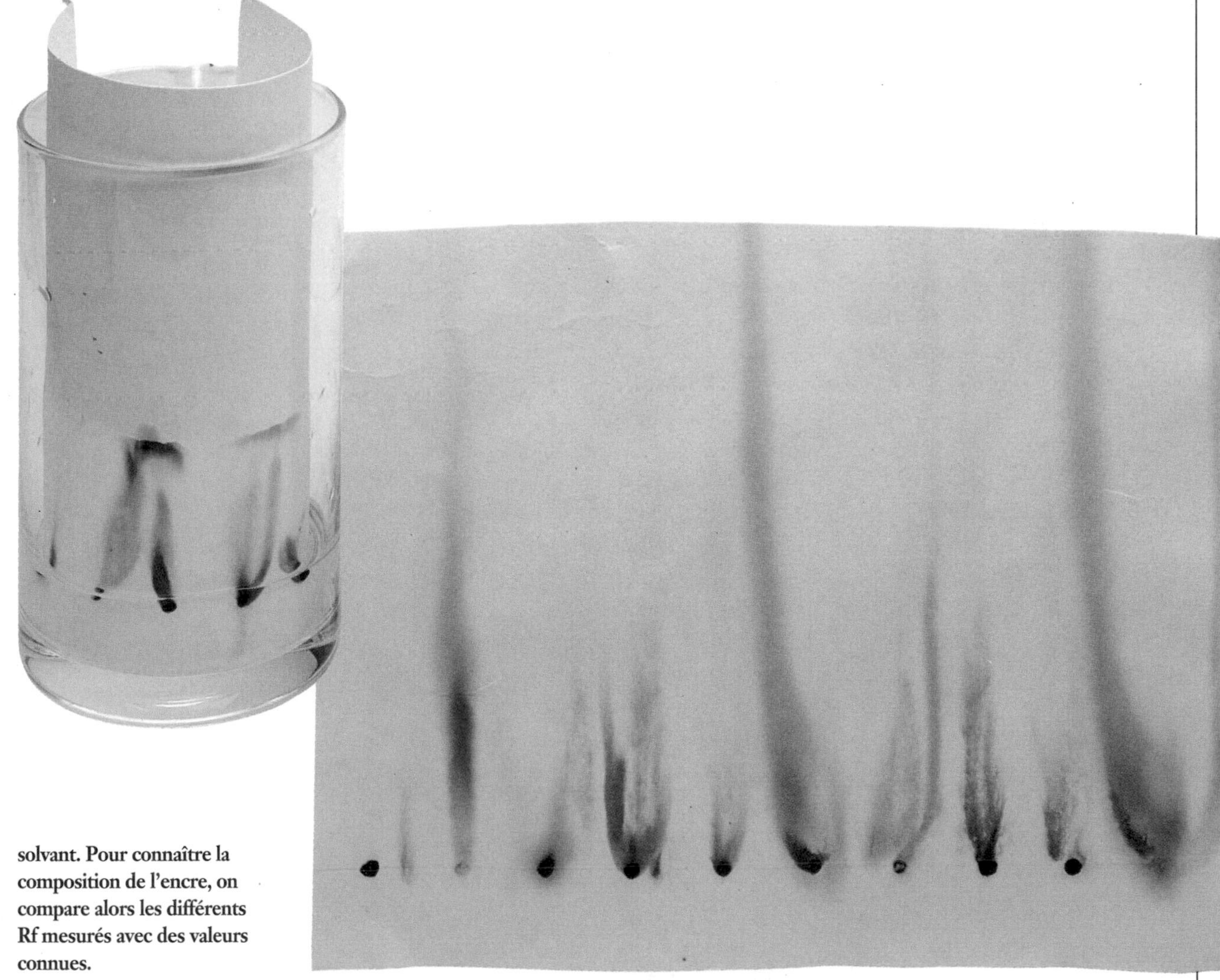

■ Toutes les encres noires se ressemblent, elles sont pourtant le résultat du mélange de différents pigments que l'on peut séparer par chromatographie sur papier.

Pour mener à bien une telle analyse, on a fait une petite tache avec différentes encres à tester près du bord d'un papier poreux. Le papier est ensuite placé dans un bécher contenant un fond de solvant approprié, les taches vers le bas. Le solvant monte alors le long du papier par capillarité. Lorsque le solvant a atteint le haut du papier, les différents composants de l'encre ont été transportés vers le haut, plus ou moins loin de la tache d'origine. Le trajet des taches, qui dépend de leur solubilité dans le solvant et de leur affinité pour le papier, est très différent suivant les encres.

On quantifie le déplacement des taches en fonction de la position du front de solvant, par le rapport Rf entre la position de la tache et le front du solvant. Pour connaître la composition de l'encre, on compare alors les différents Rf mesurés avec des valeurs connues.

La spectrographie analytique

Les chimistes analystes ont en commun avec les astronomes le fait d'utiliser la spectrographie pour rechercher et trouver la composition chimique des objets qu'ils étudient. Les chimistes le font dans leur laboratoire, et les astronomes avec des télescopes géants. Cette technique fait appel à des absorptions ou des émissions d'énergie par les atomes et les molécules, aussi bien dans un tube à essais que dans une étoile lointaine.

MOTS CLÉS

ANALYSE QUALITATIVE
ATOME
ÉLECTRON
ION
ISOTOPE
RÉSONANCE MAGNÉTIQUE NUCLÉAIRE (RMN)
SPECTROMÈTRE DE MASSE
SPECTROSCOPIE

Lorsque l'on chauffe un élément au point de le transformer en une vapeur incandescente, il émet de la lumière qui peut être décomposée en passant à travers un prisme par exemple. On observe alors un spectre formé de raies de différentes couleurs. De même, si on envoie une décharge électrique à travers un tube rempli d'un gaz à basse pression, ce gaz se met à briller d'une lumière décomposable en un spectre de raies.

Les deux cas précédents sont des exemples de spectres d'émission, qui se produisent lorsque les électrons périphériques des atomes absorbent de l'énergie thermique ou électrique et deviennent « excités » en occupant temporairement des niveaux d'énergie supérieurs. Lorsque ces électrons excités reviennent à leur niveau normal, ils transforment leur excès d'énergie en une émission de lumière. La longueur d'onde de cette lumière est caractéristique de l'élément et peut servir à son identification.

Dans la spectroscopie d'absorption, une autre forme de spectroscopie, c'est l'absorption de longueurs d'onde spécifiques des atomes ou molécules qui est mesurée. En spectroscopie infrarouge, une petite quantité de substance, parfois dissoute dans un solvant approprié, est éclairée par une radiation infrarouge. Cette radiation peut être absorbée par des liaisons chimiques entre les atomes d'une molécule, particulièrement en chimie organique. L'absorption de cette énergie augmente l'amplitude des vibrations de la liaison. Des détecteurs permettent de mesurer les longueurs d'onde à mesure qu'elles sont absorbées pour produire un spectre d'absorption infrarouge et donc identifier la substance inconnue.

En spectroscopie d'absorption ultraviolette, ce sont les électrons périphériques des atomes de la substance analysée qui vont absorber les radiations lumineuses, en se plaçant à des niveaux d'énergie supérieurs et en devenant « excités ». On mesure les longueurs d'onde absorbées pour identifier la substance, minérale ou organique.

On obtient aussi des spectres en étudiant l'absorption d'énergie de noyaux d'atomes plongés dans un champ magnétique. Les radiations utilisées se situent dans le domaine des micro-ondes et la technique s'appelle spectroscopie de « résonance magnétique nucléaire » ou RMN. Les protons des noyaux atomiques se comportent comme de petits aimants qui ont tendance à s'orienter dans le sens d'un champ magnétique qui leur est imposé, en perdant de l'énergie. On peut alors pousser ces petits aimants dans des niveaux d'énergie supérieurs en les irradiant par des micro-ondes. C'est en mesurant la fréquence des micro-ondes absorbées que l'on obtient des informations sur les atomes constitutifs de la substance étudiée.

Les atomes les plus courants qui se comportent de la sorte sont l'hydrogène, le fluor et le phosphore. La présence d'hydrogène dans pratiquement toutes les molécules organiques en fait un outil de choix en analyse organique. On a développé la RMN pour étudier de manière non invasive (non chirurgicale) le fonctionnement et la transformation des tissus vivants. Les électrons célibataires des atomes et molécules manifestent aussi ce type de propriété, due à leur spin, que l'on exploite en « résonance paramagnétique électronique » ou RPE.

Un spectromètre de masse sépare un mélange d'atomes suivant leur masse. Sous vide, on transforme un échantillon en ions positifs que l'on envoie entre les deux pôles d'un aimant. Le champ magnétique fait alors dévier ces ions de leur trajectoire, les plus légers davantage que les plus lourds. L'ensemble des déviations des ions constitutifs du faisceau produit ce qui est appelé un spectre de masses.

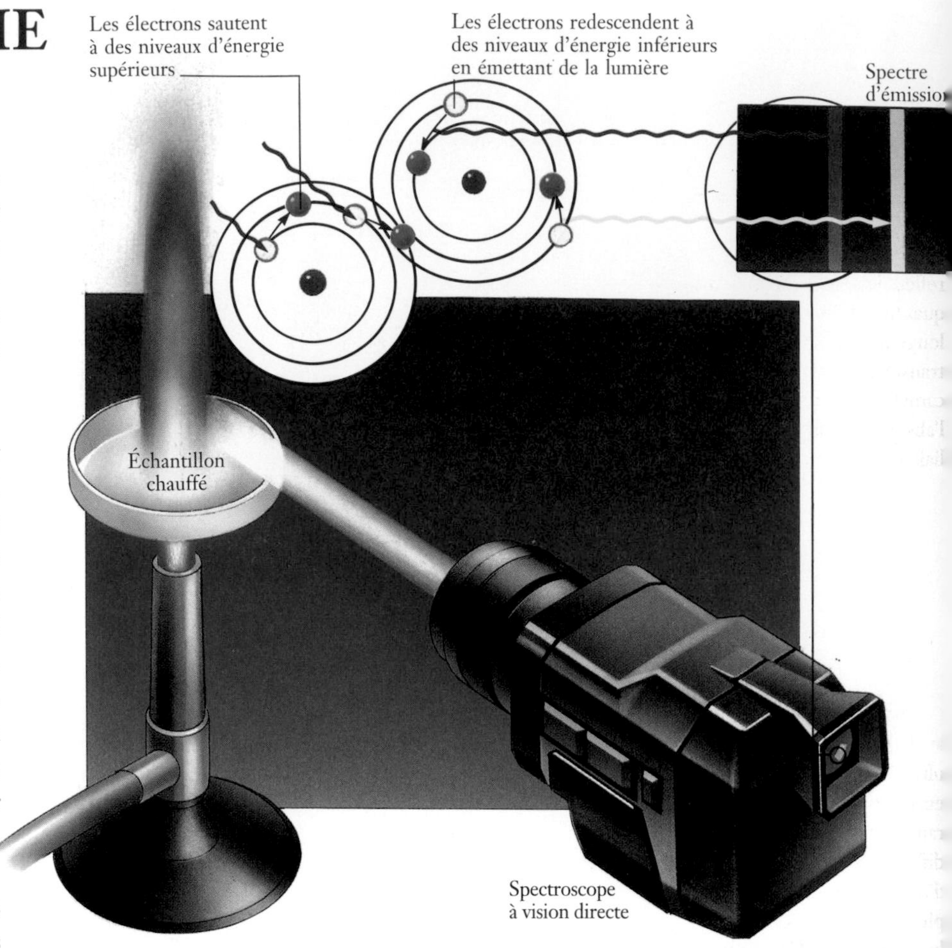

Les électrons sautent à des niveaux d'énergie supérieurs

Les électrons redescendent à des niveaux d'énergie inférieurs en émettant de la lumière

Spectre d'émissio

Échantillon chauffé

Spectroscope à vision directe

▲ On peut identifier certains éléments métalliques de façon simple, en les atomisant dans la flamme d'un bec Bunsen et en observant la couleur de celle-ci. On peut employer un prisme à vision directe pour relever les lignes colorées du spectre d'émission de l'élément. La lumière est produite par le retour des électrons de l'atome d'un état excité de haute énergie à leur état de plus basse énergie. La technique a été décrite par le chimiste allemand Robert Bunsen qui, en 1860-1861, assisté de Gustav Kirchoff, a découvert deux nouveaux éléments (césium et rubidium) qu'il a nommé d'après la couleur de leur spectre. En latin, *cesium* veut dire bleu-vert et *rubidius* rouge.

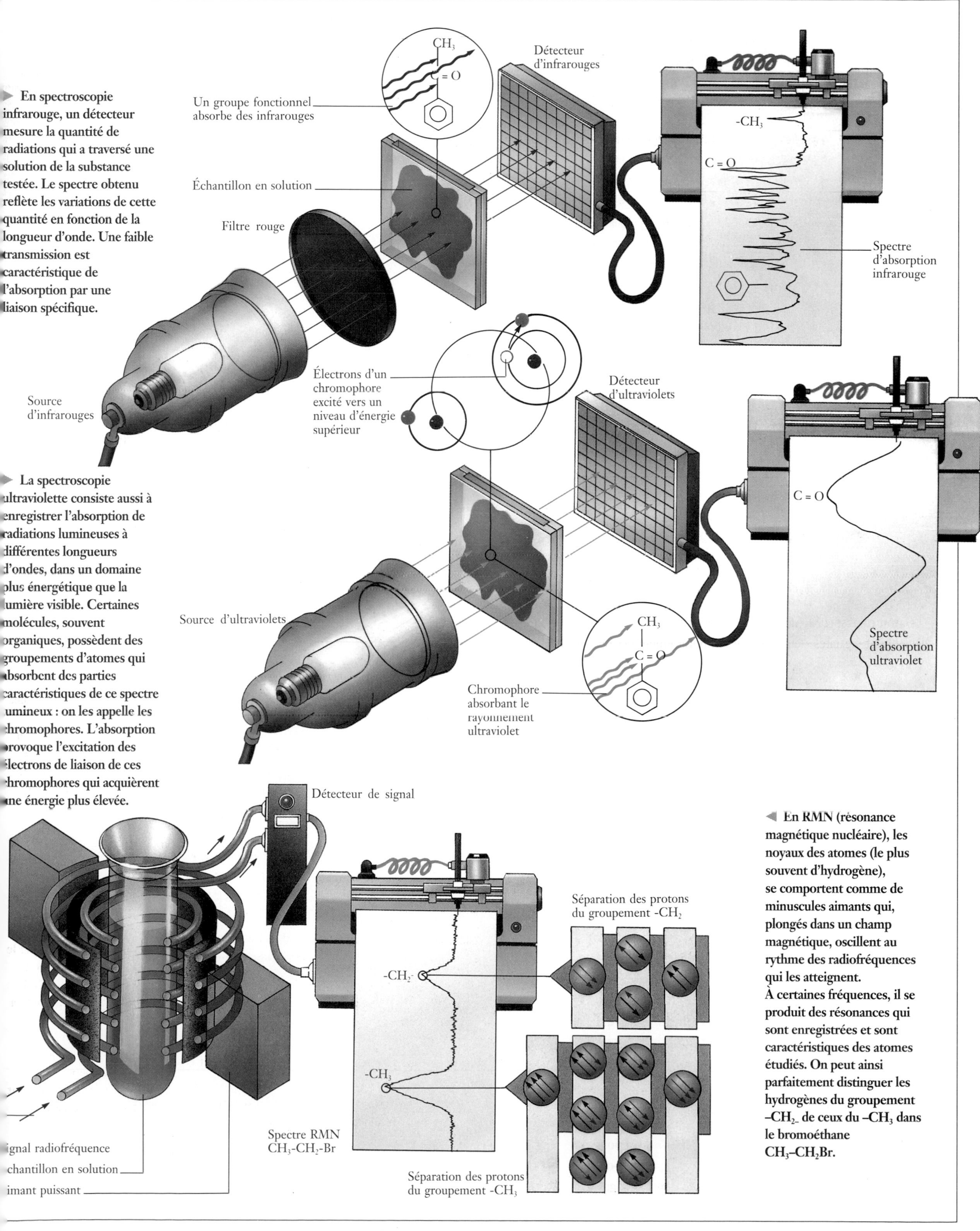

▶ **En spectroscopie infrarouge, un détecteur mesure la quantité de radiations qui a traversé une solution de la substance testée. Le spectre obtenu reflète les variations de cette quantité en fonction de la longueur d'onde. Une faible transmission est caractéristique de l'absorption par une liaison spécifique.**

▶ **La spectroscopie ultraviolette consiste aussi à enregistrer l'absorption de radiations lumineuses à différentes longueurs d'ondes, dans un domaine plus énergétique que la lumière visible. Certaines molécules, souvent organiques, possèdent des groupements d'atomes qui absorbent des parties caractéristiques de ce spectre lumineux : on les appelle les chromophores. L'absorption provoque l'excitation des électrons de liaison de ces chromophores qui acquièrent une énergie plus élevée.**

◀ **En RMN (résonance magnétique nucléaire), les noyaux des atomes (le plus souvent d'hydrogène), se comportent comme de minuscules aimants qui, plongés dans un champ magnétique, oscillent au rythme des radiofréquences qui les atteignent. À certaines fréquences, il se produit des résonances qui sont enregistrées et sont caractéristiques des atomes étudiés. On peut ainsi parfaitement distinguer les hydrogènes du groupement –CH$_2$– de ceux du –CH$_3$ dans le bromoéthane CH$_3$–CH$_2$Br.**

RÉFÉRENCES

La précision des mesures constitue un élément essentiel en science. Au cours de ce siècle, différents systèmes de normes ont été utilisés selon les pays. Aujourd'hui les unités du Système International (SI) sont universellement utilisées par les scientifiques, mais certaines mesures restent en vigueur dans diverses parties du monde. Le système métrique, qui s'est développé en France à la fin du XVIIIe siècle est employé dans de très nombreux pays et par la communauté scientifique. Cependant, les unités impériales (fondées sur les normes anglaises de mesure) et les unités reposant sur les normes américaines sont encore couramment utilisées dans ces pays.

Même si les unités de longueur, de masse et de temps ont été, à l'origine, établies arbitrairement, les scientifiques ont cherché à leur donner une définition en rapport avec les constantes physiques mesurables. Ainsi, la longueur est à présent définie en terme de vitesse de la lumière et le temps en terme de vibrations du cristal d'un atome particulier. L'unité de masse échappe à ce type de définition puisqu'elle est fondée sur la masse du prototype en platine iridié déposé à Sèvres (kilogramme-étalon).

PRÉFIXES DU SYSTÈME MÉTRIQUE

Les très petites ou les très grandes unités sont souvent écrites à l'aide des multiples de dix : les préfixes suivants sont également utilisés avec les unités du Système internationale. Par exemple, un milligramme (mg) correspond à un millième de gramme et un kilogramme (kg) correspond à mille grammes.

Nom	Chiffre	Puissance de 10	Préfixe	Symbole
billionième	0,000000000001	10^{-12}	pico	p
milliardième	0,000000001	10-9	nano	n
millionième	0,000001	10^{-6}	micro	µ
millième	0,001	10^{-3}	milli	m
centième	0,01	10^{-2}	centi	c
dizième	0,1	10^{-1}	déci	d
unité	1,0	10^{0}	-	-
dizaine	10	10^{1}	déca	da
centaine	100	10^{2}	hecto	h
millier	1000	10^{3}	kilo	k
million	1 000 000	10^{6}	méga	M
milliard	1 000 000 000	10^{9}	giga	G
billion	1 000 000 000 000	10^{12}	téra	T
mille billions	1 000 000 000 000 000	10^{15}	exa	E

FACTEURS DE CONVERSION

Conversion des unités métriques en unités britanniques ou américaines

Pour convertir	en	multiplier par
LONGUEUR		
millimètre	pouce	0,03937
centimètre	pouce	0,3937
mètre	pouce	39,37
mètre	pied	3,2808
mètre	yard	1,0936
kilomètre	mille terrestre	0,6214
SURFACE		
centimètre carré	pouce carré	0,1552
mètre carré	pied au carré	10,7636
mètre carré	yard au carré	1,196
kilomètre carré	mille au carré	0,3861
kilomètres carré	acre	247,1
hectare	acre	2,471
VOLUME		
centimètre cube	pouce cube	0,061
mètre cube	pied cube	35,315
mètre cube	yard cube	1,308
kilomètre cube	milles cube	0,2399
CAPACITÉ		
millilitre	once fluide	0,0351
millilitre	pinte	0,00176 (0,002114 pour la pinte américaine)
litre	pinte	1,760 (2,114 pour la pinte américaine)
litre	gallon	0,2193 (0,2643 pour le gallon américain)
POIDS		
gramme	once	0,0352
gramme	livre	0,0022
kilogramme	livre	2,2046
tonne	tonne	0,9842 (1,1023 pour la tonne américaine)
TEMPÉRATURE		
degrés Celsius	Fahrenheit	1,8 puis ajouter 32

Conversion des unités britanniques (ou américaines) en unités métriques

Pour convertir	en	multiplier par
LONGUEUR		
pouce	millimètre	25,4
pouce	centimètre	2,54
pouce	mètre	0,254
pied	mètre	0,3048
yard	mètre	0,9144
mille terrestre	kilomètre	1,6094
SURFACE		
pouce carré	centimètre carré	6,4516
pied au carré	mètre carré	0,0929
yard au carré	mètre carré	0,8316
mille au carré	kilomètre carré	2,5898
acre	hectare	0,4047
acre	kilomètre carré	0,00405
VOLUME		
pouce cube	centimètre cube	16,3871
pied cube	mètre cube	0,0283
yard cube	mètre cube	0,7646
mille cube	kilomètre cube	4,1678
CAPACITÉ		
once fluide	millimètre	28,5
pinte	millilitre	568,0 (473,32 pour la pinte américaine
pinte	litre	0,568 (0,4733 pour la pinte américaine
gallon	litre	4,55 (3,785 pour le gallon américain)
POIDS		
once	gramme	28,3495
livre	gramme	453,592
livre	kilogramme	0,45336
tonne (britannique)	tonne	1,0161
TEMPÉRATURE		
Fahrenheit	dégré Celsius	soustraire 32, puis multiplier par 0,5555

☐ LES UNITÉS SI (SYSTÈME INTERNATIONAL)

Aujourd'hui utilisées par la communauté scientifique du monde entier et dans les systèmes légaux de nombreux pays, les unités SI ont été adoptées par la Conférence générale des poids et mesures de 1960. Il existe 7 unités de base et 2 unités supplémentaires qui remplacent les systèmes MKS (mètre-kilogramme-seconde) et CGS (centimètre-gramme-seconde) utilisés précédemment. Il existe également 18 unités dérivées de celles-ci dont les symboles ont fait l'objet d'un accord international.
Aucun nom d'unité, même si elle porte le nom d'un scientifique renommé, ne doit commencer par une majuscule. Ainsi, les unités de température et de force sont le kelvin et le newton (leurs abréviations sont toutefois une lettre majuscule). En dehors du kilogramme, qui est un standard arbitraire fondé sur le kilogramme-étalon du Bureau des Poids et Mesures, toutes les unités de base sont définies de façon à pouvoir être facilement mesurées dans un laboratoire.

Nom	Symbole	Quantité	Définition
UNITÉS DE BASE			
mètre	m	longueur	Distance parcourure par la lumière dans le vide en 1/299792458e de seconde
kilogramme	kg	masse	Masse du kilogramme-étalon, un cylindre en platine iridié conservé à Sèvres
seconde	s	durée	Durée de 9192631770 périodes de la radiation émise par une transition choisie dans un atome de césium 133
kelvin	k	température	1/273,16e de la température thermodynamique du point triple de l'eau
ampère	A	courant électrique	Courant produisant une force de 2×10^{-7} newtons par mètre entre deux conducteurs parallèles de longueur infinie et de section négligeable, placés à 1 mètre l'un de l'autre dans le vide
mole	mol	quantité de matière	Quantité d'une substance contenant autant d'atomes, de molécules, d'ions ou de particules que le nombre d'atomes contenus dans 12 grammes de carbone 12
candela	cd	intensité lumineuse	Intensité lumineuse d'une source émettant une lumière monochromatique à une fréquence de 540×10^{-12} hertz et dont l'intensité de rayonnement est de 1/683 watts par stéradian dans une direction donnée
UNITÉS COMPLÉMENTAIRES			
radian	rd	angle plan	Angle ayant son sommet au centre d'un cercle et interceptant sur la circonférence de ce cercle un arc d'une longueur égale à celle du rayon du cercle
stéradian	st	angle solide	Angle solide ayant son sommet au centre d'une sphère et découpant, sur la surface de cette sphère, une aire équivalente à celle d'un carré dont le côté est égal au rayon de la sphère

Nom	Symbole	Quantité	Définition
UNITÉS DÉRIVÉES			
becquerel	Bq	radioactivité	Activité d'un isotope radioactif dans lequel un noyau se désintègre (en moyenne) chaque seconde
coulomb	C	courant électrique	Quantité d'électricité transportée par une charge de 1 ampère pendant 1 seconde
farad	F	capacité électrique	Capacité d'un condensateur chargé d'une quantité d'électricité de 1 coulomb par une différence de potentiel de 1 volt
gray	Gy	dose absorbée	Dosage de rayonnement ionisant correspondant à une énergie de 1 joule par kilogramme
henry	H	inductance	Inductance électrique d'un circuit fermé dans lequel une force électromotrice de 1 volt est produite par un courant variant de 1 ampère par seconde
hertz	Hz	fréquence	Fréquence d'un phénomène périodique dont la période est de 1 seconde
joule	J	énergie	Travail produit par une force de 1 newton dont le point d'application se déplace de 1 mètre dans la direction de la force
lumen	lm	flux lumineux	Flux lumineux émis dans un angle solide de 1 stéradian par une source ayant une intensité de 1 candela
lux	lx	éclairement lumineux	Quantité de lumière capable d'illuminer une surface de 1 mètre carré avec 1 lumen
newton	N	force	Force qui communique à un corps ayant une masse de 1 kilogramme une accélération de 1 mètre par seconde au carré
ohm	Ω	résistance	Résistance électrique d'un conducteur qui produit un courant électrique de 1 ampère lorsqu'on lui applique une différence de potentiel de 1 volt
pascal	Pa	pression	Pression uniforme exercée par une force de 1 newton sur une surface de 1 mètre carré
siemens	S	conductance électrique	Conductance électrique d'un matériau ou d'un élément de circuit ayant une résistance de 1 ohm
sievert	Sv	dose de rayonnement ionisant	Dose de rayonnement ionisant égale à 1 joule d'énergie rayonnante par kilogramme
tesla	T	induction magnétique	Induction magnétique produisant un flux d'induction magnétique de 1 weber sur une surface de 1 mètre carré
volt	V	tension électrique	Différence de potentiel aux bornes d'un conducteur parcouru par un courant de 1 ampère lorsque la puissance dissipée est égale à 1 watt
watt	W	puissance électrique	Puissance correspondant à un travail de 1 joule effectué pendant 1 seconde
weber	Wb	flux d'induction magnétique	Flux d'induction magnétique qui, traversant un circuit d'une seule spire, y produit une force électromotrice de 1 volt si on l'amène à zéro en 1 seconde, par décroissance uniforme

ADDITIFS ALIMENTAIRES

Les additifs alimentaires sont des substances chimiques qui sont ajoutées aux denrées alimentaires pour prolonger leur durée de conservation, altérer leur couleur, développer leur goût ou augmenter leur valeur nutritionnelle. Les produits utilisés sont soit naturels, soit fabriqués de manière synthétique. La plupart des pays ont des lois qui régissent leur utilisation. Aux États-Unis, l'administration des denrées alimentaires et des médicaments (Food and Drug Administration, FDA) est chargée de faire respecter ces lois et, si nécessaire, d'interdire l'utilisation de certains produits spécifiques. Par exemple, en 1970, la FDA a interdit les édulcorants artificiels appelés cyclamates dont on a prouvé qu'ils étaient des agents cancérigènes sur des animaux de laboratoire. En Europe, l'Union Européenne émet un avis sur tous les additifs connus. Elle attribue un numéro (connu sous l'appellation E suivie d'un nombre) à ceux qui sont approuvés comme étant sains. Cependant il faut noter que certaines personnes sont allergiques aux additifs autorisés, et que la sûreté de certains produits de la liste n'est pas garantie dans tous les pays. Pour aider les consommateurs à reconnaître quelles substances chimiques ont été ajoutées aux produits qu'ils achètent, les numéros doivent apparaître sur l'étiquette du produit.

Il existe cinq classes principales d'additifs alimentaires. Les antioxydants, comme leur nom l'indique, empêchent les graisses et les huiles de s'oxyder et par conséquent de devenir rances. Ils aident également à éviter la décoloration des aliments.

Les agents colorants restaurent les couleurs des aliments traités ou même des aliments synthétiques (tels que la margarine). Par exemple, les petits pois en conserve perdent leur couleur naturelle et les fabricants peuvent ajouter un agent colorant pour leur rendre leur apparence vert brillant. D'autres couleurs sont appliquées à la peau des fruits pour améliorer leur maturité apparente.

Les émulsifiants et les stabilisants empêchent les aliments mixés, en particulier les émulsions telles que les crèmes glacées ou la mayonnaise, de se décomposer. La pectine, par exemple, est ajoutée aux confitures et aux gelées pour les épaissir.

Les agents de conservation empêchent le développement d'organismes tels que les bactéries qui peuvent pourrir les produits alimentaires. De nombreux agents de conservation sont semblables aux antioxydants. D'autres sont des substances plus traditionnelles telles que le sel ou le salpêtre.

Les édulcorants et autres parfums artificiels donnent du goût aux aliments bien que, comme le monosodium glutamate (MSG), ils ne possèdent pas de goût qui leur soit propre. De plus, des suppléments nutritionnels peuvent être ajoutés aux produits manufacturés pour les rendre plus nourrissants. On ajoute couramment des vitamines, par exemple, à la farine (et par conséquent aux produits faits à base de farine), à la margarine et à certains produits laitiers. On peut également ajouter des oligo-éléments.

Nom	Code	Origine
ANTIOXYDANTS		
Alphatocopherol synthétique	E107	Préparé de façon synthétique en laboratoire
Dioxyde de soufre	E220	Substance naturelle, également produite chimiquement par combustion de soufre ou de gypse
Acide ascorbique (vitamine C)	E300	Substance naturelle dans de nombreux fruits et légumes frais, également fabriquée par synthèse biologique impliquant l'hydrogénation ou la fermentation.
Ascorbate de sodium	E301	Préparé de façon artificielle à partir de l'acide ascorbique (E300)
Extraits d'origine naturelle riches en tocophérols (vitamine E)	E306	Extrait de l'huile de soja, du germe de blé ou de riz, de l'huile de coton, du maïs et de légumes verts
Propyl gallate	E310	Produit à partir de tanin de noix de galle ou par hydrolyse de l'enzyme tannase, que l'on trouve dans les champignons *Aspergillus niger* et *Pénicillium glaucum*.
Octyl gallate	E311	Obtenu par hydrolyse acide ou alcaline de tanin de noix de galle ou par hydrolyse de l'enzyme tannase
Dodecyl gallate	E312	Produit à partir de tanin de l'enzyme tannase
Hydroxyanisole butylé (BHA)	E320	Préparé à partir du *p*-methoxyphénol et de l'isobutène
Hydroxytoluène butylé (BHT)	E320	Préparé de façon synthétique à partir du *p*-crésol et de l'isobutylène
Lécithine	E322	Présente dans toutes les cellules vivantes. Les origines pour une utilisation alimentaire comprennent le jaune d'œuf, les graines de légumineuses (y compris les cacahuètes) et le maïs
Lactate de sodium	E325	Produit à partir de l'acide lactique (E270)

Nom	Code	Origine
COLORANTS		
Tartrazine	E102	Colorant jaune produit artificiellement
Quinoline jaune	E104	Colorant synthétique jaune verdâtre
Jaune sunset	E110	Colorant jaune de synthèse
Cochinéal	E120	Colorant rouge produit à partir de corps d'insectes à écailles (*Dactilopius coccus*)
Cramoisine	E122	Colorant rouge pourpre produit de façon synthétique
Amarante	E123	Colorant rouge pourpre produit de façon synthétique
Ponceau 4R	E124	Colorant rouge produit de façon synthétique
Érythrosine	E127	Colorant synthétique rouge rosâtre
Chlorophylle	E140	Pigment vert extrait de feuilles
Chlorophylle cuivre	E141	Complexe du cuivre préparé en laboratoire à partir de la chlorophylle (E140)
Caramel	E150	Préparé en chauffant du sirop de sucre en présence d'ammoniac de qualité alimentaire, de sulfate d'ammonium, de dioxyde de soufre et/ou d'hydroxyde de sodium.
Annatto ; bixine ; Norbixine	E160 (b)	Colorant jaune pêche produit à partir d'une graine d'arbre (*Bixa orellana*)
Bétanine	E162	Colorant rouge obtenu à partir de la betterave, également appelé rouge betterave

Nom	Code	Origine
ÉMULSIFIANTS ET STABILISANTS		
Acide alginique	E400	Extrait d'algues brunes, en particulier des espèces de *Laminaria*
Propane-1,2-diol alginate (alginate de propylène glycol)	E405	Dérivé d'algues brunes
Agar-agar	E406	Dérivé d'algues rouges
Carrageenan	E407	Dérivé d'espèces d'algues rouges
Gomme de caroube	E410	Extrait de cosses de graines de caroubier
Gomme arabique (acacia)	E414	Dérivé des troncs et des branches de l'arbre *Acacia senegal* et des espèces de même famille
Pectine	E440 (a)	Dérivé commercial des résidus de pommes (obtenus dans la fabrication du cidre) et de peaux d'orange
Cellulose microcristalline ; cellulose alpha	E460	Produite par fragmentation chimique des parois de cellulose de fibres végétales en cristaux microscopiques
Mono- et diglycérides d'acide gras	E471	Préparé de façon commerciale à partir de glycérine et d'acides gras
Polyglycérol esters d'acides gras	E475	Préparé en laboratoire
Polyglycérol esters d'acides gras polycondensés d'huile de castor	E476	Préparé à partir d'huile de castor et de glycérol esters
Stearoyl-1,2-lactilate de sodium	E481	Préparé en laboratoire à partir de différentes huiles végétales
AGENTS DE CONSERVATION		
Acide sorbique	E200	Acide naturel extrait des baies du sorbier
Acide benzoïque	E210	Substance naturelle mais préparée commercialement par synthèse chimique
Benzoate de sodium	E211	Sel de sodium de l'acide benzoïque
Benzoate de calcium	E213	Sel de calcium de l'acide benzoïque
Dioxyde de soufre	E220	Existe à l'état naturel et produit de façon commerciale par synthèse chimique
Sulfite de sodium	E221	Sel de sodium de l'acide sulfureux
Hexamine	E239	Hexaméthylenététramine, fabriqué en laboratoire à partir de méthanal (acétaldéhyde) et d'ammoniac
Nitrite de potassium	E249	Sel de potassium de l'acide nitreux
Nitrite de sodium	E250	Dérivé du nitrate de sodium par des moyens chimiques ou bactériologiques
Nitrate de sodium	E251	Minéral existant à l'état naturel
Nitrate de potassium	E252	Minéral existant à l'état naturel, également fabriqué à partir de déchets de matière animale et végétale
Acide acétique	E260	Fabriqué chimiquement à base de méthanol et de monoxyde de carbone, ou à partir d'éthanol par oxydation. Également produit par l'action de la bactérie *Acetobacter*
ÉDULCORANTS ET PARFUMS ARTIFICIELS		
Sorbitol	E420	Existe à l'état naturel, mais produit de façon commerciale à partir du glucose par hydrogénation à haute pression ou réduction électrolytique
Mannitol	E421	Préparé à partir d'une algue
Acide L-glutamique	E620	Existe à l'état naturel, mais préparé de façon commerciale par fermentation d'une solution d'hydrate de carbone par une bactérie
Glutamate de monosodium (MSG)	E621	Existe à l'état naturel, mais préparé de façon commerciale par fermentation en se servant de mélasse de sucre de canne ou de betterave
Glutamate de monopotassium	E622	Préparé de manière synthétique
Dihydrogène di-L-glutamate de calcium	E623	Préparé de manière synthétique
Guanylate de sodium	E627	Substance naturelle, mais préparée de manière synthétique pour un usage commercial
5'-inosinate de sodium	E631	Préparé à partir d'extrait de viande et de sardines séchées
5'-ribonucleotide de sodium	E635	Mélange de guanylate de sodium (E627) et de 5'-inosinate de sodium (E631)
Maltol	E636	Substance naturelle également obtenue chimiquement par hydrolyse alcaline de sel de streptomycine
Saccharinate de sodium		Préparé en laboratoire en oxydant un dérivé du toluène
Aspartame		Préparé en laboratoire à partir de l'acide aspartique, un aminoacide qui se trouve à l'état naturel dans les protéines

☐ LA DÉCOUVERTE DES ÉLÉMENTS

Certains éléments sont connus depuis des temps préhistoriques, même si les gens à cette époque n'avaient aucune idée de ce que pouvait être un élément. Il s'agit du carbone, du cuivre, de l'or, du fer, du plomb, du mercure, de l'argent, du soufre et de l'étain. Leurs noms dérivent du latin : *carbo* le charbon, symbole C ; *cyprium aes* le bronze de Chypre ou cuivre, symbole Cu ; *aurum* l'or, symbole Au ; *ferrum* le fer, symbole Fe ; *plumbum* le plomb, symbole Pb ; de la planète Mercure, *hydragyrum* en latin, symbole Hg ; *argentum* l'argent, symbole Ag ; *sulfur* le soufre, symbole S ; et *stanum* l'étain, symbole Sn. Le zinc, de l'allemand *zink*, symbole Zn, a été utilisé avant 1500, mais sa découverte reste inconnue.

Date	Nom et Symbole	Découvert par	Origine du nom
1450	antimoine Sb	Valentine	Latin *antimonium*, autrefois *stibium*
	bismuth Bi	Valentine	Allemand *Wismut*
1649	arsenic As	Schröder	Latin *arsenicum*
1669	phosphore P	Henning Brand	Grec *phôsphoros*, lumineux
1735	cobalt Co	Georg Brandt	Allemand *Kobold*, lutin
1741	platine Pt	William Wood	Espagnol *platina*, l'argent
1751	nickel Ni	Axel Cronstedt	Suédois *kuppar*, le cuivre
1766	hydrogène H	Henry Cavendish	Grec *hydro + gène*, qui produit de l'eau
1771	fluor F	Carl Scheele	Latin *fluor*, écoulement
1772	azote N	Daniel Rutherford	Grec *nitron*, le salpêtre
1774	manganèse Mn	Johan Gahn	Italien *manganese*
	oxygène O	John Priestley	Grec *oxys + gène*, qui produit de l'acide
	chlore Cl	Carl Scheele	Grec *khlôros*, vert
1778	molybdène Mo	Peter Hjelm	Grec *molubdos*, le plomb
1782	tellure Te	Franz von Reichenstein	Latin *tellus*, la Terre
1783	tungstène W	Don Fausto et Don Juan d'Elhuyar	Suédois *tungsten*, pierre lourde (anciennement wolfram)
1789	titane Ti	William Gregor	Titan, personnage mythologique
	uranium U	Martin Klaproth	Uranus, la planète
1794	yttrium Y	Johan Gadolin	Ytterby, ville de Suède
1797	chrome Cr	Louis Vauquelin	Grec *khrôma*, couleur
1801	niobium Nb	Charles Hatchett	Niobé, personnage mythologique
1802	tantale Ta	Anders Ekeberg	Tantale, personnage mythologique
1803	cerium Ce	Jons Berzelius et Wilhelm Hisinger	Cérès, déesse romaine
1803	iridium Ir	Smihson Tennant	Latin *iris*, l'arc-en-ciel
	osmium Os	Smihson Tennant	Grec *osmê*, l'odeur
1804	palladium Pd	William Wollaston	Pallas, surnom de la déesse Athéna
	rhodium Rh	William Wollaston	Grec *rhodo*, la rose
1807	potassium K	Humphry Davy	Anglais *potash* et Latin *kalium*
	sodium Na	Humphry Davy	Anglais *soda* et Latin *natrium*
1808	baryum Ba	Humphry Davy	Grec *barys*, lourd
	bore B	Humphry Davy	de borax
	calcium Ca	Humphry Davy	Latin *calx*, la chaux
	strontium Sr	Humphry Davy	Strontian, un village d'Écosse
1811	iode I	Bernard Courtois	Grec *iôdês*, violet
1817	cadmium Cd	Friedrich Strohmeyer	Grec *kadmeia*, la calamine
	lithium Li	Johan Arfvedson	Grec *lithos*, la pierre
	sélénium Se	Jons Berzelius	Grec *selênê*, la Lune
1824	silicium Si	Jons Berzelius	Latin *silex*
1824	zirconium Zr	Jons Berzelius	Persan *zargun*, la couleur o
1825	brome Br	Antoine Balard	Grec *brômos*, la puanteur
1827	aluminium Al	Friedrich Wöhler	Latin *alumen*, l'alun
1828	béryllium Be	Friedrich Wöhler	Grec *bêrullos*, le béryl (minéral)
	thorium Th	Jons Berzelius	Thor, dieu scandinave
1829	magnésium Mg	Antoine Bussy	Magnesia (en Italie)
1830	vanadium V	Nils Sefström	Vanadis (mythologie scandinave)
1839	lanthane La	Carl Mosander	Grec *lanthanein*, être inaperçu

☐ ÉLÉMENTS COMMUNS SUR TERRE ET DANS LE CORPS HUMAIN

Quatre-vingt-douze éléments différents existent de façon naturelle sur Terre. Le plus commun est l'oxygène qui représente 46,6 pour cent du poids de la croûte terrestre et 20,95 pour cent du volume de l'atmosphère. De même, les océans sont constitués principalement d'eau composée à 88,89 pour cent d'oxygène. L'oxygène est aussi l'élément le plus commun du corps humain – représentant 65 pour cent de notre poids. Le carbone et l'hydrogène sont les éléments les plus courants après l'oxygène. Le tableau suivant donne le pourcentage de 16 éléments dans la composition de la croûte terrestre et leur présence dans l'atmosphère, la mer et le corps humain. Les nombres indiqués sont des pourcentages à l'exception de la composition de l'eau de mer qui représente la fraction dissoute exprimée en parties par million (ppm).

Nom et symbole	Numéro atomique	% de la croûte terrestre	% de l'atmosphère terrestre	ppm dans la mer	% du corps humain	Fonction dans le corps humain
Aluminium Al	13	8,1	–	–	trace	
Azote N	7	trace	78,1	–	3,3	Composant de tous les acides nucléiques et des protéines
Calcium Ca	20	3,6	–	400	1,5	Composant des os et des dents
Carbone C	6	0,03	0,03	–	18,5	Squelette de molécules organiques
Chlore Cl	17	0,01	–	18 980	0,2	Ion négatif baignant les cellules
Fer Fe	26	5,0	–	–	trace	Composant de l'hémoglobine du sang
Fluor F	9	0,07	–	0,003	trace	
Hydrogène H	1	0,14	trace	–	9,5	Porteur d'électrons, composant de l'eau
Magnésium Mg	12	2,1	–	1 272	0,1	Composant de nombreux enzymes
Manganèse Mn	25	0,1	–	–	trace	
Oxygène O	8	46,6	20,95	–	65,0	Nécessaire à la respiration cellulaire, composant de l'eau
Phosphore P	15	0,07	–	–	1,0	Squelette des acides nucléiques, composant des os et des dent
Potassium K	19	2,6	–	1,1	0,4	Important dans le fonctionnement du système nerveux
Silicium Si	14	27,7	–	–	trace	
Sodium Na	11	2,8	–	10 556	0,2	Important pour le fonctionnement des nerfs
Soufre S	16	0,03	–	7,7	0,3	Composant de certaines protéines

Année	Élément	Découvreur	Origine du nom
1843	erbium Er	Carl Mosander	Ytterby, ville de Suède
	terbium Tb	Carl Mosander	Ytterby, ville de Suède
1845	ruthénium Ru	Carl Claus	Latin *Ruthenia*, la Russie
1860	césium Cs	Robert Bunsen	Latin *cæsium*, gris bleu
1861	rubidium Rb	Robert Bunsen et Gustave Kirchhoff	Latin *rubidus*, rouge brun
	thallium Tl	William Crookes	Grec *thallos*, rameau vert
1863	indium In	Ferdinand Reich et Hyeronimus Richter	Indigo
1875	gallium Ga	Paul de Boisbaudran	Latin *Gallus*, le coq
1878	ytterbium Yb	Jean Marignac	Ytterby, ville de Suède
1879	holmium Ho	Per Cleve	Latin *Holmia*, Stockholm
	scandium Sc	Lars Nilson	Scandinavia
	samarium Sm	Paul de Boisbaudran	Samarski, minéralogiste russe
	thulium Tm	Per Cleve	Latin *Thule*, Scandinavie
1885	gadolinium Gd	Jean Marignac	Gadolin, minéralogiste finlandais
	néodyme Nd	Carl Welsbach	Grec *neos*, nouveau + *didumos*, double
	praséodyme Pr	Carl Welsbach	Grec *prasinos*, vert + *didumos*, double
1886	dysprosium Dy	Paul de Boisbaudran	Grec *dusprositos*, difficile à atteindre
	germanium Ge	Clemens Winkler	Latin *Germania*, Allemagne
1894	argon Ar	Lord Rayleigh et William Ramsay	Grec *argos*, inactif
1895	hélium He	William Ramsay et William Crookes	Grec *hêlios*, le Soleil
1896	europium Eu	Eugène Demarçay	Europe
1898	krypton Kr	William Ramsay et Morris Travers	Grec *kruptos*, caché
	néon Ne	William Ramsay et Morris Travers	Grec *neos*, nouveau
	xénon Xe	William Ramsay et Morris Travers	Grec *xenos*, étranger
	polonium Po	Marie Curie	Pologne
	radium Ra	Marie Curie	Latin *radius*, rayon
1899	actinium Ac	André Debierne	Grec *aktis*, rayon
1900	radon Rn	Ernst Dorn	radium
1907	lutécium Lu	Georges Urbain et Carl Welsbach	Latin *Lutetia*, Paris
1917	protactinium Pa	Lise Meitner et Otto Hahn	Grec *protos*, premier + actinium
1923	hafnium Hf	Dirk Coster et György Heversey	Latin *Hafnia*, Copenhague
1925	rhénium Re	Walter Noddack et Ida Tacke	Latin *Rhenius*, Rhin
1937	technétium Tc	Perrier et Émilio Segré	Grec *tekhnêtos*, artificiel
1939	francium Fr	Marguerite Perey	France
1940	astate As	Émilio Segré et al.	Grec *astatos*, instable
	neptunium Np	Philip Abelson et Edwin McMillan	Planète Neptune
	prométhium Pm	J. Marinsky et al.	Prométhée (mythologie grecque)
1941	Plutonium Pu	Glen Seaborg et Edwin Mattison	Planète Pluton
1944	américium Am	Glen Seaborg et al.	Amérique
	curium Cm	Glen Seaborg et al.	Marie Curie
1950	berkélium Bk	Glen Seaborg et al.	Berkeley, Californie
	californium Cf	Glen Seaborg et al.	Californie
1952	einsteinium Es	Glen Seaborg et al.	Einstein
	fermium Fm	Glen Seaborg et al.	Fermi
1955	Mendélévium Md	Glen Seaborg, Albert Ghiorso et al.	Mendeleiev
1957	nobélium No	Glen Seaborg, Albert Ghiorso et al.	Nobel
1961	lawrencium Lr	Albert Ghiorso et al.	Lawrence
1969	rutherfordium Rf	Université de Californie	Rutherford
1970	hahnium Ha	Université de Californie	Hahn

□ COMPOSÉS CYCLIQUES COMMUNS

De nombreux composés organiques possèdent des molécules qui contiennent des anneaux d'atomes, appelés composés cycliques. Si tous les atomes de l'anneau sont identiques, comme dans le cyclohexane (C_6H_{12}) et le benzène (C_6H_6), ils sont appelés homocycliques. S'il existe deux atomes différents ou plus dans le cycle, le composé est dit hétérocyclique.

Les formules de quelques composés hétérocycliques sont montrées ci-dessous. Ceux qui contiennent des atomes d'azote se trouvent dans des composés biologiques importants. Par exemple, la purine forme le squelette de deux des bases de l'A.D.N., la substance fondamentale qui porte les codes génétiques de tous les organismes vivants.

Composés hétérocycliques simples

Furanne **Pyrrole** **Thiophène** **Imidazole** **Pyrazole** **Furazam** **Pyranne** **Pyridine**

Pyrimidine **Pyrazine** **Triazine** **Quinoléine** **Isoquinoléine** **Indole** **Purine**

Bases de l'A.D.N. et de l'A.R.N.

Adénine **Cytosine** **Guanine** **Thymine** **Uracile**

LE TABLEAU PÉRIODIQUE

Les éléments chimiques du tableau périodique sont rangés par ordre croissant de leur numéro atomique. Dans cette version du tableau, le numéro atomique est indiqué dans le coin supérieur droit de chaque case. Les nombres à gauche de chaque case représentent le nombre d'électrons contenus dans chaque couche électronique, ou orbitale, entourant le noyau de l'atome.

Les colonnes verticales du tableau constituent des groupes, alors que les lignes horizontales correspondent à des périodes. Les éléments d'un même groupe possèdent des propriétés chimiques similaires, les membres les plus réactifs étant situés vers le haut. Il existe également un gradient de propriétés au travers des périodes, depuis les éléments fortement métalliques situés sur la gauche du tableau jusqu'aux non-métaux situés à droite. Là aussi, des éléments voisins partagent certaines propriétés.

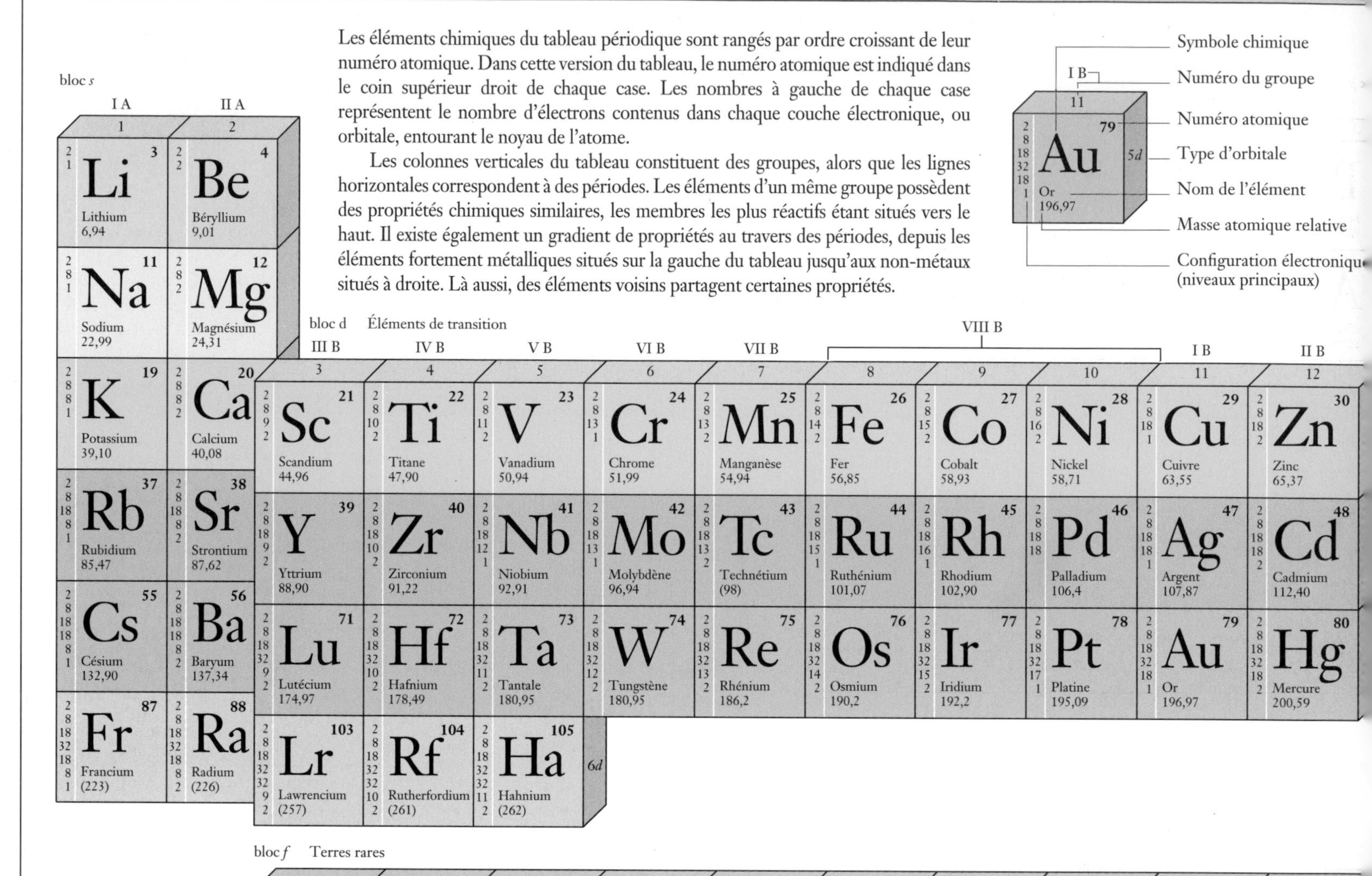

LES ORBITALES ATOMIQUES

Les électrons qui gravitent autour d'un noyau atomique occupent des régions de l'espace appelées orbitales atomiques qui possèdent les formes caractéristiques montrées ici. Ces formes sont obtenues en dessinant en trois dimensions la fonction mathématique qui représente la probabilité de trouver un électron d'énergie bien définie en un point donné. Par exemple, les orbitales *s* sont caractérisées par une symétrie sphérique et représentées par une sphère centrée sur le noyau. Chaque orbitale *s* peut contenir un ou deux électrons. Les orbitales *p* correspondent à trois surfaces constituées chacune par deux lobes et contenant chacune un ou deux électrons (donnant un maximum de six électrons pour tout niveau d'énergie *p*). La plupart des cinq orbitales *d* possèdent quatre lobes, mais ne peuvent également contenir chacune que deux électrons au maximum (soit 10 électrons au total pour un niveau d'énergie *d*). Enfin, il existe sept orbitales *f* différentes possédant une capacité totale de 14 électrons.

Lorsque les atomes se joignent pour former une liaison covalente, les orbitales atomiques se combinent pour former des orbitales moléculaires. Leur forme varie fortement d'un composé à l'autre. Par exemple, un atome d'hydrogène possède un électron célibataire sur une orbitale sphérique *1s*. Lorsque deux atomes d'hydrogène se combinent, leurs orbitales atomiques se fondent pour former une orbitale sigma en forme d'œuf. Le carbone, d'autre part, a quatre électrons sur son orbitale périphérique (de liaison) : un sur une orbitale *2s* et un dans chacune des orbitales *2p*. Ceux-ci se combinent pour former quatre orbitales symétriques hybrides, appelées *sp3*, arrangées dans l'espace en pointant vers les quatre sommets d'un tétraèdre régulier. Ainsi, lorsqu'un atome de carbone se combine avec quatre atomes d'hydrogène pour former une molécule de méthane (CH_4), le composé résultant a une forme tétraédrique. Dans l'éthène (éthylène, C_2H_2) on trouve une forme différente d'hybridation. Cette fois, l'orbitale *2s* et deux des orbitales *2p* du carbone hybrident pour former trois orbitales *sp2* pointant vers les sommets d'un triangle équilatéral. Deux d'entre elles (une de chaque atome de carbone) se recouvrent pour former une liaison carbone-carbone, et les quatre autres se combinent avec les orbitales *2s* de quatre atomes d'hydrogène. Les orbitales atomiques *2p* restantes – une sur chaque carbone – se combinent également pour former une paire d'orbitales pi, complétant ainsi la liaison double C = C de la molécule.

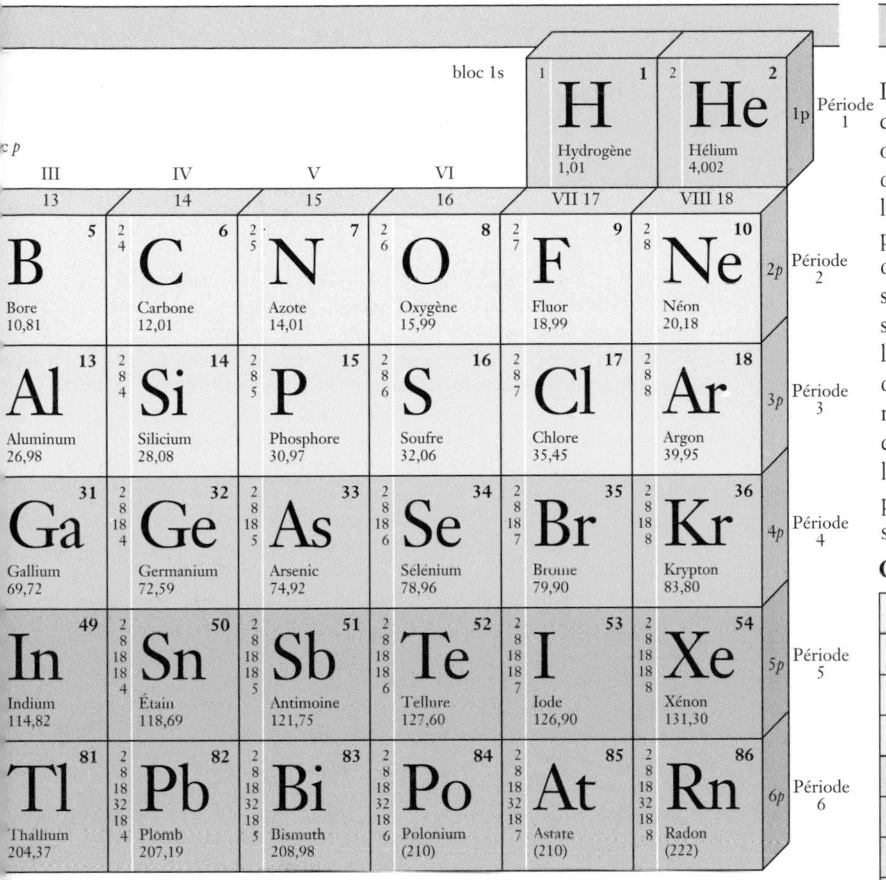

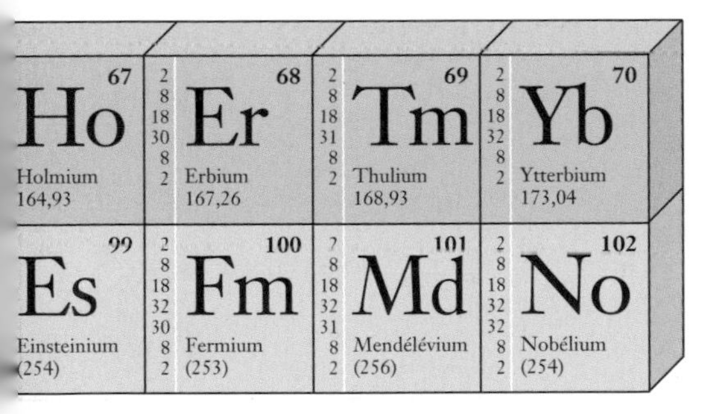

☐ LE PRINCIPE DE L'« AUFBAU »

Les électrons qui gravitent autour d'un noyau atomique occupent des couches, chacune étant constituée d'une ou plusieurs orbitales. Chaque orbitale possède un niveau d'énergie caractéristique, et le diagramme ci-dessous indique la hiérarchie de ces niveaux d'énergie, et par conséquent l'ordre dans lequel les électrons remplissent en théorie les couches. La première couche – qui a une seule orbitale *1s* – peut contenir un maximum de deux électrons seulement, et se termine avec l'hélium (He). Les deux couches suivantes contiennent jusqu'à huit électrons (deux sur les orbitales *2s* et *3s*, et six sur les niveaux *2p* et *3p*), ces couches étant remplies au néon (Ne) et à l'argon (Ar). Les quatrième et cinquième couches contiennent un maximum de 18 électrons (jusqu'à 10 sur les orbitales *3d* et *4d*) et sont complètement remplies avec le krypton (Kr) et le xénon (Xe). Enfin, les sixième et septième couches peuvent contenir jusqu'à 32 électrons (avec un maximum de 14 sur les orbitales *4f* et *5f*) ; la sixième se termine au radon (Rn), et il est peu probable que les scientifiques arrivent un jour à compléter la couche *6d* (de la septième période) jusqu'à l'élément de numéro atomique 118.

Orbitale

7p
6d
5f
7s
6p
5d
4f
6s
5p
4d
5s
4p
3d
4s
3p
3s
2p
2s
1s

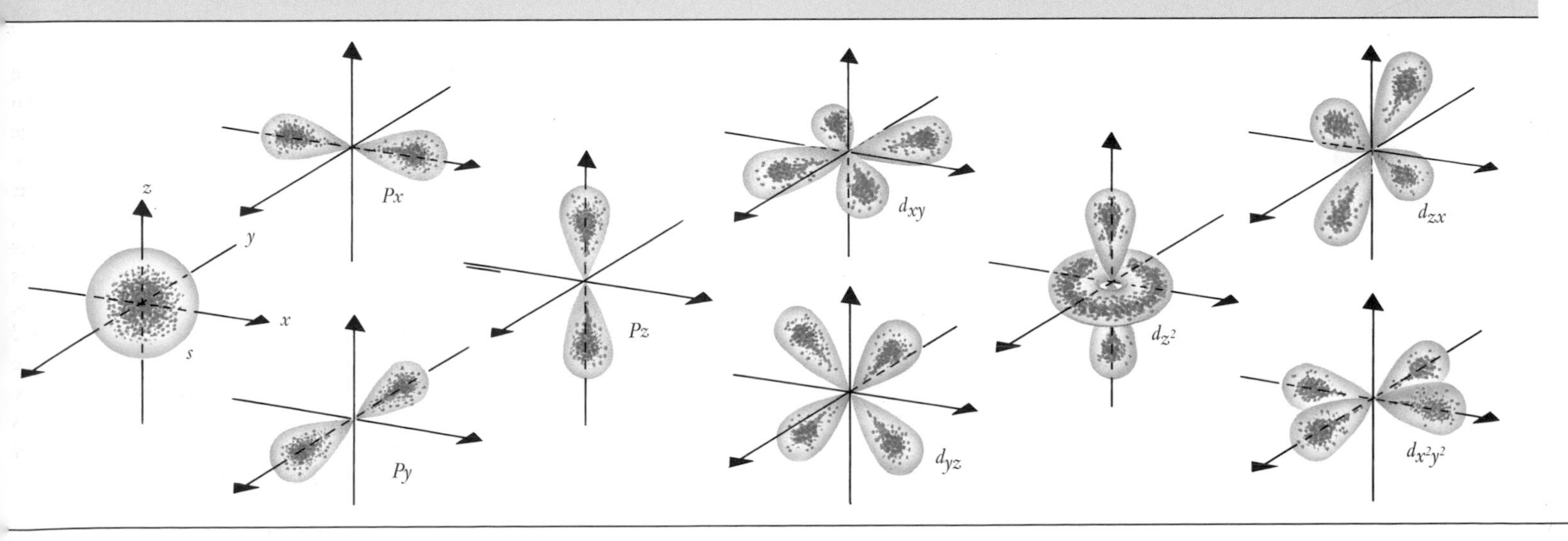

□ LES PRODUITS CHIMIQUES FAMILIERS

À l'origine, on donna aux substances chimiques des noms familiers qui reflétaient normalement leur apparence ou leurs propriétés – certaines rappelant les jours passés de l'alchimie. Pour un usage scientifique moderne, ces appellations ont été remplacées par des noms plus systématiques, reconnus de façon internationale. Mais de nombreux noms familiers sont encore utilisés dans des formulations non scientifiques ou anciennes. Le tableau suivant donne certains d'entre eux avec leur nom systématique, leur formule, et leurs applications quotidiennes. On trouve certaines de ces substances à la maison ou dans le garage, mais il faut garder en mémoire que beaucoup d'entre elles sont dangereusement corrosives ou toxiques.

Nom familier	Nom chimique	Formule	Utilisation
Acide carbolique	Phénol	C_6H_5OH	Désinfectant, fabrication des plastiques, teintures, explosifs
Acide prussique	Acide hydrocyanique	HCN	Poison, désinfectant par fumigation, électroplacage, fabrication de fibres synthétiques
Alun	Sulfate d'aluminium et de potassium	$Al_2(SO_4)_3.K_2SO_4.24H_2O$	Teinture, tannage, finition des cuirs, styptique
Beurre de zinc	Chlorure de zinc	$ZnCl$	Soudure, agent déshydratant, catalyseur, batteries sèches
Bicarbonate de soude	Hydrogénocarbonate de sodium	$NaHCO_3$	Antiacide, cuisine, extincteurs, fabrication du papier, tannage
Blanc de céruse	Hydrocarbonate de plomb (II)	$2PbCO_3.Pb(OH)_2$	Pigment
Blanc de zinc	Oxyde de zinc	ZnO	Pigment, pommade, fabrication des céramiques et des plastiques
Bleu de Prusse	Hexacyanoferrate (II) de fer (III)	$Fe_4[Fe(CN)_6]_3$	Pigment
Borax	Tétraborate de sodium	$Na_2B_4O_7.10H_2O$	Insecticide, fabrication du verre, antiseptique
Calamine	Carbonate de zinc	$ZnCO_3$	Poudre ou lotion pour traiter les coups de soleil, les troubles de la peau
Calomel	Chlorure de mercure (I)	Hg_2Cl_2	Fongicide, insecticide, purgatif, batteries
Carbonate de potasse	Carbonate de potassium	KCO_3	Engrais, colorant, finition des bois, du verre, du savon
Chaux éteinte	Hydroxyde de calcium	$Ca(OH)_2$	Jardinage, traitement de l'eau, fabrication du mortier, décolorant
Chaux vive	Oxyde de calcium	CaO	Jardinage, fabrication du verre, du papier, de l'acier
Craie	Sulfate de calcium	$CaSO_4.2H_2O$	Fabrication de céramiques, peinture, acide sulfurique
Craie minérale	Carbonate de calcium	$CaCO_3$	Fabrication de la chaux vive et du carbonate de sodium
Crème de tartre	Hydrogénotartrate de potassium	$HOOC(CHOH)_2COOK$	Levure, additif alimentaire contrôlant l'acidité
Eau de Seltz	Acide carbonique	H_2CO_3	Boisson gazeuse
Eau forte	Acide nitrique	HNO_3	Nettoyage des métaux, production des fertilisants et des explosifs
Eau régale	Acide nitrique et chlorhydrique	$HCl + HNO_3$	Solvant de l'or et du platine
Esprit de sel	Acide chlorhydrique	HCl	Nettoyage des métaux, préparation alimentaire industrielle, fabrication du P.C.V.
Esprit de sel éteint	Chlorure de zinc	$ZnCl$	Soudure, agent déshydratant, catalyseur, batteries sèches
Formol	Solution de méthanal	$HCHO$	Agent de conservation et de stérilisation, germicide
Glycol	Éthane-1,2-diol	CH_2OHCH_2OH	Antigel, liquide de refroidissement, fabrication des fibres polyester et des plastiques moulés
Hyposulfite	Thiosulfate de sodium	$Na_2S_2O_3$	Fixateur photographique, colorants, agent de conservation contre la fermentation,
Lait de magnésie	Hydroxyde de magnésium	$Mg(OH_2)$	Antiacide, agent réfractaire, isolant thermique, protection réfléchissante
Litharge	Oxyde de plomb (II)	PbO	Colorant pour peinture, pigment, fabrication de céramiques, batteries de voiture
Métaldéhyde	Tetra éthanal	$[CH_3CHO]_4$	Combustible, tue-limace
Mine de plomb	Graphite	C	Produits d'entretien, lubrifiant, crayons, charbons électriques
Minium	Oxyde de plomb	Pb_3O_4	Pigment de peinture anticorrosion, fabrication du verre
Noir de fumée	Carbone	C	Pigment, mastic pour la gomme des pneus de voiture
Plâtre de Paris	Sulfate de calcium	$CaSO_4.1/2H_2O$	Moulage, poterie, plâtre de bâtiment
Plombagine	Graphite	C	Produits d'entretien, lubrifiant, crayons, charbons électriques
Potasse	Hydroxyde de potassium	KOH	Savons, batteries, absorbant de gaz acides
Rouge d'Angleterre	Oxyde de fer (III)	Fe_2O_3	Abrasif, pigment
Salpêtre	Nitrate de potassium	KNO_3	Poudre à cartouche, agent de conservation, engrais
Salpêtre du Chili	Nitrate de sodium	$NaNO_3$	Fertilisant, fabrication de l'acide nitrique
Sel ammoniac	Chlorure d'ammonium	NH_4Cl	Piles pour torches, traitement des fibres textiles, galvanisation
Sel de cuisine	Chlorure de sodium	$NaCl$	Assaisonnement, préservatif alimentaire, fabrication du carbonate et de l'hydroxyde de sodium
Sel de Seignette	Tartrate de sodium et de potassium	$KOOC(CH)H_2COONa$	Microphones et briquets électriques sans pile
Sel volatil	Carbonate d'ammonium	$(NH_4)2CO_3$	Sels, levures, finition de la laine
Sels d'Epsom	Sulfate de magnésium	$MgSO_4.7H_2O$	Laxatif, textiles ignifugés, tannage, fertilisant, allumettes
Sels de Glauber	Sulfate de sodium	$Na_2SO_4.10H_2O$	Laxatif, fabrication du verre, de la pâte à bois, teinture
Silicate de potasse	Silicate de sodium	$Na_2SiO_4.xH_2O$	Conservation des œufs, fabrication du gel de silice (agent de séchage)
Soude caustique	Hydroxyde de sodium	$NaOH$	Déboucheur sanitaire, fabrication du savon, du papier, de l'aluminium, de produits pétrochimiques
Soude du commerce	Carbonate de sodium	Na_2CO_3	Fabrication du verre, additif alimentaire, photographie, traitement des textiles
Sublimé corrosif	Chlorure de mercure (II)	$HgCl_2$	Pesticide, fabrication de composés du mercure
Sucre de Saturne	Éthanoate de plomb (II)	$(CH_3COO)_2Pb$	Colorant, agent oxydant
Super-phosphate	Phosphate de calcium	$Ca(H_2PO_4)_2$	Fertilisant
Vinaigre	Acide éthanoïque dilué	CH_3COOH	Assaisonnement, agent de trempage
Vitriol	Acide sulfurique	H_2SO_4	Acide des batteries, trempage de l'acier, fabrication des engrais et des détergents
Vitriol bleu	Sulfate de cuivre (II)	$CuSO_4.5H_2O$	Fongicide, protection du bois, électroplacage, teinture
Vitriol vert	Sulfate de fer (II)	$FeSO_4$	Traitement de l'anémie, tannage, fabrication des encres

☐ ALLIAGES COURANTS

Nom	Composition typique (variable)	Utilisations
Acier au cobalt	70 % fer, 17 % tungstène, 10 % cobalt, 3 % chrome	Outils tournant à grande vitesse
Acier d'outillage	90 % fer, 7 % molybdène, 3 % chrome	Marteaux, ciseaux, forets
Acier doux	99,96 % fer, 0,4 % carbone	Tôlerie
Acier inoxydable	70 % fer, 20 % chrome, 10 % nickel	Coutellerie, pièces pour voiture
Alliage de Wood	50 % bismuth, 25 % plomb, 12,5 % cadmium, 12,5 % étain	Fusible thermique pour installation d'extinction automatique d'incendie
Alliage pour caractères d'imprimerie	75 % plomb, 15 % antimoine, 10 % étain	Caractères d'impression
Amalgame dentaire	70 % mercure, 30 % cuivre	Plombages dentaires
Argent allemand	55 % cuivre, 25 % zinc, 19 % nickel	Joaillerie, ustensiles en métal plaqué argent
Argent de frappe	90 % argent, 10 % cuivre	Pièces de monnaie
Argent nickel	voir Argent allemand	
Bronze	95 % cuivre, 5 % étain	Statuettes, cloches
Bronze à canon	90 % cuivre, 8 % étain, 2 % zinc	Objets métallifères
Bronze au phosphore	90 % cuivre, 9 % étain, 1 % phosphore	Pignons, ressorts
Bronze de frappe	95 % cuivre, 4 % étain, 1 % zinc	Pièces de monnaie
Cupronickel	74 % cuivre, 25 % nickel	Pièces de monnaie
Duralumin	96 % aluminium, 4 % cuivre	Pièces pour l'aérospatial
Électrum	70 % or, 30 % argent	Bijouterie
Élinvar	52 % fer, 36 % nickel, 12 % chrome	Ressorts de montre
Étain	80 % étain, 20 % plomb	Ustensiles décoratifs en métal
Fonte	95 % fer, 3 % carbone	Pièces de machines, fonderie
Invar	63,8 % fer, 36 % nickel, 0,2 % carbone	Ressorts pour réveils et montres
Laiton	70 % cuivre, 30 % zinc	Ferrures de porte, instruments de musique
Manganin	82 % cuivre, 16 % manganèse, 2 % nickel	Résistances électriques
Métal anglais	85 % étain, 15 % antimoine	Objets métallifères, ustensiles décoratifs en métal
Métal antifriction	70 % étain, 20 % plomb, 7 % antimoine, 3 % cuivre	Objets métallifères
Métal blanc	60 % étain, 25 % plomb, 10 % cuivre, 5 % antimoine	Objets métallifères, petite fonderie
Métal Muntz	60 % cuivre, 39 % zinc, 1 % plomb	Travail de forge, gros boulons
Monel	65 % nickel, 35 % cuivre	Récipients résistant à l'acide
Mumétal	78 % nickel, 17 % fer, 5 % cuivre	Bobinage de transformateur
Nichrome	80 % nickel, 20 % chrome	Résistances électriques
Or de frappe	90 % or, 10 % cuivre	Pièces de monnaie
Or dentaire	60 % or, 25 % cuivre, 15 % argent	Couronnes dentaires
Permalloy	78,5 % nickel, 21,5 % fer	Bobinage de transformateur
Soudure	70 % étain, 30 % plomb	Métaux à souder, circuits imprimés
Soudure à braser	45 % cuivre, 35 % zinc, 20 % argent	Métaux à souder
Spéculum	66 % cuivre, 34 % étain	Instruments scientifiques
Toc	90 % cuivre, 10 % zinc	Objets décoratifs en métal

☐ LES CHIMISTES FRANÇAIS

Nicolas Lémery (1645-1715) : Apothicaire, il a étudié les poisons, les sels extraits des végétaux et diverses réactions chimiques.

Louis Bernard Guyton de Morveau (1737-1816) : Il liquéfia le gaz ammoniac et participa à la mise en place de la nomenclature chimique rationnelle.

Nicolas Leblanc (1742-1806) : Il inventa un procédé industriel d'obtention du carbonate de sodium.

Antoine Laurent de Lavoisier (1743-1794) : Il systématisa les mesures quantitatives. Il énonça les lois de conservation de la masse et des éléments (« Rien ne se perd, rien ne se crée »). Il a élucidé les mécanismes d'oxydation des métaux au contact de l'air et établi la composition de l'air et du gaz carbonique. Il fit les premières mesures calorimétriques avec Laplace et participa à la création d'une nomenclature chimique rationnelle. Il participa activement à l'élaboration du système métrique.

Claude Berthollet (1748-1822) : En 1789, il découvrit les ions hypochlorites, constituants actifs de l'eau de Javel. Il a formulé des explosifs à base de chlorates et montré qu'il y a d'autres acides que les composés oxygénés. Il est à l'origine de la célèbre formule : acide + base = sel + eau.

Pierre Simon de Laplace (1749-1827) : Ce mathématicien et physicien travailla avec Lavoisier pour mesurer les chaleurs de réactions chimiques.

Louis Joseph Proust (1754-1826) : Il isola le glucose et énonça la loi des proportions définies d'une réaction chimique (stoechiométrie). Il fut l'un des fondateurs de l'analyse chimique par voie humide.

Antoine François de Fourcroy (1755-1809) : L'un des auteurs de la nomenclature chimique rationnelle, il participa à l'organisation de l'enseignement public.

Louis Jacques Thenard (1777-1857) : On lui doit la découverte du peroxyde d'hydrogène (eau oxygénée), du bore (avec Gay-Lussac) et une classification des métaux.

Louis Joseph Gay-Lussac (1778-1850) : Il énonça avec Humboldt la loi volumétrique de combinaison chimique des gaz. Il démontra que le chlore est un corps simple, découvrit le bore et mit en évidence les analogies entre le chlore et l'iode. Il inventa un alcoomètre et un procédé industriel, « la tour de Gay-Lussac », destiné à récupérer les produits nitreux dans la fabrication de l'acide sulfurique.

Eugène Chevreul (1786-1889) : Il découvrit les bougies stéariques et analysa le premier les corps gras. Il émit une théorie des couleurs basée sur le cercle chromatique.

Jean-Baptiste Dumas (1800-1884) : Il inventa une méthode précise de la mesure des densités de vapeur et détermina les masses atomiques de l'hydrogène et du carbone. Il fonda l'analyse organique et développa la notion de fonction chimique. Il découvrit les amines (avec Wurtz) et l'anthracène (avec Laurent) et développa avec Laurent et Gerhardt la théorie des substitutions.

Auguste Laurent (1807-1853) : Il découvrit les imides, la dulcite et l'anthracène (avec Dumas) et défendit la doctrine atomiste.

Victor Regnault (1810-1878) : Il polymérisa le chlorure de vinyle, ouvrant la voie à la future industrie des matières plastiques.

Charles Gerhardt (1816-1856) : L'un des pères de la notation atomique (avec Wurtz et Laurent), il mit au point la notion de séries homologues en chimie organique et découvrit les anhydrides des acides carboxyliques.

Charles Adolphe Wurtz (1817-1884) : Il découvrit les amines avec Dumas, le glycol, l'aldol et montra que la glycérine est un trialcool. Il inventa une méthode générale de synthèse organique utilisant le sodium métal. Il fut un fervent défenseur de la théorie atomique.

Henri Sainte-Claire Deville (1818-1881) : Il découvrit de nombreuses dissociations de composés chimiques sous l'action de la chaleur et proposa une méthode de fabrication de l'aluminium.

Louis Pasteur (1822-1894) : Le fondateur de la microbiologie commença par des recherches en minéralogie qui lui ont fait découvrir la stéréochimie, base de la future biochimie.

Pierre Martin (1824-1915) : Ingénieur métallurgiste, il inventa un procédé d'affinage de la fonte par ajout de vieilles ferrailles dans un four qui porte son nom.

Marcellin Berthelot (1827-1907) : Il étudia l'estérification des alcools et effectua de nombreuses synthèses organiques, en particulier l'éthanol (alcool éthylique), le méthane, l'acétylène et le benzène. Il créa la thermochimie et mit au point des appareils de mesure précis, le « calorimètre de Berthelot » et la bombe calorimétrique.

Charles Friedel (1832-1899) : Il proposa une méthode générale de synthèse de composés benzéniques (synthèse de Friedel et Craft). Il fonda l'Institut de chimie de Paris.

François Lecoq de Boisbaudran (1838-1912) : Il a découvert le gallium et le samarium.

Henri Moissan (1852-1907) : Prix Nobel de chimie en 1906, il tenta la synthèse du diamant, isola le fluor, le silicium et le bore. Développant l'usage des fours électriques, il obtint du chrome, du titane et du carbure de calcium.

Georges Friedel (1865-1933) : Fils de Charles, ce minéralogiste a découvert les états mésomorphes et énoncé, en 1913, les lois de diffraction des rayons X par les cristaux.

Georges Claude (1870-1960) : Industriel parisien, il utilisa la solubilité de l'acétylène dans l'acétone pour le transporter facilement. Il développa un procédé de liquéfaction de l'air qui lui permit de fabriquer des explosifs avec de l'air liquide.

PRIX NOBEL DE CHIMIE

Le prix Nobel de chimie, de la même façon que ceux de physique, de physiologie ou de médecine, de littérature ou de la paix, a été attribué chaque année depuis 1901. C'est le prix le plus prestigieux au monde récompensant un travail d'une importance exceptionnelle dans le domaine de la chimie comme le souhaitait le chimiste et ingénieur suédois Alfred Nobel mort en 1896. Les prix de physique et de chimie sont décernés par l'Académie Royale des Sciences suédoise.

1901 **Jacobus Henricius van't Hoff** (Pays-Bas)
Étude des lois de la dynamique chimique et de la pression osmotique

1902 **Emil Fischer** (Allemagne)
Synthèse organique, notamment des groupes des sucres et de la purine

1903 **Svante Arrhenius** (Suède)
Développement de la théorie électrolytique de la dissociation ionique

1904 **William Ramsay** (Grande-Bretagne)
Découverte des éléments rares hélium, krypton, néon et xénon

1905 **Adolf von Baeyer** (Allemagne)
Développement de colorants organiques comprenant l'indigo et étude des composés hydroaromatiques

1906 **Henri Moissan** (France)
Découverte du fluor et développement du four électrique

1907 **Eduard Buchner** (Allemagne)
Recherches en biochimie, comprenant la fermentation sans cellule

1908 **Ernest Rutherford** (Nouvelle-Zélande)
Recherches sur les particules alpha, la décroissance radioactive et la chimie des substances radioactives

1909 **Wilhelm Ostwald** (Allemagne)
Étude des réactions chimiques et des catalyseurs

1910 **Otto Wallach** (Allemagne)
Études de composés alicycliques

1911 **Marie Curie** (France)
Découverte des éléments radium et polonium

1912 **Victor Grignard** et **Paul Sabatier** (France)
Études en chimie de synthèse organique

1913 **Alfred Werner** (Suisse)
Étude sur la liaison des atomes dans les molécules

1914 **Théodore Richards** (États-Unis)
Détermination du poids atomique exact de nombreux éléments

1915 **Richard Willstätter** (Allemagne)
Étude sur la chlorophylle et les pigments la constituant

1916-17 non attribué

1918 **Fritz Haber** (Allemagne)
Développement du procédé de synthèse industrielle de l'ammoniac

1919 non attribué

1920 **Walther Nernst** (Allemagne)
Étude de la chaleur de réaction (thermochimie)

1921 **Frederick Soddy** (Grande-Bretagne)
Étude des isotopes

1922 **Francis Aston** (Grande-Bretagne)
Spectrométrie de masse et découverte d'isotopes de nombreux éléments non radioactifs

1923 **Fritz Pregl** (Autriche)
Développement de la microanalyse de substances organiques

1924 non attribué

1925 **Richard Zsigmondy** (Allemagne)
Étude des solutions colloïdales

1926 **Théodore Svedberg** (Suède)
Travail sur les systèmes dispersés

1927 **Heinrich Otto Wieland** (Allemagne)
Étude sur la constitution des acides de la bile et des substances relatives

1928 **Adolf Windaus** (Allemagne)
Étude des stéroïdes, notamment des stérols et de leur relation avec les vitamines

1929 **Arthur Harden** (Grande-Bretagne) et **Hans von Euler-Chelpin** (Suède)
Étude des enzymes et de la fermentation

1930 **Hans Fischer** (Allemagne)
Étude de la structure de l'hémoglobine et de la chlorophylle

1931 **Carl Bosch** et **Friedrich Bergius** (**All.**)
Synthèse de l'ammoniac et hydrogénation du charbon

1932 **Irving Langmuir** (États-Unis)
Recherches sur la chimie de surface

1933 non attribué

1934 **Harold Urey** (États-Unis)
Découverte de l'hydrogène lourd (deutérium)

▲ **Marie Curie (1911) remporta également le prix de physique en 1903.**

1935 **Frédéric** et **Irène Joliot-Curie** (France)
Synthèse de nouveaux isotopes radioactifs

1936 **Peter Debye** (Pays-Bas)
Étude des moments dipolaires et de la diffraction des rayons X et des électrons dans les gaz

1937 **Walter Haworth** (Grance-Bretagne) et **Paul Karrer** (Suisse)
Recherches sur les vitamines

1938 **Richard Kühn** (Allemagne)
Recherche sur les vitamines et les caroténoïdes. Forcé de refuser le prix qui lui fut finalement attribué en 1946

1939 **Adolf Butenandt** (Allemagne) et **Leopold Ruzicka** (Suisse)
Étude des hormones sexuelles et des polyéthylènes. Butenandt fut forcé de refuser le prix

1940-42 non attribué

1943 **György von Hevesy** (Suède)
Utilisation des isotopes comme traceurs dans l'étude des processus chimiques

1944 **Otto Hahn** (Allemagne)
Découverte de la fission nucléaire des éléments lourds

1945 **Artturi Virtanen** (Finlande)
Étude sur la biochimie agricole et la conservation alimentaire

1946 **James Summer**, **Wendell Stanley** et **John Northrop** (États-Unis)
Préparation d'enzymes pures et cristallisation des enzymes

1947 **Robert Robinson** (Grande-Bretagne)
Recherches sur la biochimie des plantes, en particulier les alcaloïdes

1948 **Arne Tiselius** (Suède)
Étude des protéines du sérum, de l'électrophorèse et de l'analyse par adsorption

1949 **William Giauque** (États-Unis)
Études cryogéniques et thermodynamique chimique

1950 **Otto Diels** et **Kurt Adler** (Allemagne)
Synthèses organiques

1951 **Edwin McMillan** et **Glenn Seaborg** (États-Unis)
Découverte de la chimie des éléments transuraniens

1952 **Archer Martin** et **Richard Synge** (G-B.)
Invention de la chromatographie sélective

1953 **Hermann Staudinger** (Allemagne)
Découvertes sur les polymères et théorie sur les chaînes macromoléculaires

1954 **Linus Pauling** (États-Unis)
Recherche sur la nature des forces interatomiques

1955 **Vincent du Vigneaud** (États-Unis)
Synthèse d'une hormone polypeptidique

1956 **Cyril Hinshelwood** (Grande-Bretagne) et **Nicolai Semenov** (U.R.S.S.)
Recherches sur les mécanismes des réactions chimiques en chaîne

▲ **Hermann Staudinger (1953), pionnier de la chimie des polymères et des plastiques.**

1957 **Alexander Todd** (Grande-Bretagne)
Travaux sur les nucléotides et la composition des protéines

1958 **Frederick Sanger** (Grande-Bretagne)
Travaux sur la structure de l'insuline

1959 **Jaroslav Heyrovsky** (Tchécoslovaquie)
Développement de la technique analytique de polarographie

1960 **Willard Libby** (États-Unis)
Développement de la technique de datation au radiocarbone

1961 **Melvin Calvin** (États-Unis)
Étude du processus de photosynthèse

1962 **John Kendrew** et **Max Perutz** (Grande-Bretagne)
Études sur la structure des protéines globulaires

1963 **Karl Ziegler** (Allemagne) et **Giulio Natta** (Italie)
Étude des polymères et des réactions de polymérisation

1964 **Dorothy Hodgkin** (Grande-Bretagne)
Analyse aux rayons X de grosses molécules organiques

1965 **Robert Woodward** (États-Unis)
Synthèse de gros composés organiques, comprenant la chlorophylle

1966 **Robert Mulliken** (États-Unis)
Travail sur la liaison chimique et la structure électronique des molécules

1967 **Ronald Norrish**, **George Porter** (G.-B.) et **Manfred Eigen** (Allemagne)
Études et mesure de réactions extrêmement rapides

1968 **Lars Onsager** (États-Unis)
Découverte de la thermodynamique du non-équilibre

1969 **Derek Barton** (Grande-Bretagne) et **Odd Hassel** (Norvège)
Étude de l'effet de la stéréochimie sur les vitesses de réaction

1970 **Luis Leloir** (Argentine)
Étude des composés biochimiques stockant de l'énergie

1971 **Gerhard Herzberg** (Canada)
Étude des radicaux libres

1972 **Christian Anfinsen**, **Stanford Moore** et **William Stein** (États-Unis)
Contributions à la chimie des enzymes

1973 **Ernst Fischer** (Allemagne) et **Geoffrey Wilkinson** (G.-B.)
Étude de la chimie des composés organométalliques

1974 **Paul Flory** (États-Unis)
Dévelop. de méthodes analytiques pour l'étude de molécules à longues chaînes

1975 **John Cornforth** (Australie) et **Vladimir Prelog** (Suisse d'ori. tchè.)
Contributions à la stéréochimie

1976 **William Lipscomb Jr** (États-Unis)
Étude de la chimie des boranes

1977 **Ilya Prigogine** (Belgique)
Contributions à la thermodynamique du non-équilibre

1978 **Peter Mitchell** (Grande-Bretagne)
Étude du transfert d'énergie dans les cellules

1979 **Herbert Brown** (États-Unis) et **Georg Wittig** (Allemagne)
Préparation des composés organoborés utiles en synthèse

1980 **Frederick Sanger** (Grande-Bretagne), **Paul Berg** et **Walter Gilbert** (É.-U.)
Méthode de détermination de la structure détaillée de l'A.D.N.

1981 **Kenichi Fukui** (Japon) et **Roald Hoffmann** (États-Unis)
Application de la mécanique quantique pour prédire l'évolution de réactions chimiques

1982 **Aaron Klug** (Grande-Bretagne)
Développement de la microscopie électronique cristallographique et analyse de la structure des complexes nucléiques acide-protéine

1983 **Henry Taube** (États-Unis)
Recherche sur le transfert des électrons entre des métaux dans les réactions chimiques

1984 **Bruce Merrifield** (États-Unis)
Développement de méthodes automatisées d'assemblage de peptides pour synthétiser des protéines

1985 **Herbert Hauptman** et **Jerome Karle** (États-Unis)
Développement d'une méthode rapide pour déterminer la structure de molécules biochimiques à partir d'un spectre de diffraction des rayons X

1986 **Dudley Herschbach** et **Yuan Lee** (É.-U.) **John Polanyi** (Canada)
Travaux sur la dynamique de réaction

1987 **Donald Cram** et **Charles Pedersen** (États-Unis), **Jean Marie Lehn** (France)
Travaux sur des molécules synthétiques qui peuvent simuler des réactions chimiques de processus de la vie

1988 **Johann Diesenhofer**, **Robert Huber** et **Hartmut Michel** (Allemagne)
Recherches sur la photosynthèse

1989 **Sidney Altman** et **Thomas Cech** (É.-U.)
Découverte de l'action catalytique de l'A.R.N. dans les réactions cellulaires

1990 **Elias Corey** (États-Unis)
Développement de techniques pour dupliquer artificiellement des substances naturelles afin de les utiliser comme médicament

1991 **Richard Ernst** (Suisse)
Améliorations dans l'utilisation de la résonance magnétique nucléaire (R.M.N.) pour analyser des produits chimiques

1992 **Rudolph Marcus** (Canada)
Prédiction des interactions entre molécules dans une solution

1993 **Kary Mullis** (États-Unis) et **Michael Smith** (Grande-Bretagne)
Travaux sur les réactions en chaîne des polymères et les mutations dans les nucléotides

1994 **George Olah** (États-Unis)
Étude des carbocations superacides

1995 **Paul Crutzen** (Allemagne), **Mario Molina** et **F. Sherwood** (É.-U.)
Étude en chimie de l'atmosphère sur la formation et la décomposition de l'ozone

▲ **Dorothy Hodgkin (1964) découvrit la structure de l'insuline et de la pénicilline.**

INDEX

(Les chiffres en *italiques* renvoient aux légendes des illustrations. Les chiffres en **gras** correspondent aux entrées du glossaire et au chapitre Références, en fin d'ouvrage.)

CRÉDITS PHOTOGRAPHIQUES

SPL/Jim Amos **2** AOL/OCD **3** Anthony Blake 'icture Library, Richmonds **4** AOL **6** IP/Martin lack **7** RHPL/IPC Magazines/Martyn 'hompson **48-49** SPL/Philippe Plailly **50-51** PL/Philippe Plailly **50b** TRH Pictures, London **1bd** Z **51bg** PEP/Peter Scones **54-55** PL/Dr Jeremy Burgess **55** SPL/Sinclair tammers **56bg** Paul Brierley, Hertfordshire **6bd** Dr Beers Consolidated Mines **56-57** PL/Geoff Tompkinson **58** médaillon HL **58-59** **60-61** Z/Runk/Schoenberger **62-63** PL/Jeremy Burgess **63h** TCL/Susan Griggs **63b** 'CL/Susan Griggs **64bg** SPL/Alex Bartel **64bd** PL/Alex Bartel **64-65** Anthony Blake Picture ,ibrary, Richmond **65bg** SPL/Alex Bartel **65br** PL/Alex Bartel **66-67h** Still PIctures/Jorgen chytte **66-67b** AOL **68-69** RF **69** Associated 'ress, London **70-71** Spectrum Colour ,ibrary/David Bailey **71** EPL/Matt Sampson **72** PL/World View/Jaap Bouman **72-73** SPL/James Iolmes, Hays Chemicals **73** RHPL/Walter :awlings **74-75** SPL/Martin Bond **75h** Andree ,becais **75c** Nature Photographers, Hampshire **6-77** Galvanisers Association **79** SPL/Jim Amos **0-81** Z/Stockmarket **82-83** SPL/Martin Bond **4-85h** SPL/Dr Jeremy Burgess **84-85b** 'EP/Peter SJcoones **85** IP/Rolf Hayo **86** Z **86-87** pectrum Colour Library **87** AOL/OCD **88** P/Rupert Conant **88-89** AOL **89** HL/Tony Iardwell **90-91b** RF/Peter Brooker **90-91h** ,OL/OCD **92** AOL **92-93** IP/Martin Black **4-95** Colorsport **96-97** FSP/Liaison/Giboux **97** ,OL **98-99** Colorsport/Lacombe **101** Network 'hotographers/Barry Lewis **102-103** :/Stockmarket **103** RF/John Gooch **104** ,llsport/David Cannon **104-105h** Z **104-105b** ,OL **105** Colorsport **106** SPL/Peter Ryan **06-107** SPL/Alex Bartel **107** SPL/Hank Morgan **08-109** SPL/JC Revy **110-111** SPL/Oxford Iolecular Biophysics Laboratory **112-113** PL/JC Revy **113** Ardea/Adrian Warren **114-115** CL/MP Kahl **115bg** SPL/CNRI **115bd** :olorific/John Moss **116-117** Z **117h** SPL/James 'rince **117b** HL/Robert Francis **118** RF/Today **18-119** Colorsport/William R Sallaz **119** :olorsport/Bardon Sport **120-121** Z **122** AOL **22-123** ACE Photo Agency/Auschromes **123bg** ,OL **123hd** AOL **123bd** AOL **125** IP/David 'almer **126** RHPL/IPC Magazines/Martyn 'hompson **126-127h** TIB/Paul Trummer **126-27b** AOL **128g** TIB/David de Lossy **128b** cience & SOciety Picture Library **128-129** :hristopher Joyce **130-131** NHPA/David Voodfall **134-135** Z/Kelly/Mooney. **138-139** PL/Geoff Tompkinson **140-141** AOL **154** PL/National Library of Medicine **155h** 'opperfoto **155b** Hulton Deutsch Collection

Abréviations
b = bas, **h** = haut, **c** = centre, **d** = droite, **g** = gauche

AOL	Andromeda Oxford Limited, Abingdon, G.-B.
EPL	Environmental Picture Library, Londres, G.-B.
HL	Hutchison Library, Londres, G.-B.
IP	Impact Photos, Londres, G.-B.
NHPA	Natural History Picture Agency, Sussex, G.-B.
PEP	Planet Earth Pictures, Londres, G.-B.
RF	Rex Features, Londres, G.-B.
RHPL	Robert Harding Picture Library, Londres, G.-B.
SPL	Science Photo Library, Londres, G-B.
TCL	Telegraph Colour Library, Londres, G.-B.
Z	Zefa Picture Library, Londres, G.-B.

Artistes
Mike Badrock, Rob and Rhoda Burns, John Davies, Hugh Dixon, Bill Donohoe, Sandra Doyle, John Francis, Shami Ghale, Mick Gillah, Ron Hayward, Trevor Hill/Vennor Art, Joshua Associates, Frank Kennard, Pavel Kostell, Ruth Lindsey, Mike Lister, Jim Robins, Colin Rose, Colin Salomon, Leslie D. Smith, Ed Stewart, Tony Townsend, Halli Verinder, Peter Visscher

Achevé d'imprimer en avril 1996 sur les presses
de Mohndruck, Gütersloh